CAÇADORES DE NAZISTAS

Damien Lewis

CAÇADORES DE NAZISTAS

A Ultrassecreta Unidade SAS e a
Caça aos Criminosos de Guerra de Hitler

Tradução
GILSON CÉSAR CARDOSO DE SOUSA

Editora
Cultrix
SÃO PAULO

Título do original: *The Nazi Hunters.*

Copyright © 2015 Damien Lewis.

Mapas © William Donohoe.

Copyright da edição brasileira © 2016 Editora Pensamento-Cultrix Ltda.

Publicado pela primeira vez na Grã-Bretanha em 2015 por Quercus Publishing Ltd
Carmelite House – 50 Victoria Embankment – London EC4Y 0DZ.

Texto de acordo com as novas regras ortográficas da língua portuguesa.

1ª edição 2016.

1ª reimpressão 2016.

Créditos das Fotos
(Fotos numeradas na ordem de aparição)

© *Imperial War Museum*: 1, 2, 5, 14, 19

Mirrorpix: 3

National Archives / T. Roberts: 4, 7, 8, 15, 16, 17, 18, 20, 21, 24, 25

© *Bundesarchiv*: 6

© *National Portrait Gallery / Bassano Ltd.*: 9

© *National Portrait Gallery / John Gay*: 10

www.specialforcesroh.com / John Robertson: 11

www.forum.keypublishers.com: 12,13

Getty Images: 20, 21

Fornecida pelo autor: 26

Editor: Adilson Silva Ramachandra
Editora de texto: Denise de Carvalho Rocha
Gerente editorial: Roseli de S. Ferraz
Preparação de originais: Nilza Agua
Produção editorial: Indiara Faria Kayo
Editoração eletrônica: Join Bureau
Revisão: Vivian Miwa Matsushita

Dados Internacionais de Catalogação na Publicação (CIP)
(Câmara Brasileira do Livro, SP, Brasil)

Lewis, Damien
    Caçadores de nazistas : a ultrassecreta unidade SAS e a caça aos criminosos de guerra de Hitler / Damien Lewis ; tradução Gilson César Cardoso de Sousa. – São Paulo : Cultrix, 2016.

    Título original: The Nazi hunters
    Bibliografia.
    ISBN 978-85-316-1352-4

    1. Caçadores de nazistas 2. Criminosos de guerra – Alemanha 3. Forças especiais (Ciência militar) 4. Grã-Bretanha. Exército. Serviço Aéreo Especial. 5. Guerra Mundial, 1939-1945 – Atrocidades 6. Operações especiais (Ciência militar) I. Título.

16-01800   CDD-356.1670941

Índices para catálogo sistemático:

    1. Caçadores de nazistas do SAS : Grã-Bretanha : Forças especiais : Ciência militar : História   356.1670941

Direitos de tradução para o Brasil adquiridos com exclusividade pela
EDITORA PENSAMENTO-CULTRIX LTDA., que se reserva a propriedade literária desta tradução.
Rua Dr. Mário Vicente, 368 – 04270-000 – São Paulo, SP
Fone: (11) 2066-9000 – Fax: (11) 2066-9008
http://www.editoracultrix.com.br
E-mail: atendimento@editoracultrix.com.br
Foi feito o depósito legal.

Para Moussey.
Para os que nunca voltaram.

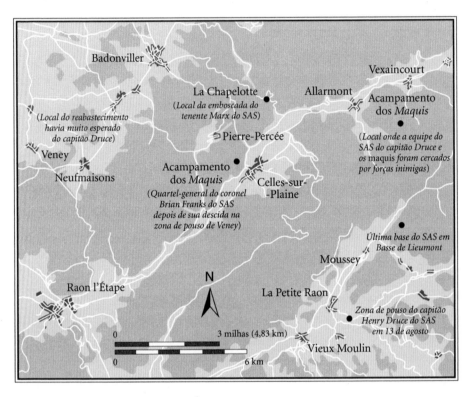

Operação Loyton do SAS – Área da Missão

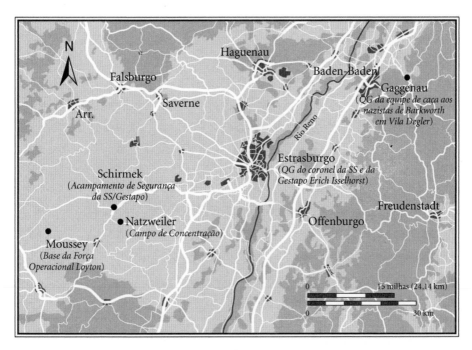

Caçadores de Nazistas do SAS – Área Circunscrita de Operações

AGRADECIMENTOS

---- ✳ ----

DURANTE A PESQUISA PARA ESTE LIVRO, conversei com inúmeras pessoas no Reino Unido, Estados Unidos, França e outros países, contando com as recordações e a assistência de muitas. Estendo meus agradecimentos especiais e minha gratidão a todas, desculpando-me ao mesmo tempo com aquelas que, inadvertidamente, possa ter esquecido de mencionar. Sou grato sobretudo aos ex-membros do SAS da Segunda Guerra Mundial que me comunicaram suas lembranças e aos ex-membros da Resistência Francesa do Vosges, que fizeram o mesmo. Em ordem aleatória, agradeço às seguintes pessoas: Jack Mann (Reino Unido); Chris Boulton (Reino Unido); Michael Jarrett (Reino Unido); Philip Eyers (França); Tony McKenny (Austrália); David Henry (Austrália); Tean Roberts (Reino Unido); Simon Fowler (Reino Unido); Maxene Lemaire (França); Sim Smiley (EUA); Paul Sherratt e Anne Sherratt (Reino Unido); David Lewis (França); Eric Chauffele (França) e Madeleine Fays (França).

Também sou grato, como sempre, à minha agente literária, Annabel Merullo, e ao agente cinematográfico Luke Speed por ajudarem a fazer deste livro um sucesso; igualmente, pelo mesmo motivo, ao querido pessoal da Quercus, incluindo Charlotte Fry, Ben Brock e Fiona Murphy. Quero agradecer também a Josh Varney.

Meu editor, Richard Milner, merece uma menção muito especial por se interessar pelo livro baseado unicamente em um esboço da história. Essa corajosa e rápida tomada de decisão é muito rara no mundo editorial de hoje e será, espero, recompensada pelas páginas que se seguem.

Uma menção especial também para Peter Message, um aluno extremamente talentoso que se inicia como historiador da Segunda Guerra Mundial: ele leu e comentou com brilho o livro ainda em fase de manuscrito.

Outra pessoa que não pode ser nomeada — um ex-soldado do SAS de certa reputação — merece um agradecimento especial por ter chamado minha atenção para esta história e me convencido de que ela realmente merecia ser contada. Muito obrigado.

Estou em débito para com os autores que já haviam escrito sobre alguns dos tópicos aqui tratados. São, em ordem alfabética: Keith E. Bonn (*When the Odds Were Even*); Colin Burbidge (*Preserving the Flame*); Roger Ford (*Fire from the Forest* e *Steel from the Sky*); John Hislop (*Anything but a Soldier*); Tim Jones (*SAS: The First Secret Wars*); Anthony Kemp (*The Secret Hunters*); Paul McCue (*SAS Operation Bullbasket*); Gavin Mortimer (*The SAS in World War Two*) e Christopher Sykes (*Four Studies in Loyalty*).

E, é claro, meus agradecimentos de sempre a Eva, David, Damien Jnr e Sianna por perdoarem ao papai estar quase o tempo todo fechado... escrevendo... fechado... escrevendo.

Damien Lewis, Dorset, 2015

NOTA DO AUTOR

———— ✳ ————

INFELIZMENTE HÁ POUCOS, se algum há, sobreviventes das Forças Especiais que operaram durante a Segunda Guerra Mundial citados nestas páginas, ou da Resistência Francesa (os *maquis*) e dos caçadores de nazistas que atuaram imediatamente após o conflito. Ao longo do período de pesquisa e redação do livro, esforcei-me para fazer contato com o maior número possível dessas pessoas, além dos membros sobreviventes das famílias daqueles que já tinham falecido. Se houver mais testemunhas das histórias aqui contadas que queiram colaborar, por favor entrem em contato comigo, pois talvez eu possa incluir em edições futuras novos relatos sobre as operações aqui narradas.

O tempo gasto por militares aliados, homens e mulheres, como agentes da Executiva de Operações Especiais (*Special Operations Executive, SOE*), operadores das Forças Especiais e membros da Resistência foi muitas vezes profundamente traumático, de sorte que alguns preferiram levar suas histórias para o túmulo — sobretudo os que caíram prisioneiros do inimigo. As lembranças tendem a diferir, principalmente as relativas a operações por trás das linhas inimigas. Os poucos relatos escritos que existem sobre essas missões também apresentam divergências de tempo e detalhe, com cronologias e localizações às vezes contraditórias. Sendo assim, fiz o melhor que pude para fornecer a noção de tempo e espaço mais exata possível na história aqui narrada.

Onde diferentes relatos de uma missão pareciam particularmente confusos, empreguei a metodologia do "mais provável" para reconstruir a ocasião, a época e o modo como os eventos se desenrolaram. Quando duas ou mais testemunhas ou fontes concordavam sobre determinada época, lugar ou sequência de acontecimentos, optei por usar seus relatos como os mais próximos da verdade.

Apesar disso, quaisquer equívocos aqui cometidos são de minha inteira responsabilidade e eu gostaria imensamente de corrigi-los em edições futuras. Nem sempre foi possível localizar os detentores do copyright das fotos, desenhos e outras imagens usados no livro. De novo, eu gostaria imensamente de corrigir os erros ou omissões nesse sentido em futuras edições.

PREFÁCIO

———— ✳ ————

A SUGESTÃO PARA ESTE LIVRO veio inesperadamente.

Encontrei por acaso um soldado do Serviço Aéreo Especial (Special Air Service, SAS) que conseguira alguma posição e influência no "Regimento" (como é conhecido). Esse soldado – vou chamá-lo de "Steve"; ele me pediu para não usar seu nome verdadeiro, um hábito dos operadores do SAS – e eu nos tornamos amigos durante a redação de vários livros.

Eu havia acabado de publicar *Churchill's Secret Warriors*, a história do belicoso viking dinamarquês Anders Lassen – o único membro do SAS britânico a ganhar a Cruz de Vitória – e seu bando de guerreiros furiosos das Forças Especiais, aqueles que transformaram em realidade a conclamação de Churchill em 1940 para "incendiar a Europa", espalhando o caos e o terror por trás das linhas alemãs e quebrando virtualmente todas as regras da guerra.

Dei a Steve um exemplar de *Churchill's Secret Warriors* e expressei minha esperança de que o livro se transformasse em filme.

Steve olhou em volta – combináramos o encontro no restaurante da BAFTA, a British Academy of Film and Television Arts (Academia Britânica de Artes Cinematográficas e Televisivas), que nos parecera o local conveniente para nossa conversa durante o café da manhã – e, como seria de esperar, fez piada.

"Então você quer se misturar com os ricos e famosos? Quer conhecer aquela mulher que interpretou Lara Croft em *Tomb Raider*... como se chama mesmo... Angelina Jolie?"

Steve reconheceu que *Churchill's Secret Warriors* daria um filme fantástico. Somente dois veteranos do Regimento mereceram ter suas estátuas na base Hereford do SAS. Um é David Stirling, o fundador do SAS; o outro, Anders Lassen. Steve disse que já era tempo de fazer um filme sobre as façanhas de Lassen e seus camaradas. A história merecia ser divulgada o mais amplamente possível.

Por um momento ele examinou a capa de *Churchill's Secret Warriors*, revirando o livro com suas mãos enormes e fortes. Um sujeito de um metro e noventa de altura e ombros largos como a porta de um celeiro não era bem o visitante comum da BAFTA e pude notar os olhares curiosos e furtivos daqueles que degustavam seu café com ovos benedict.

Ele me encarou – um olhar direto, o rosto sério por um instante.

"Saiba que há outra história do SAS, da Segunda Guerra Mundial, que precisa ser contada. Nunca foi. E há o risco de nunca ser."

"Vá em frente", incitei-o. "Sou todo ouvidos."

"Já ouviu falar da Operação Loyton? Quase ninguém ouviu. Mas para os poucos de nós que ouvimos é conhecida como a ponte de Arnhem do SAS. No final de 1944, uma força de paraquedistas do SAS desceu nas montanhas dos Vosges para armar a Resistência Francesa e fazê-la lançar o pânico atrás das linhas inimigas. Infelizmente, foram cair sobre uma divisão Panzer alemã inteira. Hora errada, informações precárias. Sem comida, munição, explosivos e armamento, para não falar em rota de fuga. Resultado: a ponte de Arnhem do SAS.

Finalmente, encontraram refúgio numa aldeia francesa chamada Moussey. Percebendo que não podiam matar ou capturar todos os paraquedistas, os alemães prenderam os aldeões e mandaram-nos para campos de concentração. Mas, coisa impressionante, nenhum aldeão abriu o bico. Nenhum habitante de Moussey jamais revelou a localização da base do SAS ou traiu nossos homens.

Durante semanas os alemães percorreram as florestas e montanhas da vizinhança e, com o tempo, acabaram capturando dezenas dos nossos rapazes. Entregaram-nos à Gestapo e à SS, e eles desapareceram na *Nacht und Nebel*, na noite e na neblina. E é nesse ponto que a história se torna realmente interessante..."

Steve contou então que, no fim da guerra, mais de trinta homens da Operação Loyton foram considerados desaparecidos em ação. O comandante do 2 SAS na época, coronel Brian Franks, recusou-se a deixar as coisas como estavam. Prometeu às famílias descobrir o que tinha acontecido com eles e achou que o Regimento devia uma satisfação aos habitantes de Moussey — de onde muitos haviam sido levados para nunca mais voltar.

Moussey se situa num vale profundo e coberto de matas que ficou conhecido, muito apropriadamente, como o "Vale das Lágrimas". Ao longo de toda a sua extensão, cerca de mil aldeões foram presos pela Gestapo e mandados para um destino que então não se sabia qual fosse. No entender do coronel Franks, o SAS devia aos desaparecidos a obrigação de procurá-los, identificar seus opressores e fazer justiça.

Mas havia um problema: o SAS logo seria licenciado. Após a guerra, Winston Churchill perdeu o poder, a mente do público britânico cansado de guerra se voltava para a paz, e os dias daquele que fora visto muitas vezes como um exército paralelo, à margem da lei, estavam contados. Em outubro de 1945, o Regimento SAS perdeu a batalha pela sobrevivência. Foi formalmente licenciado — ou, pelo menos, é o que diz a história oficial.

Contudo, a realidade não foi bem assim. De fato, os veteranos do SAS foram devolvidos às suas unidades para desmobilização, mas um grupo de oficiais e soldados de elite foi enviado à Alemanha para rastrear os desaparecidos da Operação Loyton e de Moussey — e caçar seus assassinos. Esses homens — que usavam a boina do SAS com o distintivo da adaga alada — foram formados em unidades de perseguição secretas e se tornaram conhecidos como os "Caçadores Furtivos".

Em suma, os Caçadores Furtivos se recusavam a aceitar que a guerra houvesse terminado e travavam sua própria batalha privada a fim de descobrir alguns dos criminosos de guerra nazistas mais brutais.

As operações dos Caçadores Furtivos eram totalmente sigilosas, não documentadas. E isso a tal ponto que poucos, no SAS, sabiam de sua existência. Os homens recebiam ordens de um escritório na praça Eaton, em Londres, por comunicações de rádio diretas com o campo e pleno apoio de Winston Churchill, cujo poder e influência no pós-guerra continuavam manifestos a despeito de sua derrota nas eleições gerais de 1945.

As operações eram orquestradas por um príncipe russo que havia lutado com as Forças Especiais durante a guerra e tinha fortes motivos pessoais para levar os assassinos nazistas à justiça. Graças ao passe de mágica do príncipe Yuri "Yurka" Galitzine, o War Office liberou verba para uma unidade que oficialmente não existia.

Sob a orientação dele e do coronel Franks, os Caçadores Furtivos seguiram a trilha dos criminosos de guerra nazistas da Itália à Noruega e do oeste da França à Alemanha e às zonas de ocupação russa. Eles empregaram todos os meios necessários e tiveram amplo sucesso na caça aos assassinos, mas, com isso, despertaram a ira do exército britânico regular e dos Aliados de um modo geral.

As operações de perseguição dos Caçadores Furtivos também serviram para alcançar outro objetivo, vital para eles. Atuando até 1948, conseguiram manter o Regimento vivo até que o coronel Franks fundasse o 21 SAS Artists Rifles – a unidade do Exército Territorial que seria a base para o SAS propriamente dito quando ele foi reconstituído nos anos 1950.

Conforme Steve salientou, o Regimento ainda guarda na memória as deportações de Moussey para os campos de concentração e as centenas de aldeões que jamais retornaram. Os mortos do SAS estão sepultados junto com as vítimas da aldeia no pátio da igreja local – um lugar de homenagem àqueles que juraram não esquecer nunca o sacrifício feito. Para Steve, esse era um episódio de história viva que bem merecia um livro, além de um conto que havia muito deveria ter sido escrito.

Eu já ouvira falar nos caçadores de nazistas do SAS. Um ou dois amigos meus das Forças Especiais haviam mencionado suas atividades. A história me fascinava havia tempos, mas a questão era: como contá-la? As atividades do grupo, sempre envoltas em mistério, não deviam estar documentadas e com toda a certeza já não havia sobreviventes de seu pequeno número.

Entretanto, umas duas semanas depois, chegou-me pelo correio um pacote muito especial. Continha o maior e mais pesado "livro" que jamais tive o prazer de manusear: uma edição especial do diário de guerra oficial do SAS durante a Segunda Guerra. Esse diário fazia uma breve e tipicamente minimizada alusão às atividades de seus caçadores de nazistas. A despeito de sua brevidade, era o primeiro reconhecimento oficial, em que eu punha os olhos, da existência do grupo.

O comandante dos Caçadores Furtivos havia sido o veterano major do SAS Eric "Bill" Barkworth, um homem de princípios rígidos, espírito inquebrantável e tenacidade sem paralelo. Barkworth se revelaria um investigador, detetive e interrogador fantasticamente bem dotado... além de um caçador extraordinário.

O diário de guerra do SAS registra: "Em maio de 1945 [o coronel] Franks recebeu um relatório informando que corpos de soldados britânicos haviam sido descobertos em Gaggenau, Alemanha. Ele enviou então seu oficial de inteligência, major E. A. Barkworth, para investigar. A unidade de Barkworth montou sua base [...] e iniciou a busca. Em outubro de 1945, o SAS foi extinto. Franks fez um acordo não oficial com um elemento do Gabinete de Guerra e a unidade continuou atuando. Agia às claras, como se fosse oficial. A unidade encerrou sua busca em 1948, três anos depois de o SAS ter sido licenciado".

Apenas algumas palavras cuidadosamente escolhidas, acompanhadas de quatro fotografias do SAS, em Moussey, rendendo homenagem ao memorial de guerra da aldeia – reconhecimento oficial suficiente, ainda assim, de que os caçadores de nazistas da unidade realmente existiram.

Mesmo isso era extraordinário, considerando-se a versão aceita de que o SAS foi extinto em 1945 e só ressurgiu nos anos 1950 para realizar operações antirrevolucionárias na Ásia. Por exemplo, a história oficial do SAS (1971), de Philip Warner, menciona o licenciamento em 1945 da unidade e afirma que ele foi "definitivo" até seu ressurgimento oficial na década de 1950. Aclamada como a "primeira história oficial completa do Regimento SAS", essa se tornou a versão aceita do que aconteceu.

A aventura dos caçadores de nazistas do SAS, envolvendo um punhado de homens cuidadosamente escolhidos – orientados, além do mais, para nunca falar sobre seu trabalho e manter o mínimo possível de registros escritos –, seria, acreditava eu, muito difícil de pesquisar. Provas fragmentárias precisariam ser penosamente reunidas – do mesmo modo que, penosamente, os próprios Caçadores Furtivos tiveram de montar seus fichários sobre os criminosos de guerra nazistas mais procurados.

Assim começou uma odisseia de pesquisas que me levaram a alguns lugares tenebrosos, ainda tresandando aos horrores infligidos a agentes e comandos das Forças Especiais, ali prisioneiros, por um bando de nazistas de alta patente – os quais, àquela altura, deviam saber que a guerra estava perdida para eles. Mas era também a história da incrível coragem e do heroísmo demonstrados pelos homens das Forças Especiais Britânicas e Aliadas, para não mencionar a Resistência Francesa e os aldeões comuns que os ajudaram na luta. Houve até, ocasionalmente, o "alemão bonzinho" que arriscava a vida tentando fazer o certo.

Por fim, a história me levou ao nordeste da França, à própria Moussey, e a um sombrio e assustador campo de concentração no meio de uma região montanhosa, coberta de matas, cerca de 15 quilômetros a leste da aldeia. Visitei ainda os Arquivos Nacionais de Kew, onde pude manusear as poucas pastas restantes que tratavam das atividades dos caçadores de nazistas do SAS, algumas das quais marcadas com uma data "para destruir", mas que, milagrosamente, sobreviveram às predações dos interessados em censurar a história.

Examinei, no Museu Imperial da Guerra, documentos particulares do príncipe Yurka Galitzine e outros. Esses Caçadores Furtivos, achando que seu trabalho não deveria permanecer sem registro e sem divulgação, optaram (contrariando ordens e ignorando os pactos de "silêncio" que haviam assinado) por guardar seus papéis em lugares onde poderiam ser encontrados. Eles correram sérios riscos recusando-se a permitir que a verdade permanecesse oculta; por isso, merecem nossa admiração e gratidão.

Dos arquivos do Museu Imperial da Guerra – e sou muito grato por permitirem que esse material ficasse a salvo para a posteridade –, a trilha me levou a uns poucos sobreviventes do SAS que atuaram durante a Segunda Guerra Mundial e que felizmente continuam entre nós. Por fim, deparei-me com as mais inesperadas (para não dizer chocantes) revelações, ocultas numa série de arquivos da CIA mantidos nos Arquivos Nacionais Americanos em Washington DC. Em setembro de 2007, a CIA foi obrigada, pelo Ato de Divulgação dos Crimes de Guerra Nazistas (1999), a liberar cerca de 50 mil páginas de registros que documentavam as relações entre a Agência e nazistas proeminentes nos anos seguintes à Segunda Guerra Mundial.

No fim da guerra, a Alemanha de Hitler já não era o principal inimigo do "mundo livre"; a Rússia de Stalin havia tomado seu lugar. Mal se dispararam os últimos tiros e os Aliados começaram a rondar os nazistas experientes na luta ou na espionagem contra os russos, a fim de protegê-los e recrutá-los. Foram acolhidos, sigilosamente, em diversos serviços de inteligência – o mais famoso dos quais era a Organização Gehlen, comandada a princípio pela Inteligência do Exército dos Estados Unidos e depois, a partir de 1948, pela CIA.

Os arquivos recém-liberados da CIA revelaram que, em diversas instâncias envolvendo altos oficiais nazistas com grande experiência em operações contra os russos, a justiça tão avidamente buscada pelos Caçadores Furtivos do SAS não havia sido feita.

Esta é, pois, uma história que mergulha em mundos secretos dentro de mundos ocultos, removendo camada após camada de intrigas e subterfúgios. Chegar ao âmago da verdade irrefutável foi sempre um desafio, mas por fim a oportunidade de contar a história da Operação Loyton, das deportações e dos massacres de Moussey, e das atividades posteriores dos Caçadores Furtivos constituiu um enorme e gratificante privilégio.

Alguns perguntarão se, passados setenta anos, é de fato importante manter viva a memória desses horrores e da busca pelos responsáveis. Não será isso soprar brasas apagadas? Não creio. É muitíssimo importante que recordemos o heroísmo e o sacrifício, tanto quanto os terríveis crimes de guerra e contra a humanidade, para que essas tenebrosas transgressões não venham porventura a se repetir.

Na certeza de que há mais coisas a contar sobre um capítulo tão misterioso e marcante da história, aguardo quaisquer novas revelações que possam resultar da publicação deste livro.

Mas, antes, permita o leitor que eu o coloque num avião de guerra solitário a caminho da França ocupada, no final do verão de 1944.

CAPÍTULO 1

———— ✽ ————

O BOMBARDEIRO ARMSTRONG WHITWORTH WHITLEY trovejava em meio à escuridão, as duas hélices cortando o céu inóspito. Era 12 de agosto de 1944, quase meia-noite, sobre a região norte da França, e, pelo que seria de esperar, o verão continental deveria ter tornado o tempo quente e agradável, e o céu claro e tranquilo.

Mas as condições de voo naquele agosto que a guerra fazia turbulento se revelaram ingratas, especialmente para uma tripulação da RAF encarregada de lançar paraquedistas numa cadeia de montanhas remota, coberta de florestas, situada a 800 quilômetros por trás das linhas alemãs. Por várias vezes essa missão tinha sido abortada na última hora e, para os homens agachados no chão frio da fuselagem, era um alívio poderem finalmente entrar em ação. Isso, porém, não deixava a atmosfera menos tensa e agitada – não na iminência de uma aventura como aquela.

O barulho ensurdecedor dos dois motores Rolls-Royce Merlin do avião impedia qualquer conversa e os soldados do SAS se entregavam a seus próprios pensamentos. Como parece ter sido frequentemente o caso, os homens do Regimento haviam recebido uma tarefa formidável, mas também o equipamento mais obsoleto que o Gabinete de Guerra tinha a oferecer. Um rápido olhar pelo porão escuro e sacolejante do Whitley bastava para mostrar que ele não era de forma alguma adequado ao salto dos paraquedistas.

Projetado em meados dos anos 1930, o Whitley já era obsoleto antes mesmo do início da guerra, tendo sido, em 1942, retirado da linha de frente. Bombardeiro de porte médio, o avião agora só servia para rebocar planadores até o teatro de operações e nunca tinha sido usado como plataforma de lançamento de paraquedistas. Devido a uma peculiaridade do desenho, voava com o nariz um pouco inclinado e isso fazia com que a fuselagem estreita e alongada permanecesse num ângulo acentuado em relação à cabine. Pior ainda, os homens do SAS saltariam na escuridão da noite por um buraco em forma de ataúde aberto no piso; e o processo de sair pelo alçapão de bombas do Whitley, mais parecido a um túmulo escancarado, é que tornava o salto perigoso.

Os homens do SAS chamavam-no de "toque de sino". Já na zona de salto, eles se sentavam em linha na beira do buraco, com os pés balançando no vazio escuro. Quando a luz passava do vermelho para o verde, deixavam-se cair no abismo de trevas. Mas o alçapão havia sido projetado para liberar munições relativamente compactas de 3.000 kg e não uma dezena de seres humanos. Ao saltar pela abertura estreita, os homens corriam o risco de bater com a cabeça, produzindo um forte estampido: daí "toque de sino".

O paraquedista que "tocasse o sino" ficaria seriamente ferido ou mesmo inconsciente, caindo lá embaixo como uma pedra: condição nada ideal para quem precisava se orientar rumo a uma zona de pouso demarcada apenas por algumas fogueiras acesas pela Resistência Francesa. Pelo menos, era essa a esperança: com efeito, a Gestapo e a SS costumavam, elas próprias, acender fogueiras e esconder-se nas imediações, principalmente quando tinham dados seguros sobre a hora e o local de um pouso de paraquedistas aliados.

O avião solitário avançava, tendo por proteção o manto da noite sem luar.

Armado com uma única metralhadora na frente e quatro atrás, na torre de tiro da cauda, o Whitworth era altamente vulnerável a disparos vindos de baixo ou de cima; e, com uma velocidade máxima de pouco mais de 300 km/h, de modo algum conseguiria superar os ágeis caças noturnos da Luftwaffe. Os homens do SAS seriam os primeiros a sofrer as consequências de um ataque desses quando projéteis antiaéreos atravessassem a fina blindagem do porão, atingindo os tanques de combustível alojados nas asas e espalhando as chamas de uma morte horrível pela fuselagem despedaçada.

A tripulação do Whitworth rezava para passar despercebida em meio às trevas. Os paraquedistas estavam prestes a saltar sobre o último bastião de defesa do Reich – as ásperas montanhas Vosges, que se estendem ao longo da fronteira franco-alemã. Havia sido ali que Hitler ordenara à Wehrmacht resistir até o último homem, a fim de impedir a todo custo que os Aliados fizessem o impensável: avançar para o leste e invadir a Pátria. Assim, o desafio dessa missão – codinome Operação Loyton – não podia ser maior.

O artilheiro se agachou na torre da frente, logo abaixo do atirador que manejava a metralhadora. Acima dele, o piloto e o copiloto/navegador estavam sentados lado a lado na cabine. Naquela noite, é claro, o artilheiro não iria deixar a morte cair do céu – pelo menos, não tinha nenhuma carga convencional de bombas. Sua tarefa agora – ajudado pelo navegador – era detectar uma pequena clareira, do tamanho de uma caixa de fósforos, no meio das montanhas densamente arborizadas, onde desceriam os homens cuja fama em combate os tornara os mais temidos adversários de Hitler e do Reich.

Se o SAS obtivesse liberdade de manobra, sua missão seria recrutar e armar um exército de milhares para a Resistência Francesa, atacar as linhas de comunicação e suprimento do inimigo, e espalhar o terror e o caos em sua retaguarda. Esperava-se, com isso, convencer as tropas da vanguarda da Wehrmacht de que suas defesas estavam ruindo e de que o 3º e o 7º exércitos americanos do general Patton já haviam rompido suas linhas. Caso os alemães pudessem ser persuadidos a abandonar as posições que ainda ocupavam ao longo da inóspita encosta ocidental dos Vosges – uma série de trincheiras fortemente guarnecidas e de formidáveis instalações de artilharia entre as defesas naturais na base das montanhas –, o caminho para a Alemanha estaria aberto.

Vieram logo à mente do capitão Henry Carey Druce, comandante da missão, as palavras "lata de sardinhas" enquanto ele observava o porão do Whitley atulhado de homens. Ele mesmo estava tão espremido ombro a ombro com os outros, sobrecarregado de armas e apetrechos, que mal conseguia se mover. Os cinco homens da tripulação não paravam de falar pelo interfone, conferindo os marcos que os levariam à zona de salto, mas Druce, cego e quase surdo naquele tugúrio sombrio, não ouvia nada.

A sensação era extremamente desagradável.

De fato, por motivos além do controle de Druce, a gênese toda daquela missão tinha sido decididamente desconcertante; até sua entrada para o SAS quase não passara de um acidente.

Pouco antes, Druce havia servido com a SOE, a unidade nascida da vontade de ferro de Winston Churchill e inteiramente formada às ocultas. No verão de 1940, o mítico líder guerreiro da Grã-Bretanha exigiu a criação de uma força clandestina que pusesse em alvoroço as regiões da Europa ocupadas pelo inimigo.

A SOE se formou, sob a égide do Ministério da Economia de Guerra, como uma força inteiramente separada das tropas regulares. Tornou-se conhecida como a "quarta arma" e operava sob diversos nomes – incluindo o bastante inócuo "Escritório de Pesquisa Intergovernamental" e o mais apropriado "Raquete". Oficialmente, a SOE não existia, o que fazia dela um instrumento ideal para missões sem consideração pelas normas de guerra e que o governo britânico podia negar caso algo saísse errado.

Druce sentiu o estômago revirar quando o Whitley mergulhou numa zona de turbulência particularmente violenta. Não era a primeira vez que voava para território hostil. Em uma de suas operações anteriores para a SOE, tinha descido na Europa ocupada a fim de recolher prisioneiros de guerra fugitivos. Mas havia sido traído e capturado. Mantido numa prisão da Gestapo, vira-se na presença de um oficial que viera interrogá-lo.

"Lembre-se de que é meu prisioneiro", advertira o homem da Gestapo. "Portanto, conte-me tudo."

"Na verdade, eu é que deveria capturar você e seus camaradas", replicara Druce calmamente. "Suas tropas estão praticamente derrotadas e você faria bem em se render a mim."

Na confusão provocada por essas palavras, Druce aproveitou a chance e pulou pela janela mais próxima. Escapara das garras da Gestapo e, como falava fluentemente o francês, atravessou a França ocupada e cruzou para a Inglaterra, disfarçado como habitante local. Percorrera então, a pé, justamente a área onde agora iria descer, as montanhas dos Vosges, mas esse regresso se devia a um mero acaso.

Algum tempo depois de sua fuga épica do inimigo, Druce pegou um trem para uma das escolas de paraquedistas da Grã-Bretanha. O coronel Brian Franks, comandante do 2 SAS – o Regimento do SAS que na época consistia das brigadas 1 e 2, além de certo número de batalhões "estrangeiros" que o auxiliava –, estava por acaso no mesmo vagão. Os dois se puseram a conversar e Franks fez a Druce a pergunta óbvia: o que ele agora tinha em mente?

Druce deu de ombros, bem-humorado.

"Estou na rua. Ninguém parece querer me empregar."

"Ora, você poderia se juntar a nós", propôs Franks.

E assim Druce entrou para o SAS: Esquadrão A, 2 SAS, que na época contava com cerca de sessenta homens vindos de diversas partes. Como o 2 SAS era composto por quatro esquadrões, havia gente demais para o capitão Druce conhecer, mas ele logo se familiarizou com o pessoal de seu grupo. Problema: poucos desses estavam agora a seu lado no Armstrong Whitworth Whitley.

Até a tarde anterior, a dezena de homens a bordo do avião havia sido comandada por outro oficial do SAS, um veterano de operações na África do Norte. Mas, poucas horas antes da decolagem, o homem se apresentou ao coronel Franks para lhe confessar o inimaginável:

"Sinto, realmente, que não posso ir. Não conseguirei liderar a missão. Perdi a coragem."

Não era o primeiro a ser vítima do estresse agudo causado por repetidas incursões atrás das linhas inimigas. Mesmo o mais ousado corria o risco de ficar, como se dizia, "assustado" – incapaz de repetir a façanha. Era o que todos temiam, pois, quando um homem se deixava dominar pelos nervos durante uma missão, tornava-se um perigo sério para seus companheiros.

Na opinião de Druce, esse oficial se revelara um dos homens mais corajosos que ele havia conhecido. É coisa tremendamente difícil, na última hora, admitir que não se pode levar a cabo uma missão. Mesmo assim, quando o coronel Franks lhe telefonou de surpresa pedindo-lhe para assumir o encargo, Druce se sentiu um tanto agastado. Dispunha de apenas alguns minutos para se equipar, preparar suas armas e pegar um trem até o aeroporto onde a missão estava sendo montada. Não havia tempo para ele se familiarizar com o grupo sob seu comando.

Uma coisa ele havia pedido ao coronel Franks: queria levar o temível sargento escocês David "Jock" Hay, de modo a ter pelo menos um conhecido no grupo. Mas, quanto aos demais, mal sabia seus nomes.

Para os homens, aquilo era sem dúvida duplamente desconcertante, pois tinham treinado e se preparado com seu antigo líder. Ninguém lhes havia dito por que ele tinha se afastado. Os superiores acharam melhor não contar que ele havia ficado "assustado". Contudo, Druce era conhecido apenas como alguém que entrara havia pouco para o Regimento e isso o tornava uma incógnita – um curinga.

O mal-estar se agravava pelo fato de o capitão Henry Druce precisar ser chamado de capitão "Drake" durante toda a missão. Já tendo sido prisioneiro do inimigo, sua verdadeira identidade era conhecida da Gestapo, o que aumentava o risco de ele ser capturado.

Druce – "Drake" – chegou ao aeroporto Fairford da RAF em Gloucestershire apenas sessenta minutos antes da hora D (marcada para a decolagem). Fairford tinha sido apelidado de "Gaiola" e por bons motivos. Era uma instalação fechada, de alta segurança, ladeada por holofotes e torres de vigia, de onde ninguém saía exceto para uma missão. Mesmo ir ao banheiro exigia uma escolta armada de três guardas!

Mal chegou à Gaiola, Druce foi levado às pressas para a sala de operações, onde se juntou aos outros que ouviam as "dicas": as últimas informações para a missão. Dois chefões do Regimento, o major Eric "Bill" Barkworth e seu braço direito na Seção de Inteligência do 2 SAS, o sargento Fred "Dusty" Rhodes, fizeram um esboço do que estava por vir.

Depois que os Aliados avançaram a partir de sua cabeça de ponte do Dia D, os alemães bateram em retirada. Nossos comandantes acreditavam que sua versão da *Blitzkrieg* se mostraria irresistível, pois, com um poder aéreo e terrestre superior, empurrariam o inimigo desmoralizado de volta para a Alemanha. Murmurava-se até que a guerra acabaria no Natal. A barreira natural das montanhas dos Vosges formaria a última linha defensiva da Wehrmacht e a Operação Loyton deveria desejar "feliz inferno" ao inimigo naquelas colinas cobertas de densas florestas.

Já tendo percorrido a região num passado não muito distante, Druce observou que o terreno seria ideal para uma guerra de guerrilhas. Mas Barkworth – um dos "durões" do Regimento, o típico soldado frio – deixou bem claro o que se esperava dele. Sua tarefa não consistiria em andar por lá explodindo coisas ou pelo menos *não por enquanto*. Deveria fazer contato com a Resistência Francesa e estabelecer uma base segura na zona de salto, para facilitar a chegada do corpo principal da Operação Loyton.

O coronel Franks, a postos na Gaiola, explicou que tencionava colocar dois esquadrões inteiros – aproximadamente 120 homens – na região dos Vosges. Caberia a Druce preparar o terreno para essa força mais numerosa. Só depois disso ele poderia começar a explodir o que bem entendesse.

Para enfatizar a importância da Operação Loyton, Franks declarou que ele próprio gostaria muito de participar – e um comandante de alta patente do SAS raramente ou nunca se arriscaria a ir tão longe por trás das linhas inimigas. Outra pessoa também estava ansiosa para participar: o sargento Dusty Rhodes, braço direito de Barkworth. Rhodes – um rude e fleumático natural de Yorkshire – queria ação a todo custo, mas seu posto atual não lhe permitia isso. Como membros da Inteligência do 2 SAS, ele e Barkworth não poderiam fazer parte de nenhuma missão em curso, pois, se qualquer deles fosse capturado e obrigado a falar, as consequências seriam desastrosas.

Barkworth e Rhodes não tinham escolha: precisavam ficar na retaguarda "manobrando os cordões", como se diz. Porém, enquanto passavam as últimas informações a Druce, esses dois homens talentosos mal poderiam suspeitar de que a nova operação os envolveria numa tarefa capaz de preencher toda uma vida – tarefa de desafios tremendos, cheia de horror e intriga.

Por ora, o coronel Franks parecia ter escolhido muito bem o comandante substituto para a missão. Druce era de estatura mediana, mas durão como ninguém. Demonstraria uma incrível resistência ao mover-se pelos vales profundos dos Vosges; e, mais importante ainda considerando-se o que estava por vir, era abençoado com uma coragem rara, que beirava a temeridade. Em suma, um aventureiro ousado e muito astuto.

Com apenas 23 anos de idade, Druce estudou primeiro em Cheam, em Surrey, onde teve por colega de classe o duque de Edimburgo. Dali passou para a Escola Sherborne, em Dorset, e depois para a Real Academia Militar de Sandhurst. De início, apresentou-se como voluntário ao Regimento de Paraquedistas, mas descobriu que seu talento encontraria melhor aplicação na SOE. Fluente em francês, holandês e flamengo, dotado de uma sede insaciável de aventura, Druce era também uma indicação natural para o SAS.

Ganhou fama no SAS como o "guerreiro de cartola". Usando chapéu alto preto e calças de veludo cotelê durante as operações, revelou uma qualidade vital para quem atuava atrás das linhas inimigas: uma serenidade absoluta. Certa vez, deteve um motociclista alemão em fuga e encontrou um presunto defumado na mochila dele. O soldado, aos gritos, não quis entregar a motocicleta; Druce bateu-lhe no rosto com o presunto, derrubando-o, e passou o presunto a seus homens esfomeados.

Um dos mapas originais da Operação Loyton — que sem dúvida Druce consultou enquanto o Whitley avançava rumo a seu encontro incerto com o destino — foi preservado para a posteridade no diário de guerra oficial da missão. Veem-se no mapa um minúsculo círculo preto e, junto dele, as palavras: "Grupo capitão Druce 13 ago. ZS".

A ZS (zona de salto) está espremida entre La Petite Raon e Vieux-Moulin, dois pequenos povoados franceses a menos de 5 quilômetros a sudoeste da aldeia de Moussey. De aparência modesta, Moussey ainda assim assumiria grande importância para o SAS. Mas, enquanto estudava o mapa, Druce deve ter se perguntado onde, nas florestas e montanhas circunvizinhas — incluindo os muito propriamente chamados Bois Sauvages (Bosques Selvagens) —, os maquis teriam estabelecido sua base.

Poucos meses antes de empreender aquele voo, Druce havia percorrido os montes ásperos dos Vosges disfarçado de francês, quando escapara do inimigo. Conhecia, portanto, o tipo de terreno onde iriam descer. Pressentia a oportunidade de fomentar ali uma guerra de guerrilhas do tipo "atirar e correr" – a especialidade do SAS –, utilizando a floresta ínvia como santuário para onde pudessem fugir de um inimigo enfurecido antes de se reagrupar, se rearmar e descansar para o próximo ataque fulminante.

Druce saboreava essa perspectiva. Não parecia impulsivo; por isso, seus homens jamais se sentiriam realmente em perigo sob seu comando, por pior que fosse a situação.

Mas, enquanto a aeronave se aproximava da distante zona de salto, as coisas estavam prestes a se tornar muito perigosas.

CAPÍTULO 2

———— ✳ ————

POR VOLTA DAS DUAS HORAS DA MADRUGADA, o controlador do Whitley acordou os paraquedistas. Eles tinham decolado cinco horas antes e a maioria acabara cochilando apesar do ambiente barulhento e claustrofóbico. A aeronave tinha se desviado dos alvos óbvios de bombardeio, evitando os caças noturnos e o fogo antiaéreo do inimigo, de modo que os homens pudessem dormir tranquilos.

"Dentro de vinte minutos sobrevoaremos a zona de salto!", avisou o controlador em meio ao ruído dos motores. "Vinte minutos para saltar!"

Quando o Whitley começou a perder altitude – os soldados saltariam de 900 metros de altitude –, o controlador ofereceu a cada homem um trago de uma garrafa de rum para que ninguém perdesse a coragem no último minuto. Feito isso, deu o sinal de "levantar e enganchar". Doze sombras se puseram de pé, ajustando seus paraquedas, colocando a mochila do lado direito e formando fila para a sequência do salto.

Cada homem prendeu o gancho atado na ponta da linha de seu paraquedas – a "linha estática" – à corda que corria por todo o comprimento da fuselagem. Quando saltassem, a linha estática permaneceria firme, abrindo o invólucro Modelo X e soltando ao mesmo tempo o cordame e o paraquedas. O nervosismo e a excitação abafaram os últimos vestígios de sono.

Os homens checavam a corda à sua frente e não poucas mãos tremiam. Em alguns, era o nó no estômago provocado pelo medo; mas em outros, inclusive Druce, era o efeito da adrenalina percorrendo suas veias.

Ouviu-se um chiado alto quando o alçapão das bombas se abriu, acompanhado por um forte influxo de ar fresco. Estava surpreendentemente frio. O Whitley não podia descer muito, pois os Vosges se erguem a quase 1.500 m de altitude e, mesmo no verão, as condições nos pontos mais elevados são muito difíceis.

O controlador fez uma última checagem da fileira de homens. Para sua consternação, descobriu que, de algum modo, a linha estática de Druce havia se enroscado no invólucro de seu paraquedas. Se ele saltasse, ficaria dependurado sob a fuselagem, sem poder descer ao chão ou voltar para dentro da aeronave.

Todos os membros da equipe de Druce usavam botas com sola de borracha – perfeitas para operações silenciosas – e um anteparo especial Denison amarrado com correias entre as pernas para impedir que o paraquedas se agitasse durante a descida. Capacetes redondos, presos ao queixo, substituíam os antigos "chapéus de lata" de abas largas do exército britânico. E, no cinto, levavam a conhecida boina do SAS com o icônico emblema da adaga alada.

Desde o verão de 1944, o SAS havia sido supostamente "proibido" de usar sua boina cor de areia, que tanto o distinguia. De volta da África do Norte e das operações no Mediterrâneo, o Regimento tinha se integrado às forças aéreas britânicas regulares. Muitos diziam que isso era uma tentativa dos militares para exercer controle sobre um grupo independente e em grande parte com comando próprio – e que tinha sido alvo, muitas vezes, da acusação de constituir um "exército privado".

Seja como for, os homens do SAS receberam ordem de adotar a boina vermelho vivo do Regimento de Paraquedistas. Essa boina era, sem dúvida, muito característica e marcial, ótima para a frente de combate, mas ostensiva demais em uma força que quisesse se ocultar atrás das linhas inimigas. Os homens pretendiam adotar a boina vermelha só depois que as suas se desgastassem – e as suas eram difíceis de desgastar. Outros optaram por um chapéu cáqui montanhês, pontudo, bem próprio para operações nos Vosges.

Algumas mudanças recentes no equipamento não foram mal recebidas. A boa e velha submetralhadora Thompson calibre .45, muito confiável – a chamada "*tommy gun*", que tanto a elite dos agentes dos anos 1940 quanto os gângsters da década de 1930 apreciavam –, ainda era usada, mas havia sido em grande parte substituída pela Sten de 9 mm, mais leve e apelidada de "lata de feijão em conserva".

A confiável bomba incendiária Lewes cedera lugar à "bomba Gammon". A Gammon consistia de uma carga de explosivo plástico (EP) alojada num saco de lona e conectada a uma espoleta que detonava com o impacto, em qualquer ângulo que a granada improvisada atingisse o alvo. Em seu tamanho mais comum, tinha um quilo de EP, e quem a atirasse precisava manter a boca aberta para que o barulho não lhe estourasse os tímpanos. A maior vantagem da Gammon sobre a Lewes era sua capacidade de danificar veículos pesados, crucial quando se atacavam os poderosos blindados alemães.

A mítica faca de combate Fairbairn-Sykes, com sua lâmina de mais de 20 centímetros de comprimento, cabo pesado para proporcionar uma pegada firme mesmo quando úmido, guardas em cruz para impedir o deslizamento da mão, bordas aguçadas como o fio de uma navalha e perfil de punhal, era ainda um item padrão do SAS para infligir morte silenciosa. Entretanto, no decorrer da guerra, muitos haviam percebido que não é nada fácil esfaquear um homem até a morte. Normalmente, a façanha exigia dois soldados – um para segurar a vítima, o outro para mergulhar a lâmina – e aquilo era quase sempre um jogo de "golpear e errar".

Havia pouco, uma "Faca de Combate Mark II" tinha sido desenvolvida. Chamavam-na carinhosamente de "Smatchet" (lembrava um cruzamento de facão [*hatchet*] com machadinha [*machete*]). Uma versão em miniatura da Fairbairn-Sykes também estava disponível. Segura pelo polegar e o indicador, com uma lâmina de 10 centímetros, foi projetada para ficar escondida na lapela de um paletó. E, para os verdadeiros aficionados, havia um modelo mais robusto.

Entretanto, caso fosse necessário matar a curta distância, a experiência demonstrou que, em geral, era mais fácil atirar na cabeça do adversário com uma pistola. Para esse fim, a excelente Browning de 9 mm "Hi-Power" GP35 substituíra o pesado e incômodo revólver Colt .45. Do mesmo modo, o fuzil Lee-Enfield .303 havia sido suplantado pela excelente carabina americana Winchester M1-A1 .30, que pesava metade do fuzil inglês. Embora não tão precisa a longa distância, ela possuía um regime de tiro semiautomático e sua munição pesava metade do projétil inglês .303, ou seja, mais projéteis podiam ser carregados.

A versão de coronha dobrável da carabina M1 era perfeita para paraquedistas. A M1 – projetada por dois mecânicos iniciantes na Winchester Repeating Arms Company em suas horas de folga – se tornaria uma das armas mais usadas pelos Aliados durante a Segunda Guerra Mundial. Armas alemãs apreendidas também eram muito procuradas, principalmente a submetralhadora Schmeisser. Quando uma dessas caía em suas mãos, os agentes do SAS se recusavam a entregá-la.

O equipamento pessoal era embrulhado numa lona Bergen – uma mochila militar – reforçada por fora com tela de arame. As pesadas rações britânicas "Compo" deram lugar a pacotes de comida para vinte e quatro horas que continham sardinhas em lata, queijo, ensopado de carne, biscoitos de aveia, tabletes de sopa, chá, doces e chocolates. Foi desenvolvido um novo e supereficiente forno, mais leve, que queimava blocos de combustível sólido Hexamine, semelhantes a gravetos.

A mochila Bergen ia no "saco de perna", amarrado à perna direita para o salto. O saco, mantido preso por grampos, se soltava após o salto e ficava balançando a uns 5 metros abaixo do paraquedista. Assim, tocava a terra primeiro, assumindo o impacto de seu próprio peso.

Essa, pelo menos, era a teoria. Na prática, o saco de perna incomodava e às vezes parecia mais perigoso do que útil. Não raro se rasgava durante o salto ou não se desprendia de todo, com consequências desastrosas para o paraquedista.

No diário de guerra da Operação Loyton, o coronel Franks escreveu que o saco de perna era "totalmente inútil. Isso foi dito e repetido inúmeras vezes. Os atuais sacos de perna NÃO DEVEM ser usados de novo nas operações".

Infelizmente, a equipe de vanguarda da Operação Loyton estava equipada com os sacos de perna. Um dos que usavam essa bugiganga "totalmente inútil" era o capitão John Hislop, na verdade o segundo no comando depois de Druce. Antes de saltar, ele rememorou as um tanto complicadas palavras em código que devia trocar com os homens da Resistência – mais conhecidos como *maquis*.

"*Nous sommes les guerriers de Malicoco*" (Nós somos os guerreiros de Malicoco), deviam dizer os soldados do SAS, embora nenhum deles tivesse a menor ideia de onde ficava "Malicoco".

"*Bamboula vous attend*" (Bamboula os espera) era a resposta esperada, embora ninguém conseguisse adivinhar quem pudesse ser esse tal "Bamboula".

Como bem sabia Hislop, alguns dos homens menos eruditos só a muito custo haviam decorado aquelas palavras. Afinal, eram guerreiros e não linguistas – com a exceção óbvia de seu comandante, o capitão Druce. Hislop não estava muito contente com a mudança de comando feita na última hora e se perguntava que tipo de homem Druce mostraria ser em ação.

"Na época, não fazíamos ideia do motivo da mudança e ficamos desconcertados", observou Hislop. Como Druce só entrara havia pouco para o SAS, ninguém o conhecia bem ou tinha informações sobre sua capacidade.

Hislop não era propriamente um homem do SAS, mas possuía um caráter, por assim dizer, ainda mais multifacetado que o de Druce. Com seu rosto surpreendentemente jovem, cabelos pretos penteados para trás e olhos sorridentes, Hislop era o arquétipo do inglês polido e gostava dessa imagem. Tinha o corpo esguio de um jogador de polo, enquanto o robusto Druce parecia um zagueiro de rúgbi; mas, na missão que se avizinhava, ambos mostrariam ter coração de leão.

Antes, ele e Druce haviam se encontrado apenas uma vez, no então quartel-general do 2 SAS, situado na extremidade do campo de golfe de Prestwick em Ayrshire, Escócia. Hislop, é claro, ouvira histórias sobre a fuga épica de Druce, fuga que o obrigara a atravessar a pé metade da Europa ocupada num tempo "extraordinariamente curto". Terminara com a chegada de Druce a Londres e sua acomodação no Piccadilly's Berkeley Hotel, como se ele apenas houvesse saído para um breve passeio no Green Park.

Diante do duvidoso alçapão do Whitley, Druce, com sua poderosa figura, fazia um esforço dos diabos para memorizar os nomes de seus comandados. Goodfellow, Dill, Lodge, Crossfield, Hall, Stanley... Ia repetindo esses nomes como um mantra. Hislop, ao contrário, se imaginava montado num cavalo veloz, participando de uma corrida; descobrira que essa era a melhor maneira de se fortalecer para um salto no desconhecido.

Hislop recusara o trago de rum que fora oferecido a todos – com base no pressuposto de que a maioria dos jóqueis cavalga melhor quando sóbrios e que um salto de paraquedas não pode ser muito diferente. Nascido em Quetta, Índia, em 1911, aos 33 anos Hislop era o "velho" da turma. Seu pai, major Arthur Hislop, servira na Índia com o 35º Regimento de Cavalaria (o *Scinde Horse*), mas os interesses de seu filho pendiam mais para as corridas. Durante os dez anos de sua carreira no esporte, John Hislop se revelou um dos melhores jóqueis amadores de todos os tempos.

Quando a guerra eclodiu, ele próprio o admitia, Hislop tentou conseguir um posto que lhe permitisse continuar praticando seu esporte, a equitação. Reconhecendo no rapaz uma "lamentável falta de aptidão militar", seu comandante no 21º Regimento Antitanque pediu-lhe que procurasse outra coisa para fazer. Incapaz de se sujeitar às restrições das forças regulares, Hislop confessou que "via o futuro com certa inquietação".

Foi a "maçonaria do turfe" que veio em seu socorro. Ao saber da situação de Hislop, um amigo jóquei convidou-o a se juntar aos Fantasmas, uma unidade pouco conhecida na qual ele poderia se dar bem. O Regimento de Ligação com o Quartel-General, como os Fantasmas costumavam ser mais formalmente chamados, era um grupo pequeno, secreto, que se misturava às tropas da linha de frente para recolher informações vitais sobre a situação no local, que transmitia diretamente ao QG via rádio.

Como acontecia com o SAS, oficialmente os Fantasmas continuavam integrados à unidade-mãe e ostentavam as insígnias do regimento. A única coisa que os diferenciava era uma divisa de ombro com um P (de *Phantoms*) sobre um quadrado preto. Hislop tinha sido colocado no Esquadrão A dos Fantasmas, onde estavam também vários de seus conhecidos da elite da equitação, como Maurice Macmillan, filho do futuro primeiro-ministro britânico, e John "Jackie" Astor, membro do milionário e aristocrático clã Astor anglo-americano.

Bastante apropriadamente, o esquadrão era comandado pelo ator David Niven, que vinha ganhando fama rapidamente. Niven estava na América quando a guerra começou, fazendo filmes. Os Estados Unidos ainda demorariam dois anos para entrar no conflito, mas ainda assim ele voltou imediatamente para a Inglaterra e alistou-se nos Fantasmas.

Pouco tempo depois, Niven jantava com um grupo que incluía Winston Churchill. Churchill pousou uma mão amigável no ombro do famoso ator e disse: "Todos, sem dúvida, estamos encantados e orgulhosos pelo fato de este jovem interromper uma carreira brilhante e lucrativa em Hollywood para vir defender seu país. Eu não lhe daria muito valor se ele não fizesse isso!"

Para Hislop, o alistamento nos Fantasmas se revelou duplamente proveitoso. O esquadrão tinha seu "quartel-general de campo" na gloriosa Stourhead House, em Mere, Somerset, cujos donos eram então Sir Henry Hoare e sua esposa. De algum modo, as privações da guerra pareciam ter passado longe de Stourhead; pavões imperiais se exibiam pelos gramados e caçadores entusiastas pululavam nos estábulos. Logo Hislop se viu galopando pelo esplendoroso interior de Somerset.

Na primavera de 1942, voltou a cavalgar e montou Overseas numa corrida em Cheltenham. Estava na frente, mas caiu diante de um dos últimos obstáculos, o que lhe provocou uma grave fratura na perna. Após nove meses em muletas, declararam-no incapacitado para o exército. Mas Hislop se recuperou e voltou à sua unidade, que havia aprendido a amar.

Foi para o Esquadrão F, comandado por seu amigo e velho companheiro de corridas, Jackie Astor. Astor chefiava um "esquadrão feliz", contou Hislop, no qual não havia "descontentamento, desconfiança, depressão ou apatia; ali, vigorava um entusiasmo sem limites".

Pouco tempo antes, os homens do Esquadrão F tinham sido convidados a juntar forças com o SAS, onde havia carência de sinalizadores competentes. Como, sem dúvida, isso envolveria saltar de paraquedas e só seriam aceitos voluntários, pediu-se que os homens dessem um passo à frente.

No começo da guerra, Hislop se mostrara um soldado muito relutante. Agora, não: foi um dos muitos homens do Esquadrão F que deram o passo.

Vezes sem conta os Fantasmas tinham se mostrado soberbos operadores de rádio, especialmente durante exercícios nas charnecas remotas da Escócia. Ao contrário do Real Corpo de Sinais (os especialistas em comunicações do exército regular), os Fantasmas combinavam um regime incansável de treinamento com uma atitude descontraída e um *esprit de corps* que motivava empreendedores e pessoas de mente independente.

Havia poucas continências e espírito hierárquico na companhia do Hon. Jackie Astor. Aos homens era dada rédea solta: podiam experimentar com comprimentos de onda, frequências, posicionamento de rádio e por aí além. Ninguém se importava com a ortodoxia dos métodos desde que a mensagem fosse transmitida.

E, na próxima missão nos Vosges, fazer exatamente isso seria da máxima importância. A fim de municiar os *maquis*, detalhes sobre as coordenadas da zona de salto, datas, horário de descida e requisitos das armas teriam de ser irradiados para Londres. A menos que uma comunicação efetiva pudesse ser estabelecida e mantida, a Operação Loyton acabaria antes mesmo de começar.

Às vésperas da partida, Hislop foi chamado ao quartel-general da SOE em Londres – um edifício comum, de fachada cinzenta, no número 64 da Baker Street – para pegar parte do equipamento especial que a próxima missão poderia exigir. Quem o recebeu foi um homem magro, de cabelos pretos, que o observou com atenção por trás das lentes grossas de seus óculos.

"Ah, capitão Hislop... É ótimo vê-lo! Então está prestes a fazer uma curta viagem ao exterior? Bem, vamos ver o que temos aqui para você e que possa ser útil..."

O encarregado de equipamentos da SOE mostrou uma caneta-tinteiro que, depois de esvaziada, revelava uma minúscula bússola escondida numa das extremidades. Mas Hislop poderia também optar por uma bússola disfarçada como botão e costurada em sua camisa.

"Ficará presa em você e não será perdida com tanta facilidade quanto uma caneta", entusiasmou-se o homem da SOE.

Havia também um lenço que, quando se urinava nele, exibia – eureca! – um mapa do norte da França. E outro, de seda branca, com várias frases dissimuladas e em código: por exemplo, "Cercados pelo inimigo; não esperem mais mensagens".

"Ficam bem no bolso do paletó durante um jantar", acrescentou o homem, um tanto desnecessariamente.

Hislop viu ainda uma caneta que escrevia com tinta invisível, um papel que ele poderia comer "em caso de emergência" e uma bolsa de fuga cheia de "caramelos, Benzedrina e outros itens reconfortantes". A Benzedrina é uma anfetamina poderosa, que induz euforia, então muito popular nos clubes noturnos mais afamados de Londres. Ela mantinha um agente alerta e bem-disposto por longos períodos, o que era uma vantagem óbvia em operações por trás das linhas inimigas.

Assim, sobrecarregados de apetrechos da SOE, Hislop e os três camaradas Fantasmas que ele comandava foram se juntar à vanguarda da Operação Loyton. O cabo Gerald Davis, segundo em comando depois de Hislop, agachou-se diante do alçapão do Whitley. Davis tinha um leve problema de fala e uma visão um pouco cínica da vida, mas isso se ofuscava diante de sua natureza fortemente independente. Era alto, esbelto, atlético, confiável ao extremo – e não tinha medo de ninguém, fosse quem fosse.

Certa vez, Davis participava de um exercício militar e seu veículo ficou avariado. Um oficial se aproximou, enquanto Davis observava o desastre com as mãos nos quadris.

"Olá, cabo Davis! Por que está aí olhando sem fazer merda nenhuma?", perguntou o oficial.

Davis se virou e respondeu tranquilamente:

"Porque não há merda nenhuma a fazer."

Em suma, Davis era calmo, resoluto e franco. Por isso, Hislop logo passou a gostar dele e a respeitá-lo.

Ao lado de Davis estava o soldado "Jock" Johnston, um escocês calado e voluntarioso. Falava pouco, mas tinha uma mente fria e lúcida, além de ser um verdadeiro demônio no manuseio de um rádio. Qualquer que fosse a situação, podia-se confiar em que transmitiria a mensagem – e, para Hislop, isso bastava.

O terceiro agente Fantasma de Hislop era talvez menos previsível, mas não por culpa sua. Antes de entrar para o Regimento, Sullivan já tinha visto ação das grandes com os comandos, o que pôs seus nervos no limite. Coragem não lhe faltava, mas tornou-se notoriamente tenso e agitado em momentos de perigo real, algo um tanto desconcertante para Hislop.

Na verdade, Hislop achava a Operação Loyton inteira pouco mais que desalentadora, devido principalmente a seu pessoal. A primeira impressão que teve do SAS tinha sido a de uma espécie de Legião Estrangeira fanática e belicosa. Em operações além-mar, ela parecia ter recrutado soldados de todas as nacionalidades, até alguns alemães. Depois da volta do Regimento ao Reino Unido, em 1944, constatou-se a inexistência de quaisquer registros oficiais comprovando que alguns deles houvessem servido no exército britânico.

"Durante todo o tempo em que estive no SAS, sempre tive a impressão de que pertencia a uma espécie de quadrilha", lembra-se Hislop. "O comportamento das equipes do SAS nos exercícios chocava as autoridades locais, acostumadas às práticas mais ortodoxas das tropas baseadas no país. Certa vez, os homens detiveram um trem para pegar uma carona."

Após o acidente sofrido, as cavalgadas de Hislop cessaram. Ele optou então por criar e adestrar cavalos de corrida. E já começava a levar o negócio a sério, adquirindo dois corcéis promissores, Orama e Milk Bar, quando ocorreram os desembarques do Dia D e ele foi convocado para a presente missão.

Em geral, pensar em coisas como "o turfe" serviam para dar ânimo a Hislop – ânimo que ele não acreditava às vezes ser de nascença. Tenso diante do alçapão do Whitley, lado a lado com os "bandidos" do SAS, os versos de um poema favorito acorreram à sua mente:

Assim o covarde faz no ginete galhardo
O que jamais faria sozinho,
Pois exulta na força emprestada
E na coragem alheia.

Todos os pensamentos de covardia desapareceram da mente de Hislop quando o Whitley começou a baixar para a zona de salto. Minutos depois, uma clareira apareceu, assinalada por uma série de fogueiras. Mesmo daquela altura elas pareciam enormes, como se grupos de aldeões franceses houvessem, de algum modo, decidido comemorar a morte de Guy Fawkes.*

Hislop estava inquieto: não teriam os *maquis* exagerado na dose? Sem dúvida as fogueiras, visíveis do alçapão do Whitley, poderiam sê-lo também pelo inimigo, que então acorreria à zona de salto. Mas se tranquilizou pensando no relatório Fairford da RAF, segundo o qual havia apenas um punhado de alemães na área, e alemães de baixa combatividade.

O ruído dos dois motores ia se transformando num rosnado à medida que a aeronave descia. Já se podiam ver as chamas iluminando rostos brancos virados para cima, escrutinando o céu à procura do avião que agora sem dúvida já ouviam. O piloto iniciou a aproximação final, com a lâmpada vermelha de advertência para o salto piscando. Momentos depois ela passou para o verde e o controlador gritou: "Vão, vão, vão!"

Os primeiros seis – encabeçados por Druce – estenderam as pernas, adiantando a que levava o saco, e, como um só corpo, desapareceram pelo alçapão. O segundo grupo – incluindo Hislop e seus Fantasmas – se alinhou ao lado da abertura do túmulo vazio, enquanto o avião subia de novo e fazia uma volta a fim de se posicionar para o segundo salto.

---

* Guy Fawkes (1570-1606) foi um dos rebeldes que tentaram assassinar o rei Jaime I da Inglaterra durante a chamada "Conspiração da Pólvora". Sua prisão e seu enforcamento são comemorados até hoje (festa da "Noite das Fogueiras", 5 de novembro). (N.T.)

Hislop sentiu o coração pulsar como uma britadeira quando seus camaradas se juntaram. Quanto mais próximos estivessem no momento do salto, mais depressa sairiam e com menos probabilidade cairiam longe da zona marcada. A espera pareceu durar uma eternidade e Hislop podia perceber a tensão aumentando.

Quando a lâmpada passou de novo para o verde, ele tremia todo.

CAPÍTULO 3

———————— ✳ ————————

Uma segunda fileira de figuras alongadas desapareceu pelo alçapão e mergulhou no vazio escuro e ululante. Os motores do Whitley desaceleraram, mas mesmo assim Hislop foi sugado pelo vórtice embaixo do avião e quase perdeu o fôlego.

Foi arremessado longe. Sentiu-se cair por um instante, antes que a linha estática se esticasse, abrindo o invólucro e liberando o paraquedas. Uma fração de segundo depois, ouviu distintamente um ruído no céu noturno acima de sua cabeça, como se uma poderosa lufada de vento atingisse a vela mestra de um iate, e um toldo de seda cinza-esbranquiçada brilhou na escuridão.

Sentiu como se uma mão gigante o puxasse pelos ombros, deixando-o suspenso no ar. À medida que as oscilações da queda diminuíam, foi se dando conta do vasto silêncio e da profunda calma que dominavam a noite dos Vosges. Após várias horas espremido no espaço exíguo do avião, o vazio parecia alarmante – mas, pelo menos, ninguém atirava contra ele.

Abaixou a mão a fim de puxar a alça que devia soltar o saco de perna e deixá-lo flutuar para longe. Talvez sem muita surpresa, o mecanismo não obedeceu. Uma das tiras se desamarrou, mas a outra não, deixando o pesado fardo balançando loucamente, como se um cão raivoso o tivesse abocanhado pela barra da calça e não quisesse largá-lo. Com quase 25 kg de equipamento tirando-lhe o equilíbrio, havia muita possibilidade de que aterrissasse mal, quebrando a perna.

O brilho das fogueiras aumentava à medida que ele descia; segurando fortemente a corda, tentou aproximar ao máximo o peso morto da posição vertical. Mas, de repente, uma rajada de balas cortou a noite, descrevendo arcos de fogo no céu escuro.

Hislop não tinha tempo para verificar se eram tiros endereçados a ele ou uma saudação dos *maquis* cheios de entusiasmo. Se não mantivesse o saco incômodo sob controle, poderia quebrar de novo a perna – e dessa vez na França ocupada pelo inimigo, não em segurança no agradável campo de corridas de Cheltenham.

Hislop estava tão preocupado com sua bagagem irrequieta que não teve tempo de manobrar em direção à clareira. Caiu sobre uma árvore baixa, que felizmente se inclinou e amorteceu sua queda. Hislop deslizou até os galhos inferiores e estatelou-se de costas no chão úmido, ferido apenas no orgulho.

Antes de se levantar, três figuras se aproximaram dele. Pelas roupas – o esquisito uniforme cáqui, a capa roída de traças e a boina preta ao estilo francês –, Hislop concluiu que aquele não era um comitê de recepção da Gestapo.

"*Nous sommes les guerriers de Malicoco!*", bradou ele, em seu melhor francês escolar de Wellington.

Ninguém respondeu "*Bamboula vous attend!*".

Em vez disso, os *maquis* começaram a desembaraçá-lo do paraquedas – dezenas de metros de preciosa seda – enquanto o apalpavam à procura de cigarros. Um se apossou da Bergen de Hislop, outro de seu capacete e um terceiro do saco de perna assassino; em seguida, juntos, caminharam para o ponto de encontro iluminado, onde várias figuras impacientes podiam ser vistas em meio às sombras.

Sem que Hislop o soubesse, o equipamento de Druce, seu comandante, tinha apresentado uma falha semelhante, porém mais grave. O saco de perna havia descido apenas até seu pé direito, ficando ali. Druce pousou sem controle, o peso obrigando-o a cair de costas, e ele acabou batendo fortemente a cabeça. Apesar do capacete, a concussão era séria e ele começou a "balbuciar tolices" para quem quisesse ouvir.

Do outro lado da zona de salto, um dos "velhos camaradas" do SAS, Ron Crossfield, também estava em apuros. Crossfield, que tinha vários irmãos alistados, havia entrado para o exército em 1934. Tentando evitar as fogueiras, o veterano operador fora parar sobre um maciço de árvores. Enquanto escorregava pelos galhos abaixo, seu capacete e seu saco de perna caíram e ele ficou balançando para lá e para cá, sem ideia da distância a que estava do chão.

Mesmo assim, puxou a alça do paraquedas, soltou-se e... despencou. Foi uma queda de uns bons 5 metros, amortecida, felizmente, por um espesso tapete de agulhas de pinheiro. Pôs-se de pé e avistou uma figura correndo em sua direção pelo meio das árvores. Sacou da pistola, mas o grito de *"Très bien, Angleterre!"* (Tudo bem, Inglaterra!) deteve sua mão.

Os paraquedistas de Druce eram a primeira força aliada a descer nos Vosges, uma área de terreno montanhoso de mais ou menos 4.000 km^2. Os nomes dos picos denunciam a herança mista franco-germânica da região. O do mais alto soa bem francês: Grand Ballon; mas os dos dois que vêm em seguida são inequivocamente teutônicos: Storkenkopf e Hohneck – atestando quão próximos o salto os pusera do solo alemão.

A apenas 30 quilômetros dali estendia-se a fronteira, marcada pela linha do grande rio Reno. Poucas passagens transitáveis cortavam os Vosges, mas, se os soldados britânicos – juntamente com os *maquis* – conseguissem espalhar o pânico e a desordem na região, sua próxima tarefa seria tomar e conservar uma dessas passagens, permitindo assim que os blindados de Patton avançassem para o Reno antes que suas pontes fossem explodidas.

Esses grandes desígnios estavam bem longe da mente de Hislop, de Crossfield e do atordoado Druce enquanto se recompunham. Viram-se rodeados por uma multidão curiosa e agitada. Pelo modo como os *maquis* cutucavam-nos e apontavam para eles, apertando e sacudindo suas mãos enquanto não paravam de repetir a mesma saudação entusiástica – *"Bienvenus!*

Bonne chance! Bonne chance!" (Bem-vindos! Boa sorte! Boa sorte!) –, pareceu a Hislop que eles, os britânicos, bem poderiam ser também marcianos desembarcados de uma espaçonave.

Já perto das três horas da madrugada é que um pouco de ordem se estabeleceu naquele caos. À medida que outros paraquedistas iam chegando, multiplicavam-se os relatos de ferimentos. Um homem do SAS havia esfolado a mão lutando contra a corda rebelde do saco de perna. Outro tinha machucado o joelho. Mas nenhum – incluindo o balbuciante e incoerente Druce – parecia incapaz de andar, o que agora era de suprema importância.

Prioridades tinham de ser estabelecidas – e rápido. Outro avião chegaria a qualquer momento, de modo que as fogueiras precisavam ser avivadas. Uma vez completado o segundo salto, o grupo precisaria pegar as bagagens, partir e se embrenhar nas colinas. Ao amanhecer, não poderiam restar vestígios de que uma força inimiga havia descido ali e isso significava retirar os paraquedas das árvores, apagar e ocultar as fogueiras, e recolher todos os objetos.

A maior parte da carga da segunda aeronave não seria de homens, mas de armas e material bélico para os *maquis*. Contudo, um dos primeiros sinais de que o salto estava em curso foi um grito lancinante, saído das trevas.

Alguém, por causa do maldito saco de perna, tinha fraturado o tornozelo e os dedos dos pés na queda. Era o sargento Kenneth Seymour; e ele logo descobriu que sua dor era tão aguda a ponto de impedi-lo de mover-se sem tirar a bota direita. Precisaria de uma padiola para empreender a jornada até as colinas.

Pior ainda, o rádio de Seymour, que tinha se enroscado no saco de perna, se espatifara no chão. E, sem o rádio, a missão de Seymour e seus camaradas corria o risco de falhar completamente.

Seymour não pertencia ao SAS. Ele e seus dois colegas – capitão Victor Gough e o tenente francês Guy Boisarrie – formavam uma equipe altamente especializada com um mínimo de ligação com o grupo de Druce. Eram agentes da SOE e parte de uma unidade constituída havia pouco, apelidada de "os Jedburghs". Essa forte unidade de trezentos homens compartilhava seu nome com a pequena aldeia escocesa de Jedburgh, mas isso era mera casualidade, um artifício para revelar pouco de seu propósito secreto a um inimigo vigilante.

Seymour, Gough e Boisarrie formavam uma equipe de Jedburghs com o codinome de JACOB. Sua missão específica era entrar em contato com a liderança dos *maquis*, no papel do que hoje chamaríamos de "consultores militares", para mobilizar um exército de resistência que atacasse o inimigo de dentro, enquanto as forças aliadas arremetessem a partir de suas cabeças de ponte. Com efeito, a Bergen de Seymour, como as de seus dois camaradas "Jeds", trazia centenas de milhares de francos franceses: dinheiro para financiar uma insurreição sangrenta em toda a área dos Vosges.

O local onde pousaram estava sob o controle do coronel Gilbert Grandval, um homem de grande prestígio na região e um renomado líder da Resistência. Grandval – codinome "Maximum" – comandava um grupo de algumas centenas de guerrilheiros, conhecidos como os *Maquis* Alsacianos. Ele havia prometido à SOE que cerca de 25 mil homens estavam prontos para se insurgir contra os odiados boches. Precisava apenas de material – armas, munição, explosivos – para pôr em campo sua força. Era tarefa de Gough, Boisarrie e Seymour fornecer-lhe o necessário, sendo esse o único papel que os Jedburghs desempenhavam na SOE.

Mas a coisa não ia ser tão fácil assim. Privados agora de rádio, o maior desafio seria transmitir as necessidades de Grandval ao quartel-general da SOE em Londres.

Sempre disposto a travar uma guerra pouco convencional, Churchill fizera de tudo para fortalecer a Resistência Francesa. Na primavera de 1944, ordenara que o fornecimento de armas aos *maquis* aumentasse ainda mais. Telegrafara ao presidente Roosevelt para informá-lo de que iria fomentar a guerrilha na França "à maneira de Tito" – uma referência ao então líder guerrilheiro iugoslavo –, na tentativa de convencer os americanos a participar dessa empresa.

Em resposta ao pedido de Churchill, os americanos é que iriam se encarregar da maior parte do fornecimento. Nas operações Zebra, Cadillac, Buick e Grassy, grandes esquadrilhas de bombardeiros escoltados por caças levaram a cabo uma série impressionante de incursões diurnas. Somente na Operação Cadillac, cerca de trezentos bombardeiros Liberator americanos, com a proteção de P51 Mustangs, despejaram 400 toneladas de armas para as forças da Resistência em ação na Dordonha.

A Operação Cadillac ocorreu a 14 de julho, o Dia da Bastilha — que comemora o início da Revolução Francesa e a fundação da República —, e os paraquedas ostentavam simbolicamente as três cores da bandeira da França. O brigadeiro Colin McVean-Gubbins, chefe da SOE, saudara a Operação Cadillac como "o mais importante lançamento por paraquedas da guerra".

Em 1940, McVean-Gubbins — mais conhecido por todos simplesmente como "M" — tinha participado de ações de retaguarda na Noruega, organizando grupos de guerrilha para retardar o avanço dos alemães: explosões de pontes, sabotagem de ferrovias e instalação de minas em estradas. Tanto ele quanto Churchill eram defensores ferrenhos dessas táticas; em suas mentes, a Resistência Francesa constituía uma força guerrilheira muito útil em formação — uma força que os ajudaria a desfechar a "guerra total" contra o inimigo.

Aí é que entravam os Jedburghs.

A Operação Grassy — o mais recente lançamento em grande quantidade — acontecera apenas quatro dias antes que o primeiro grupo da Operação Loyton descesse de paraquedas. A Equipe Jacob de Gough tinha sido enviada com instruções bastante claras para empreender uma Operação GRASSY nos Vosges. Os *Maquis* Alsacianos — oitocentos homens — receberam-na no chão, mas somente cinquenta deles pareciam ter armas, a maioria fuzis franceses obsoletos que de algum modo haviam permanecido escondidos dos alemães durante os quatro anos da brutal ocupação. Sem dúvida, havia muito trabalho pela frente.

A Equipe Jacob era típica do arranjo dos Jedburghs: uma unidade de três homens, incluindo um falante nativo do francês (Boissarie), um especialista em rádio (Seymour) e um oficial, capitão Gough. Muitas equipes Jeds se compunham de anglo-americanos, pois os Jedburghs eram em parte uma inovação americana. Os americanos haviam, recentemente, montado a Agência de Serviços Estratégicos (Office of Strategic Services, OSS), baseada livremente no modelo da SOE, e os Jedburghs constituíam um empreendimento conjunto SOE-OSS.

Não se podia dizer que os Jeds – ou o SAS e os Fantasmas – fossem inteiramente ortodoxos. Um de seus recrutas mais antigos era também um dos mais renomados. Com cinquenta e poucos anos, o tenente-coronel Jim Hutchinson já tivera uma guerra bem movimentada: tinha sido capturado e escapara pelo menos uma vez. Temendo que o inimigo tivesse uma foto sua, Hutchinson não apenas adotou um *nom de guerre* (nome de guerra) como chegou a se submeter a uma operação plástica no rosto, que lhe modificou o nariz, e lhe implantaram um pedaço de osso removido do quadril no queixo, para modificar seu perfil. Com a aparência passavelmente disfarçada, Hutchinson lideraria uma das primeiras unidades Jeds na França.

Em suma, a primeira leva da Operação Loyton era a clássica unidade de Forças Especiais da época: os Jedburghs, encarregados de fazer contato com os *maquis*; os Fantasmas, encarregados de se comunicar com Londres; e o SAS, encarregado de combater o inimigo.

O capitão Gough, aos 26 anos, era um Jedburgh típico. Com seus cabelos negros, olhos escuros e aparência cativante, havia passado o começo da guerra numa força secreta conhecida como British Resistance Organisation (BRO), criada havia tempos por McVean-Gubbins com o objetivo de resistir à invasão alemã das Ilhas Britânicas – o que parecia provável em 1940.

Ou seja, a BRO era uma autêntica versão inglesa dos *maquis*. Suas unidades de combate abrigavam aqueles que conheciam bem o interior do país – pastores, pescadores furtivos e camponeses –, com armas e explosivos escondidos nas florestas, fossos e cavernas da mãe-pátria. Alguns soldados profissionais integravam o quadro de liderança e Gough – nascido e criado no campo – era um deles.

Quando a ameaça de invasão desapareceu, Gough procurou um novo trabalho e acabou entrando para os Jeds. Recebera ótima educação, primeiro na Hereford Cathedral School e depois no Temple Technical College, em Bristol, onde estudou engenharia mecânica. Com seu talento para o desenho, foi Gough quem criou o distintivo dos Jedburghs, um par de asas brancas de paraquedas ladeando um disco vermelho cortado pelas letras "SF" (de Special Forces) em prata.

No questionário de recrutamento, Gough escreveu que suas habilidades eram "rádio, equitação e tiro". Também mostrou interesse por línguas estrangeiras, "trabalho de campo" e "viagens ao exterior". Tendo sido aceito nos Jedburghs e integrado à Operação Loyton, parecia – ao menos por enquanto – que Gough tinha recebido de uma vez todos os presentes que desejava.

Durante seu rigoroso treinamento, os Jeds haviam adotado um grito de guerra muito pouco britânico: "Vá à merda!". Inspiraram-se em alguns recrutas americanos que estavam passando pelo terrível curso de seleção na grande fazenda de 2.500 ares de Milton Hall, em Cambridgeshire. O curso de seleção dos Jeds tinha uma alta taxa de desistência e quem saía da linha era obrigado a fazer cansativos exercícios físicos. Os recrutas americanos respondiam ao castigo resmungando "Vá à merda!" – e a expressão pegou.

Mas agora, quando as primeiras luzes tingiam o céu dos Vosges, a equipe Jacob dos Jeds tinha ido ela própria "à merda": sem rádio; o radioperador machucado demais para andar; e uma longa jornada até as montanhas, onde os *Maquis* Alsacianos haviam montado sua distante e mais facilmente defensável base de operações.

Correndo aproximadamente na direção norte-sul, ao lado do Reno, os Vosges constituem uma sólida barreira de granito e arenito a qualquer movimento oeste-leste e vice-versa. Ao longo dos séculos, a erosão transformara essas montanhas em maciços com formato de abóbada. Apesar das densas florestas, as condições nos pontos mais altos são tão difíceis que as árvores tendem a definhar, abrindo vastas extensões de mato rasteiro. A neve permanece intacta nos cumes por nove meses a fio.

Foi num desses picos inóspitos que Gilbert Grandval estabeleceu seu quartel-general de *maquis*. E para lá é que a força de Druce deveria ir, carregando os pesados suprimentos agora espalhados por uma grande área, pois a aeronave sobrevoou várias vezes a zona de salto, despejando de paraquedas dezenas de volumes.

Esses volumes eram de construção muito simples, concebidos para as dimensões das aberturas do avião por onde caíam as salvas de bombas. Cada recipiente tinha um amortecedor na ponta, para amenizar a queda. O "Tipo C" era um cilindro em forma de bomba com cerca de 170 centímetros de comprimento por 35 centímetros de diâmetro e dobradiças ao longo de toda a sua extensão para facilitar a abertura. O "Tipo H", com aproximadamente as mesmas dimensões, tinha compartimentos internos para alojar cargas mais delicadas. Cada um pesava 220 kg e vinha com uma pá para ser enterrado e escondido depois da remoção de seu conteúdo.

Os recipientes exibiam códigos gravados na parte externa para identificar a carga. "SERA" significava uma carga de dez quilos de explosivo plástico, seis bombas Lewes, um conjunto de cronômetro, fusíveis e detonadores, fósforos sem chama e vários outros itens necessários para destroçar o inimigo. O recipiente "JODI" continha rações para vinte e quatro horas, maços de cigarro, pó para esterilizar água, fogão portátil Hexamine e combustível.

Itens que não precisavam de muita proteção — sacos de dormir, roupas, botas — eram acondicionados em cestos de tela revestidos com estofo de fibra de coqueiro. Os cestos se mostraram pouquíssimo eficientes. Atirados manualmente e não pelo mecanismo lançador de bombas, eram sempre jogados por último de um avião voando a cerca de cem metros por segundo. Muito leves, a brisa os carregava para longe e não raro caíam a grande distância da zona de pouso.

Em consequência desses transtornos, já era quase dia quando os *maquis* e seus camaradas das Forças Especiais recolheram os últimos suprimentos da Operação Loyton. Esses "estoques" lançados de paraquedas traziam armas suficientes para duzentos *maquis*, mas muito mais era necessário.

Quando a coluna composta por SAS, Fantasmas, Jeds e guerrilheiros da Resistência puseram suas pesadas cargas no ombro e iniciaram a jornada para as montanhas, Hislop sentiu uma súbita necessidade de afastar-se rapidamente da clareira onde haviam pousado. E mesmo ao abrigo da floresta fechada, tinha a desagradável sensação de que a qualquer momento o inimigo descobriria o local do pouso e sairia em seu encalço.

O instinto de Hislop não o enganava.

O diário de guerra da Operação Loyton deixa claro que o maior desafio enfrentado por aqueles homens escapava a seu controle: o tempo. "Esperava-se montar a operação um pouco antes ou imediatamente depois do Dia D, quando a área estivesse mal guarnecida pelo inimigo e houvesse… muitos outros setores de atividade guerrilheira, o que distrairia a atenção do inimigo da presença de tropas do SAS naquela zona tão perigosa."

Mas o Dia D tinha sido a 6 de junho de 1944, nove longas semanas antes. A Operação Loyton precisou ser adiada em virtude de dois fatores principais: o tempo inclemente e a necessidade das longas horas de escuridão do mês de agosto para que a aeronave e os paraquedistas não fossem avistados pelo inimigo.

Nesse ínterim, as condições haviam mudado drasticamente na área. Os quinze soldados das Forças Especiais que agora escalavam as montanhas acima de La Petite Raon esperavam pouca resistência dos alemães. Insuficientemente vigiados por tropas pouco aguerridas, os Vosges deveriam oferecer àqueles homens o ambiente perfeito para atacar a infraestrutura de transporte e comunicações que ligava os grupos de vanguarda ao interior da Alemanha.

Isso poderia ter acontecido em junho. Agora, não. Cada vez mais forças alemãs recuavam das cabeças de ponte da Normandia e fugiam diante da arrancada dos Aliados pela área vulnerável do sul da Europa, juntando-se na principal porta de acesso à Alemanha: o gargalo dos Vosges.

No caminho dessa força inimiga maciça e destruidora em combate postavam-se quinze homens das Forças Especiais e uma centena de *maquis* mal armados.

A luta se avizinhava.

CAPÍTULO 4

———— ✳ ————

À PRIMEIRA VISTA, o terreno dos Vosges parecia ideal para o tipo de operações furtivas e ardilosas que Druce tinha em mente. Cobertos de florestas sombrias e impenetráveis, pontilhadas de abismos profundos, lagos silenciosos e cachoeiras a pique, os vales eram perfeitos para ocultar aqueles grupos pequenos e ágeis.

Mas por essas mesmas ravinas profundas e tortuosas passavam também as estradas que serpenteavam pelo território, ladeadas por aldeias em toda a sua extensão. Afora esses lugarejos, havia apenas algumas fazendas dispersas e cabanas solitárias de guardas-florestais em meio à mata fechada. E não se tinha garantia alguma de que todos os habitantes dos Vosges fossem amistosos.

Um visitante, de passagem, poderia considerar as aldeias dos Vosges verdadeiras ilhas de tranquilidade rural. Mas, sob a superfície, fermentava um sentimento de extrema desconfiança. Nas encostas ocidentais das montanhas, a maioria dos aldeões era decididamente francesa em todas as acepções da palavra e formava o núcleo da Resistência. Mas do lado oriental — alemão —, muitos eram tão teutônicos quanto o mais típico berlinense e ainda se conservavam fiéis ao Reich.

Durante séculos os Vosges tinham sido um prêmio disputado alternadamente pela França e pela Alemanha. Em 1871, os prussianos — digamos, os "alemães" do outro lado – derrotaram Napoleão III e tomaram posse dos Vosges. Menos de cinquenta anos depois, ao fim da Primeira Guerra Mundial, a França reclamou novamente o território.

Em maio de 1940, a poderosa máquina de guerra nazista cruzara a fronteira e os alemães anexaram outra vez os Vosges. Muitos habitantes se rebelaram e buscaram meios de resistir. Outros, porém, sobretudo os que viviam nas encostas íngremes do lado oriental, viram os alemães como libertadores.

Nessas áreas e entre essa gente é que o SAS teria de tomar o maior cuidado. Um dos homens, Robert Lodge, sentiu pessoalmente seu veneno. O sargento "Lodge" era na verdade Rudolf Friedlander, um judeu alemão que tivera a esperteza de fugir da Alemanha nos anos 1930, quando Hitler destilava sua retórica odiosa contra a população judia antes de lançar a "Solução Final".

Friedlander havia se instalado com a família na zona oeste de Londres, mas no início da guerra se sentira obrigado a lutar e ganhara a Medalha por Conduta Honrosa em operações anteriores. Com seus 33 anos de idade, era, de certa forma, um veterano no grupo de Druce; todavia, a despeito disso e de seus óculos de fundo de garrafa, assegurara uma das melhores reputações como soldado no SAS.

Friedlander adotara o nome tipicamente anglo-saxão de "Lodge" para disfarçar sua origem judaico-alemã caso fosse capturado. Mas, grandalhão, robusto e de aparência afável, era, para muita gente, indisfarçavelmente um judeu – e ele próprio não tinha muitas ilusões sobre o que aconteceria se fosse capturado nos Vosges.

A jornada da zona de pouso para o reduto dos *maquis* nas montanhas revelou-se uma aventura difícil de dez horas por terreno talvez mais inóspito do que qualquer outro já atravessado pelos homens da Operação Loyton. A primeira etapa de 2 quilômetros foi vencida nas horas frescas da manhã, colocando a zona de pouso, felizmente, fora de vista. Mesmo se o inimigo a encontrasse, rastrear o grupo de Druce se tornaria cada vez mais difícil à medida que ele se aproximasse das colinas.

Os primeiros quilômetros da trilha eram quase bem-vindos depois do confinamento claustrofóbico no porão da aeronave. Mas, quando o sol subiu no horizonte, seus raios iluminando fortemente os vales mais profundos e espantando as trevas, o calor também aumentou. Apesar da sombra que as árvores projetavam dos dois lados do caminho, a atmosfera ficou quente e úmida, fazendo com que os homens fervessem sob o peso de seus fardos.

Os guias *maquis* pisavam firme como cabras montesas. Seu passo era rápido até para homens acostumados àquele esforço extremo, tanto mais que a adrenalina segregada para o salto de paraquedas começava a desaparecer de suas veias. No meio da tarde, após completar um trajeto de 350 metros de subidas e descidas, os operadores das Forças Especiais estavam quase sem fôlego e suando em bicas.

O capitão Henry Druce precisou exigir um esforço extra de seus músculos, que pareciam chumbo. O comandante da Operação Loyton sofria mais que os outros. No momento da partida, devido à concussão, ainda dizia coisas incoerentes (quase sempre). Riachos e torrentes surgiam a cada volta do caminho e, quando os homens paravam para descansar, Druce borrifava o rosto e o pescoço com a água gelada das montanhas na tentativa de desanuviar o cérebro.

A floresta, densa e verdejante, cercava-os por todos os lados. Aqui e ali, assomavam rudes matacões de granito que pareciam ter sido arremessados do alto por uma mão gigante. Num terreno daqueles, podia-se dar com o inimigo a poucos metros sem tê-lo avistado antes. Terreno ideal para emboscadas.

Quando já estavam perto do acampamento dos *maquis*, o enorme esforço que Druce fizera havia aliviado um pouco sua cabeça. A base – instalada a oeste do Lac de la Maix, um lago situado a 600 metros de altitude – era uma construção de madeira bem sólida. Consistia em uma cabana rodeada de mata densa por todos os lados, invisível exceto para um avião que a sobrevoasse diretamente.

Estava equipada com mesas, cadeiras e catres toscos, mas Druce ficou impressionado com a limpeza e aparente eficiência do lugar. Viu até uma bandeira francesa tremulando de um poste nas proximidades: ela era descida com precisão militar ao pôr do sol e hasteada novamente ao amanhecer. Na mente dos *Maquis* Alsacianos, a área do Lac de la Maix já fazia parte da

França libertada, o que não podia deixar de impressionar Druce, Hislop, Gough e seus homens.

Os *maquis*, a rigor, não haviam se reunido como uma força militar; pelo menos, não no começo. Sob os termos do armistício humilhante assinado entre a França e a Alemanha em junho de 1940, um milhão e seiscentos mil soldados franceses tinham sido tomados como prisioneiros de guerra. No devido tempo os alemães propuseram soltar boa parte deles se, para cada um "libertado", três civis se apresentassem como "voluntários" para trabalhar para o Reich.

A princípio, essa *relève* (substituição) se aplicava apenas a homens jovens e fortes. Contudo, à medida que as fábricas de armamento, as minas e os projetos de defesa alemães foram exigindo mais e mais mão de obra, a *relève* foi ampliada para incluir homens até a idade de 50 anos e mulheres fisicamente aptas. A *relève* acabou se tornando compulsória e passou a ser chamada de Service du Travail Obligatoire (STO): Serviço de Trabalho Obrigatório. No final de 1943, cerca de seiscentos e cinquenta mil franceses e francesas haviam sido despachados para o Reich a fim de exercer trabalho escravo.

Quem queria escapar ao STO fugia para os lugares remotos do interior francês e se tornava *maquisard*. A palavra *maquis* parece derivar do termo para "bosque", o tipo de local onde essas pessoas se escondiam. No começo, um *maquis* não era necessariamente alguém que pegava em armas. Para muitos, bastava não ter de colaborar com a vasta operação nazista de trabalhos forçados, da qual poucos voltavam. Mas havia também quem ansiasse por lutar.

Contra essa massa crescente de *maquis*, o Reich empregava todas as armas da opressão estatal. Guarneciam a França dois tipos de forças: as tropas de combate alemãs, encarregadas de evitar um desembarque dos Aliados para libertar o país; e as tropas de ocupação, responsáveis por controlar com mão de ferro a população francesa. As primeiras incluíam alguns dos melhores combatentes disponíveis; as outras eram muitas vezes formadas por ex-prisioneiros de guerra – russos, ucranianos, até indianos e norte-africanos – que haviam preferido mudar de lado a morrer de fome nos campos de concentração.

As tropas de ocupação geralmente eram indisciplinadas e cruéis. Comandadas por alemães, estavam sob o controle do RSHA (Departamento Central de Segurança do Reich), o serviço de inteligência nazista e a polícia secreta, mais comumente conhecidos como a *Sicherheitsdienst* (SD) e a Gestapo. Esses órgãos faziam amplo uso de informantes e traidores, numerosos principalmente na Milice – a milícia francesa pró-nazista formada sob a ocupação alemã. A Milice havia sido treinada e armada pela SS, as tropas de choque pessoais de Hitler, a fim de caçar e eliminar os *maquis*.

Diante dessa massa de adversários poderosos e repulsivos, os *Maquis* Alsacianos pareciam lamentavelmente indefesos. Entretanto, se os homens de Druce conseguissem fornecer-lhes suprimentos adequados de armas, lançados de paraquedas, os *maquis* do coronel Grandval se mostrariam sem dúvida uma força a ser respeitada. Com o auxílio dos consultores Jedburgh, eles estariam em condições de incendiar os Vosges.

Outra coisa ficou bem clara após a longa jornada até o esconderijo dos *maquis* nas montanhas: eles não poderiam cobrir muito terreno naquela região inóspita e cortada por precipícios. Os homens de Druce haviam conseguido avançar apenas pouco mais de 15 quilômetros em dez horas.

Naquela noite, eles dividiram suas rações com os *maquis*, cuja alimentação consistia principalmente de "café" feito com bolotas torradas, pão preto duro, carne e legumes à vontade. Os anfitriões improvisaram uma refeição para os recém-chegados famintos e exaustos, que em seguida foram dormir, certos de que os *maquis* manteriam boa vigilância durante a noite.

No diário de guerra da Operação Loyton, Druce descreveu o acampamento do Lac de la Maix como "bem organizado e bem mantido", instalado numa "boa posição defensiva" no alto de uma montanha. Afirmou que lhe serviram "uma excelente refeição" e que dormiu "a sono solto". Ao menos por enquanto, ele e seus homens estavam seguros.

Druce acordou bem cedo na manhã seguinte. Os raios do sol se insinuavam pelo meio das árvores e um coro de pássaros saudava o novo dia. Era um cenário tranquilo e envolvente, com o ar da montanha fresco e revigorante naquela altitude – mal se podia acreditar que o mundo estivesse em guerra. Druce percebeu que a escalada, seguida pelo sono profundo, curara completamente sua confusão mental: era hora de se preocupar com algo mais sério, a luta.

Segundo as instruções apressadas que o coronel Franks lhe havia dado antes da partida, o tempo era tudo na Operação Loyton. Druce precisaria pôr em campo sua tropa o mais rapidamente possível, mas não desejava dar o sinal antes de conhecer bem o terreno e, sobretudo, descobrir se os *maquis* estavam realmente à altura da missão.

O representante do coronel Grandval no Lac de la Maix era o tenente Félix LeFranc, secundado por um pequeno núcleo de ex-oficiais do exército francês. Tinha sob suas ordens cerca de oitenta *maquis*, além de outros grupos sediados em redutos montanhosos próximos. A disciplina parecia razoavelmente boa; mas até então os homens do tenente LeFranc dispunham apenas de uns dez fuzis antiquados e pouca munição.

Prioridade número um: instruir os *maquis* no manejo das novas armas. Prioridade número dois: enviar um *sitrep* (*situation report,* relatório de situação) a Londres fornecendo localização e andamento da missão. E, sem demora, Druce precisava se encontrar com o coronel Grandval para averiguar as necessidades de todos os *maquis* e deixar Gough com os Jedburghs para pedir as armas enquanto ele entrava em ação à frente do grosso do SAS.

"Quando então poderei falar com o coronel Maximum?", perguntou Druce ao tenente LeFranc, após um desjejum de pão duro amolecido em café amargo de bolota. "E quando iniciaremos um planejamento de verdade?"

O entusiasmo de Druce e sua capacidade de falar francês como um nativo encantaram o comandante dos *maquis*.

"O coronel está vindo", tranquilizou-o o tenente. "Fui informado de que se acha em Le Round Table Salon concluindo um negócio importante. Mas virá."

Druce não sabia o que "Round Table Salon" significava, mas negócios importantes dos *maquis* eram presumivelmente importantes negócios dos *maquis*.

"Ótimo. Enquanto isso, que tal se seus homens treinassem com as novas armas?" Druce apontou para um grupo de árvores capaz de dar boa cobertura, mas com pouco mato no chão. "Reúna-os ali e comecemos."

"Agora mesmo, capitão", prontificou-se o tenente LeFranc. Fez uma pausa. "Mas você tem de enviar uma mensagem a Londres, não? O coronel pede que não use o rádio a menos de 10 quilômetros do acampamento, devido ao risco dos DFs. Destacarei um de meus melhores guias para levar seus operadores a um lugar de onde poderão transmitir com segurança."

"DF" significa "detector de direção". Os alemães possuíam excelentes unidades móveis de DFs, capazes de captar um sinal de rádio a distância, triangular seu ponto de origem e assim determinar sua localização.

"Parece uma medida sensata", concordou Druce. "Mandarei uma equipe com seu guia esta manhã."

Como o operador Jedburgh, Seymour, estava fora de combate devido a seus ferimentos, caberia a Hislop e seus Fantasmas estabelecer as primeiras comunicações. Apenas algumas semanas antes, um novo tipo de rádio, apelidado de "Jed Set", havia sido entregue a todas as Forças Especiais. Era bem mais leve e acionado a manivela, ou seja, não seria preciso levar baterias pesadas até o alto das montanhas.

O Jed Set era fácil de operar. Determinava-se o comprimento da onda de transmissão com um "cristal", um fragmento de mineral cristalino, como galena, inserido no aparelho. Isso significava que não era necessário "sintonizar" o rádio antes da transmissão ou da recepção. Como os Jed Sets ficavam inoperantes sem o cristal, os homens deviam livrar-se dele caso houvesse o risco de o rádio cair em mãos inimigas.

As mensagens do SAS e dos Fantasmas iam parar no Quartel-General da Brigada Tática em Moor Park, onde um contingente do Real Corpo de Sinais operava quatro transmissores-receptores 24/7. Cada equipe devia enviar duas mensagens diárias do campo: a primeira entre as 8h30 e as 9 horas, a segunda entre as 13 e as 14 horas. Caso uma delas se perdesse, o Quartel-General das Forças Especiais consideraria a equipe em perigo ou em fuga, possivelmente capturada ou morta.

Logo depois do desjejum, Hislop apanhou seu Jed Set e rumou para a floresta, com Roger Souchal, de 17 anos de idade e oriundo da região, servindo-lhe de guia. Souchal era, em definitivo, um daqueles que se reuniram aos *maquis* para lutar. Estudante que planejava exercer a advocacia, tinha sido obrigado a crescer rápido depois que os alemães se apossaram dos Vosges. Desejava ardentemente se livrar do inimigo e mostraria ser um aliado firme nas semanas seguintes.

Durante a subida do dia anterior, Hislop tinha sofrido quase tanto quanto o atordoado Druce. Depois de seu acidente na corrida de cavalos, ele havia contraído icterícia e amigdalite. Ao longo da jornada, foi achando cada vez mais difícil carregar a mochila após cada período de descanso e chegara praticamente se arrastando ao acampamento dos *maquis*, banhado em suor. Começou então a temer que a doença o incapacitasse para uma missão como aquela.

Mas, ao sair de manhã, Hislop se sentiu outro homem. Era como se a moléstia houvesse sido expelida de seu corpo com o suor e o ar purificante da montanha lhe insuflasse um novo sopro de vida. Souchal caminhava a passo rápido, mas Hislop e seus Fantasmas não ficavam para trás. O jovem levou-os a um bosque luxuriante, cujas árvores projetavam bem alto suas copas, formando como que uma abóbada de catedral sobre a cena. Era menos denso e escuro que as matas de coníferas comuns na região e cheio de pássaros estrepitosos.

Sob aquela cúpula leve deveria ser mais fácil emitir um sinal de rádio. Enquanto o cabo Davis preparava o aparelho, Hislop perscrutava as cercanias com olhos e ouvidos bem abertos. À frente, podia ouvir dois lenhadores trabalhando com seus bois e recolhendo madeira. Seus gritos musicais, entrecortados pelo estalar rítmico do chicote, ecoavam pela floresta silenciosa, servindo de fundo para o canto matinal dos pássaros.

Para um Fantasma, o momento de estabelecer o primeiro contato de rádio numa missão de verdade era sempre dramático. Quase imediatamente, as primeiras letras da resposta do QG puderam ser ouvidas com nitidez. Davis ergueu o polegar no ar para dizer que tudo ia bem; mas logo em seguida o Jed Set emudeceu e um fio de fumaça subiu da parte traseira do aparelho: o rádio tinha queimado.

Por sorte tinham um segundo de reserva e Roger Souchal se ofereceu para ir buscá-lo. O percurso de 15 quilômetros não era nada para o jovem guia *maquis*. Enquanto Souchal partia correndo, Hislop se estirou sob as árvores, contemplando a abóbada lá no alto e sentindo como se tudo estivesse em ordem no mundo. Mas uma pequena parte de seu cérebro dizia-lhe que aquela era a calma antes da tempestade.

Souchal voltou com o Jed Set de reserva, acompanhado por Victor Gough. Às voltas com um operador ferido e um rádio quebrado, o capitão Jedburgh teria de contar com os Fantasmas para as comunicações, ao menos por enquanto.

O segundo aparelho funcionou perfeitamente. "Pouso seguro. Skye com tornozelo fraturado. Recuperação em sete dias. Contato feito com Maximum... Agora com o grupo 2 dos *maquis* ao sul de Vexaincourt, no vale Celles-sur-Plaine."

Vexaincourt era a aldeia mais próxima, situada no vale Celles-sur--Plaine, perto daquele onde a equipe Loyton pousara. "Skye" era o codinome de Seymour (o Jedburgh ferido). Pelo teor da mensagem, percebe-se que havia uma sensação de calma e segurança.

Mas, enquanto Hislop, Gough e Davis faziam contato com Londres, Druce começava a ficar apreensivo. Naquela manhã, um Storch alemão de reconhecimento sobrevoara a base do Lac de la Maix. Sem dúvida, Druce não podia afirmar que o avião estivesse na pista dele e de seus homens ou mesmo dos *maquis*. Mas um visitante inesperado apareceu no acampamento e assegurou que a aeronave andava à procura dos guerrilheiros franceses e britânicos.

Lou Fiddick era um piloto canadense. Durante um bombardeio em julho de 1944, havia sido derrubado por um caça noturno, caindo em solo alemão. Embora ferido, caminhara por uma semana seguindo de volta o percurso que seu bombardeiro fizera. Cruzando a fronteira francesa, entrara em contato com aldeões amigos, que o levaram até os *maquis*.

Fiddick ficou encantado ao encontrar a força de Druce. "Agora, finalmente, eu estava entre pessoas que conseguia entender! E também me impressionou o fato de terem descido numa área que pululava de alemães!"

Fiddick havia passado nos Vosges tempo suficiente para saber um pouco sobre o inimigo estacionado na região. Precisara se desviar de inúmeras patrulhas, esconder-se em porões infectos, sótãos atulhados e até numa cisterna. Em determinado momento, a caminho para se encontrar com os *maquis*, viu-se face a face com uma patrulha alemã. Felizmente, os aldeões o tinham vestido como um deles e a coluna inimiga passou sem molestá-lo.

Em suma, Fiddick sabia que – ao contrário das informações dadas aos homens do SAS – a área estava repleta de inimigos.

Druce convidou o recém-chegado a juntar-se ao grupo, tornando-se seu décimo sexto homem, e ele trocou o uniforme canadense por um sobressalente do SAS. Fiddick estava perfeitamente apto a operar num ambiente como os Vosges. Criado na densamente arborizada ilha de Vancouver, na costa oeste do Canadá, trabalhara como lenhador antes da guerra e, nos Vosges, se sentia em casa. Conforme Druce observou, Fiddick "iria se tornar um de nossos melhores soldados".

Piloto experiente – voava num bombardeiro Lancaster quando foi abatido –, Fiddick aprendera bem o que diversos aviões de guerra podiam fazer. Temia que o Storch de reconhecimento só estivesse procurando uma coisa: as bases dos *maquis* no meio da floresta. E, lembrado da rapidez com que os alemães haviam corrido em seu encalço, receava que eles soubessem ao menos da chegada dos paraquedistas britânicos – daí a observação aérea.

Os receios de Fiddick logo se revelariam corretos. Quando Hislop, Gough e Davis voltaram após transmitir a mensagem, encontraram outro recém-chegado no acampamento. Albert Freine era o *gard-chasse* (guarda-caça) da região. Assim, estava necessariamente envolvido com os soldados da guarnição alemã local, muitos dos quais gostavam de caçar ursos ou pescar. Isso tornava a outra função de Freine – a de chefe da inteligência dos *Maquis* Alsacianos – duplamente compensadora e perigosa em igual medida.

Freine era visto pelos alemães como um "bom" francês, leal à causa nazista. Como tal, ouvia às vezes seus planos, que eles deixavam escapar em observações casuais durante as caçadas. Mas, em meados de agosto de 1944, até a "máscara" de Freine estava começando a cansá-lo e o jogo mortal da duplicidade já lhe dava nos nervos. O chefe da inteligência de qualquer grupo de *maquis* era um alvo preferencial, pois, se descobrissem a farsa e o obrigassem a falar, toda a rede se desfaria.

Freine se apresentou a Druce. Figura curiosa: magro, cabelos amarelados cobertos pela boina tradicional e vestido com o capote de lã grossa que os camponeses dos Vosges sempre usam. Parecia sombrio, mas ardentemente patriota e leal – além de tão fanfarrão quanto corajoso. Era, portanto, um poço de contradições; todavia, nunca havia dado informações erradas nem comunicado mais do que sabia, e isso bastava.

Agora, Freine trazia notícias inquietantes. Uma força de 5 mil alemães estava "varrendo" o vale de Celles-sur-Plaine de leste a oeste, a menos de 3 quilômetros ao norte do acampamento dos *maquis*. Era perto demais para não causar alarme e Freine só podia concluir que aquela concentração de tropas inimigas tinha algo a ver com a chegada dos paraquedistas britânicos.

Os soldados alemães pertenciam à 405ª Divisão da Wehrmacht, parte do 19º Exército. Recuando diante dos Aliados que avançavam pelo sul da Europa, o 19º tinha sido encarregado de defender a fronteira leste da Alemanha nos Vosges. Esse exército consistia predominantemente de tropas de segunda classe: veteranos feridos, conscritos e *hiwis* – prisioneiros de guerra que se apresentavam "voluntariamente" para servir a causa nazista. (*Hiwi* é uma abreviação da palavra alemã *Hilfswilliger*, que significa "aqueles que querem ajudar".)

Apesar disso, uma força de 5 mil homens era numerosa demais para que a unidade de Druce, com os *maquis* mal armados, se arriscasse a uma batalha em campo aberto. Além do mais, o 19º Exército incluía a 11ª Divisão Panzer, que com seu famoso emblema (um fantasma armado de espada) havia lutado na Frente Oriental, onde se destacara nas imediações de Kiev e Moscou.

Equipada com 140 tanques, era uma força endurecida em combate e altamente eficiente, que Druce e seus homens fariam bem em evitar.

À luz do relatório de Freine, a guarda foi dobrada em volta do acampamento. Pouco depois da meia-noite, uma nuvem negra se aproximou pelo sudeste e trovões ensurdecedores se sucederam à descarga dos raios. De manhã, o dia surgiu límpido, lavado pela chuva torrencial. Mas o Storch voltou e o céu sem nuvens sem dúvida lhe proporcionava uma visão perfeita daquilo que porventura estivesse procurando.

Outras notícias desagradáveis chegaram naquela manhã. A população masculina de Allarmont, a aldeia mais próxima, havia fugido para a floresta a fim de evitar os soldados alemães que assolavam seu vale. E batalhões do 19º Exército haviam descoberto o local de pouso do grupo de Druce. O inimigo, ao que se soube, estava trazendo mais tropas para a região, apoiadas por tanques.

Na mensagem daquela manhã, Druce imprimiu uma nota um tanto alarmada: "Não pudemos fazer contato pelo rádio ontem... Mandamos mensagem disfarçada. No aguardo de conversa com Maximum... hoje. Precisamos nos afastar 8 quilômetros do acampamento para enviar mensagens. Agora, só podemos enviar uma por dia".

Também informou ao quartel-general que, como de mil a cinco mil soldados inimigos estivessem percorrendo a região, ele precisaria demarcar uma nova e segura zona de salto. Por enquanto, o corpo principal da Operação Loyton teria de aguardar.

No fundo, o capitão Henry Druce sentia que o cerco estava se fechando.

CAPÍTULO 5

———— ✳ ————

A 16 DE AGOSTO DE 1944, Hitler ordenou que suas tropas no sul da França começassem a recuar para o norte a fim de proteger o Reich. Sua concentração nas rotas orientais para a Alemanha significava que mais homens e máquinas de guerra iriam cruzar os Vosges. Em contrapartida, o 3º Exército do general Patton – a força amiga mais próxima – ainda estava a quase 500 quilômetros a leste, tentando encontrar uma brecha segura nas linhas alemãs.

Sem um inimigo próximo para combater, as novas guarnições dos Vosges receberam ordem de concentrar todo o seu poderio na caçada e eliminação dos *maquis* e de seus camaradas de armas britânicos que haviam chegado de paraquedas. O comandante-geral de segurança alemão na área, dr. Erich Isselhorst, estava a par dessas operações contra a guerrilha.

Isselhorst, advogado de profissão, aderira ao Partido Nazista em 1931 e subira rapidamente de posto. Seu nome chegou ao conhecimento de Hitler depois que ele defendeu vários nazistas proeminentes no tribunal: Isselhorst tornou-se um protegido do Führer. Pouco depois do início da guerra, foi nomeado oficial da SS e chefe da Gestapo em Munique, o que apressou sua carreira meteórica rumo ao poder. Três anos mais tarde, estava na Frente Oriental usando seus talentos para caçar guerrilheiros russos.

Comandando o *Einsatzgruppe* B em Smolensk, uma cidade russa situada 400 quilômetros a oeste de Moscou, Isselhorst recebeu várias condecorações por sua "bravura". Na verdade, o *Einsatzgruppe* de Isselhorst não passava de um dos eufemisticamente chamados "comandos especiais", esquadrões da morte incumbidos de arrebanhar pessoas marcadas para a "liquidação": guerrilheiros da resistência russa, judeus, ciganos e deficientes físicos.

Em Smolensk, parte das funções de Isselhorst foi a impiedosa "evacuação" dos guetos judaicos. Em agosto de 1943, ele escreveu em seu diário a respeito de uma dessas operações: "Como houve resistência... grande matança; 3.100 j [judeus] eliminados. Só 350 concordaram em embarcar nos transportes disponíveis". Os transportes iam, é claro, para os campos de concentração e, durante seu tempo na Frente Oriental, Isselhorst adquiriria a fama de um eficiente orquestrador da máquina de extermínio em massa.

Isselhorst voltou à Alemanha como *Standartenführer* (o equivalente, na SS, a coronel) e foi nomeado chefe da Gestapo nos Vosges, com sede na cidade de Estrasburgo (fronteira leste da região). No verão de 1944, teve notícia de atividades dos *maquis* em sua área. E, em meados de agosto, as coisas pioraram. Aviões, em voo rasante, foram ouvidos à noite e chegaram relatórios segundo os quais "paraquedistas ingleses" haviam se juntado aos guerrilheiros, trazendo armas para fomentar uma insurreição.

O nazista empedernido que era Isselhorst ficou furioso. Com seus três subordinados, elaborou planos para uma operação ironicamente chamada de Waldfest ("festa no bosque"). Essa operação seguia o modelo brutal e sangrento que ele aplicara em Smolensk contra os guerrilheiros russos.

O representante de Isselhorst na Operação Waldfest era Wilhelm Schneider, um ex-capitão da marinha que tinha lutado na Primeira Guerra Mundial, com fama de violento e alcoólatra. Pequeno, com cara de doninha e barba de bode grisalha, Schneider não sabia fazer nada sem seus dois parceiros no crime – um dos quais provou ser o verdadeiro cérebro da Waldfest.

Alfonso Uhring, chefe da inteligência estrangeira de Isselhorst, era um grandalhão careca, obeso e de papada, cuja função seria interrogar os agentes britânicos capturados. Uhring literalmente mandava em Schneider e pode ser descrito como o mestre de fantoches que puxava seus cordéis. Operacionalmente, a Waldfest seria em grande parte obra sua.

A terceira figura do triunvirato de subordinados de Isselhorst era Julius Gehrum, um sujeito grande, de olhos miúdos e queixo triplo, muitíssimo orgulhoso de suas bebedeiras, de seu uniforme nazista e, sobretudo, da Cruz de Ferro que exibia no bolso esquerdo de sua jaqueta. Chefiava a guarnição de fronteira e tornara-se famoso pela grosseria e a brutalidade.

Na primeira fase da Operação Waldfest, encabeçada pela Wehrmacht, uma gigantesca varredura se apossaria das armas e munições entregues aos *maquis*, para depois encontrar e eliminar suas bases nas montanhas. Na segunda fase, liderada pela Gestapo, os *maquis* e seus simpatizantes das aldeias vizinhas seriam eliminados, privando assim a Resistência de qualquer apoio.

Tal como Isselhorst havia feito em Smolensk, *Einsatzkommandos* se postariam por toda a extensão dos Vosges. Muitos eram chamados pelos nomes de seus comandantes alemães. O *Einsatzkommando* Ernst tinha por chefe o famigerado *Sturmbannführer* (major) da SS Hans Dietrich Ernst, que havia pouco mandara oitocentos judeus franceses para a morte em Auschwitz. Ernst era um homem sádico e roído de vícios, verdadeiro mestre em obrigar prisioneiros a ceder diante de terríveis interrogatórios e torturas.

A Operação Waldfest contou com a bênção especial de Heinrich Himmler, *Reichsführer* da SS e, na época, um dos homens mais poderosos da Alemanha nazista. Com o maciço dos Vosges formando a principal linha de defesa alemã, Himmler ordenou que ele fosse conservado a todo custo. A área devia ser "expurgada" de *maquis*, exigência que deu à Waldfest ainda mais ímpeto e urgência.

Na noite de 16 de agosto de 1944, o nó da Waldfest se apertou ainda mais em torno da força de Druce. Apenas três dias depois do pouso das Forças Especiais Britânicas, o serviço de inteligência de Isselhorst já estava agindo de maneira notavelmente eficaz. Ele dividira sua tropa pelo Rabodeau e o Celles-sur-Plaine, deixando os *maquis* e seus camaradas britânicos comprimidos numa faixa de menos de um quilômetro entre esses dois vales.

Druce despertou na manhã de 17 de agosto para logo ficar sabendo dos fatídicos acontecimentos da noite anterior. As tropas alemãs haviam cercado todo o contorno da base da montanha. E agora elas subiam inexoravelmente a fim de confinar por completo a força britânica e os *maquis*.

Druce se decidiu pela partida imediata, julgando que essa era sua melhor chance de escapar. O tenente LeFranc concordou, embora suas ordens fossem só abandonar o acampamento em último caso.

Não havia tempo a perder. Armas, munições, suprimentos e rádios — tudo foi acondicionado às pressas. Pisando com cuidado os gravetos secos espalhados pelo chão, a coluna de *maquis* e homens das Forças Especiais avançava num silêncio tenso e apreensivo. A vanguarda, conduzida pelo tenente David Dill, um bem-apessoado elemento do SAS com pouco mais de 20 anos de idade, abria caminho.

O tenente Dill era baixo e magro; em seu rosto quase infantil, pairava um ar travesso e descontraído. Nos últimos dias, mostrara-se impressionantemente firme, calmo e frio sob pressão. Druce achou que ele era o homem perfeito para soar o alarme caso se deparassem com uma patrulha alemã. Precisariam conter o fogo a qualquer custo. Druce tinha a obrigação de preservar seus homens e trazer o resto da Operação Loyton; não poderiam de modo algum encarar uma batalha potencialmente desastrosa.

Por volta das 9 horas da manhã, a centena de homens se embrenhou na selva. Uma pequena retaguarda seguia atrás, cobrindo o avanço do corpo principal. Incluía o sargento Lodge — isto é, Friedlander, o judeu alemão — e Lou Fiddick. Druce havia estabelecido como *rendez-vous* (RV), ponto de encontro, uma área indicada por seis números no mapa: 470902. Ali se reuniriam todos, caso tivessem de se dispersar pelo caminho.

Após duas horas de avanço penoso, o grupo de Druce encontrou uma trilha usada por carros de bois que recolhiam madeira cortada nos cumes das montanhas. A trilha, segundo todas as aparências, estava fora de uso havia algum tempo, pois uma espessa camada de agulhas de pinheiro a cobria. Essa camada abafava o som dos passos dos homens. Só o que se ouvia de vez em quando era algum tilintado de metal ou o roçar de um pedaço de lona ou tira de couro sob a pressão dos fardos.

Druce havia percorrido com seu grupo cerca de 500 metros por aquele caminho quando o tenente Dill veio correndo em sua direção. Uma patrulha alemã tinha sido avistada nas proximidades da trilha. Dill e seus companheiros haviam parado para comer, mas felizmente ninguém os percebera. Druce ordenou que todo o grupo se ocultasse na floresta e permanecesse em silêncio. O plano era deixar que os alemães passassem e só depois retomar a jornada.

Na parte mais baixa da trilha havia uma reentrância capaz de proporcionar boa proteção a Druce, Hislop e a maior parte dos britânicos. De ambos os lados, os *maquis* se confundiram com as árvores. Adiante, na descida, o terreno era íngreme, coberto de mata fechada; e, na subida, a trilha ficava a descoberto. Não haveria rota de fuga fácil caso a patrulha inimiga desse pela presença dos britânicos e franceses.

O silêncio caiu sobre a floresta. O sol do meio-dia lançava sua luz ofuscante pela trilha, mas, dos lados, a mata estava imersa na semiobscuridade. Seria quase impossível, para quem passasse, descobrir os homens escondidos nas sombras.

Um leve ruído de vozes anunciou a aproximação do inimigo. Logo depois ele apareceu, movendo-se em duas colunas de soldados de uniformes cinzentos que caminhavam bem à vontade. Sem dúvida, eram um dos batalhões de busca da Operação Waldfest, mas por suas conversas e atitudes não se percebia que esperassem encontrar franceses e britânicos tão cedo.

A vanguarda se emparelhou com os homens escondidos e foi em frente. Hislop conteve o fôlego, enquanto a tensão geral aumentava, e mal pôde crer em sua sorte quando a retaguarda inimiga começou também a se afastar. Mas foi então que um *maquis* desastradamente curioso decidiu pôr a cabeça para fora de seu esconderijo e lançar um olhar – e uma bolota – no inimigo odiado.

Ouviu-se um grito, tão alto e gutural quanto indesejado: *"Achtung!"* (Atenção!).

Seguiu-se o estalido característico de metal contra metal quando armas são engatilhadas. Mas o tiro que partiu veio da floresta e provocou um gemido abafado quando o soldado que dera o alerta tombou morto pelo *maquisard* imprudente.

Como os alemães fossem apenas trinta, Druce ordenou um ataque imediato, esperando conseguir detê-los. Num instante o ar se sacudiu ao estrondo das armas automáticas, com tiros atravessando a vegetação de ambos os lados da trilha e caindo sobre a coluna inimiga. Alguns foram atingidos, mas os outros se dispersaram em busca de abrigo à beira do caminho, de onde pudessem responder ao fogo. Podiam ser uma tropa de "segunda classe", mas certamente não estavam fugindo.

Druce manteve seus homens firmes frente aos estampidos curtos de Stens e fuzis que varriam a trilha acima deles. Os dois lados trocavam fogo a curta distância, mas o inimigo ocupava terreno mais elevado, uma vez que Druce tinha escolhido sua posição para se ocultar ao máximo e não para preparar uma emboscada. No entanto, se atacassem agressivamente e com energia suficiente, achava que poderiam romper as linhas inimigas e fugir.

Estava a ponto de ordenar uma carga para abrir caminho quando os alemães começaram a pedir ajuda. Druce, que sabia alemão, ouviu um grito de resposta que vinha da colina, onde uma segunda trilha de lenhadores cortava a floresta. Momentos depois, dezenas de botas calcavam ruidosamente o chão da ladeira em direção ao local da luta.

Em um segundo a intensidade do fogo inimigo redobrou. Os alemães, na trilha alta, começaram a disparar para baixo projéteis que só poderiam ser de uma temível *Maschinengewehr* 42 "Spandau".

A Spandau – uma metralhadora montada num bipé – despejava rajadas contínuas que, batendo nas árvores, ricocheteavam horrivelmente para todos os lados. Sua taxa de disparos era pelo menos duas vezes maior que a de qualquer arma semelhante dos Aliados e o ouvido humano não conseguia distinguir entre um projétil e outro. Seu *brrrr* característico, ininterrupto, valeu-lhe o apelido de "zumbido da serra de Hitler".

"Foi assustador", relembrou Lou Fiddick, que não se abalava por pouco. "Estávamos quase sem munição. Acho até que a usamos toda. Eu estava escondido atrás de uma árvore, com balas zunindo em volta... Não é nada usual ter tantos projéteis voando perto de nós. Eu não esperava aquilo, embora fossem muitos os tiros na noite em que nos pegaram."

Os primeiros *maquis* cederam e puseram-se em fuga. Passaram correndo pelos dois lados da reentrância onde a força de Druce ainda tentava resistir e desapareceram. Muitos levavam preciosos itens do equipamento do SAS e dos Fantasmas. Hislop e Druce ouviram gritos de agonia quando a Spandau varreu a encosta, as rajadas com seu zumbido de serra ceifando os *maquis* curvados ao peso dos fardos, incapazes de se mover rapidamente na subida íngreme e oferecendo, por isso, um alvo fácil.

Uma demorada descarga de Spandau atingiu a vegetação acima da reentrância, os projéteis rasgando o tronco de uma árvore como se o abrissem com um zíper. A força britânica estava agora inferiorizada em número e armamento. Druce ordenou aos homens que enterrassem todo o material pesado e fugissem. Mover-se sem impedimento e abaixados era sua única chance, mas primeiro iriam preparar uma armadilha com as mochilas Bergen, enchendo-as de explosivos plásticos.

Hislop precisou abandonar seu Jed Set; porém, como levaria consigo os cristais e o livro de código, o rádio não teria grande utilidade para o inimigo. Druce decidiu liderar metade dos homens em uma direção, enquanto Hislop tomaria o caminho oposto, para confundirem os perseguidores. Juntaram-se na borda da reentrância e viram que o ar, sob as árvores, estava denso com a fumaça cinza da cordite.

Saíram correndo encosta abaixo, curvados para escapar dos tiros que atravessavam o arvoredo. Hislop pensou que nenhum cavalo dos que já havia montado tinha sido tão veloz quanto ele ao enfiar-se na mata.

Cerca de 500 metros à frente, depararam-se com outra trilha em meio aos arbustos. O terreno descoberto, logo adiante, era alvo de rajadas vindas do alto. Hislop aguardou um intervalo entre elas a fim de liderar os homens numa corrida louca para cruzar aquele espaço.

"Agora! Vão, vão, vão!"

Teve um vislumbre das costas de Davis – seu ultraconfiável camarada Fantasma – bem à frente, quando mergulharam na vegetação do lado oposto. Era a última coisa que veria dele.

Por fim, Hislop ordenou uma parada. Sussurrando apressadamente, reuniu seus homens sob a densa cobertura do mato. Pediu que todos se mantivessem em silêncio e se deitassem no chão. Qualquer barulho ou movimento atrairia a atenção do inimigo, seguindo-se então uma rajada mortal de balas. Haveria esperança caso conseguissem se esconder; e não poderiam contar com um esconderijo melhor do que os arbustos cerrados que os rodeavam.

Hislop procedeu à contagem. Perdera Davis; mas também ganhara três *maquis*: um apavorado rapazinho de 16 anos, um velho não menos aturdido e um jovem chamado Marcel – o único dos três que ainda parecia senhor de si.

Ali ficaram, contendo o fôlego, os corpos espremidos contra a camada de folhas do chão da floresta, ouvindo ecoar os gritos de seus perseguidores por entre as árvores. Ordens em alemão voavam para todos os lados, seguidas de rajadas de balas. Finalmente, o barulho dos tiros pareceu arrefecer e logo depois cessou. Em volta, a floresta voltou a cair no silêncio.

A noite chegava e Hislop suspeitou que o inimigo houvesse deixado para trás um destacamento escondido a fim de vigiar os possíveis sobreviventes. Resolveu então que permaneceriam exatamente onde estavam e tentariam dormir um pouco, para retomar a caminhada ao nascer do dia. Marcel se ofereceu para guiá-los até um vale próximo, onde os aldeões eram amigos. Ali poderiam achar algum alimento, e ter notícia da movimentação do inimigo e do paradeiro de seus camaradas dispersos.

Era um plano viável, mas não se podia disfarçar o fato de que a sorte deles havia mudado de maneira súbita e dramática, tendendo para o pior. Alguns homens tinham se perdido e Hislop não fazia ideia de onde Druce pudesse estar ou do que acontecera à sua retaguarda. Só desejava conseguir chegar ao *rendez-vous* marcado por Druce e encontrar o resto do pessoal à sua espera – para, a partir dali, darem sequência à missão.

Durante a jornada sob o calor do meio-dia, Hislop estava apenas de camisa. Perdera o resto de seu equipamento durante a louca corrida para escapar. E à noite, entre os arbustos, tiritando de frio, lamentou ter se livrado de suas roupas quentes. Mas concluiu que seu desconforto não era nada comparado aos problemas dos infelizes que bem poderiam estar feridos, presos ou mortos.

O grupo de Druce não se saíra muito melhor que o de Hislop. Após descer a encosta, deram de frente, na trilha de baixo, com um alemão que manejava uma Schmeisser. Felizmente, o homem tinha má pontaria e Druce conseguiu passar seus homens sem que nenhum fosse atingido. O tenente Dill havia voltado para acabar com o alemão solitário – que, após uma troca violenta de tiros, mostrou estar bem protegido e não foi alvejado.

Quando Druce parou para fazer a contagem, descobriu que tinha consigo vários *maquis*, inclusive o tenente LeFranc; mas Seymour, o Jedburgh ferido no pé durante o pouso, se perdera. Seymour precisara ser carregado da base dos *maquis*, em padiola, por quatro guerrilheiros da Resistência. Ninguém conseguiria descer aquela encosta íngreme com uma padiola e era bem provável que Seymour houvesse sido capturado ou morto.

A conselho do tenente LeFranc, a força de Druce partiu rumo a uma quinta distante, situada nas florestas acima da aldeia de Moussey. A rota que tomaram seguia na direção sul, em terreno elevado e coberto de matas, longe dos vales de Celles e de Rabodeau. Partiram ao anoitecer. Livres dos fardos, marcharam a passo acelerado a fim de deixar o campo de batalha e o inimigo bem para trás.

Não tardaram a chegar à cabana decrépita do camponês. Conhecido simplesmente como "Père George" – *Père*, "pai", era uma referência respeitosa à sua idade avançada –, ele vivia sozinho em sua choupana, tendo apenas gatos, porcos, vacas e um cão por companhia. Père George cuidava de uns 150 ares de pastagem agreste, situada bem no meio da floresta fechada. Mais importante que tudo, no entanto, era um comunista apaixonado e, consequentemente, um inimigo natural dos nazistas.

O tenente LeFranc levara o grupo até ali confiando no velho provérbio: "O inimigo de meu inimigo é meu amigo". Père George não era nenhum admirador de Churchill, mas, como os homens do SAS tinham vindo para combater os odiados alemães, sentiu-se feliz em oferecer-lhes abrigo em seu celeiro.

Era um alojamento precário, mas, após a intensidade da luta daquele dia e das marchas forçadas, Druce e seus homens poderiam dormir em qualquer lugar. Além disso, a quinta de Père George oferecia o esconderijo perfeito contra as incursões do inimigo. Situada numa dobra das colinas e rodeada de densos bosques de pinheiros, nunca tinha sido visitada pelos alemães.

Não havia muita comida e o que Père George podia oferecer mal se poderia considerar palatável. Quando a esposa era viva, eles degustavam finas iguarias, explicou o velho: sopas suculentas e assados. Mas depois da morte da mulher o coitado vivia mais ou menos como os animais, comendo num *pot de chambre* (urinol) e partilhando suas refeições com eles.

"Como todo bom fazendeiro, alimento muito bem meus bichos", disse o velho, orgulhoso.

Quando o capitão Druce, o tenente Dill, LeFranc e o grupo se deitaram para dormir, Père George começou a desfiar seu assunto favorito: a política. Sentou-se, com seu traje rústico de camponês e seus tamancos de madeira, o enorme bigode vibrando e ressaltando ainda mais os sulcos profundos do rosto.

"*Churchill, il est bien. De Gaulle, bien* (Churchill é bom; De Gaulle também). Mas depois que Churchill foi à Rússia é que a maré da vitória finalmente virou... Stalin: esse, sim! Ah, Stalin, grande homem! Pena que Churchill não seja comunista." E por aí além.

A única resposta dos homens estirados sobre a palha era um coro de roncos sonoros.

Cerca de 5 quilômetros a nordeste da quinta de Père George, a retaguarda de Druce se metera na pior das enrascadas. A 800 metros da base do Lac de la Maix, o grupo caiu numa feroz emboscada. Robert Lodge comandava quando, de repente, parou e mandou que os outros se deitassem no chão.

Momentos depois, viram-se no meio de um tiroteio selvagem. O piloto canadense Lou Fiddick estava armado apenas com um Colt .45 para enfrentar rajadas de Schmeissers e disparos de fuzis e Lugers. O inimigo se achava a uns 30 metros de distância e alvejava-os por trás de um anteparo de moitas fechadas.

"Nenhum dos lados via o outro por causa do mato", lembra-se Fiddick, "de modo que atirávamos quando víamos movimento nos arbustos, esperando atingir alguém."

A batalha era claustrofóbica e confusa, pois ambos os grupos faziam fogo a curta distância. Um dos homens do SAS percebeu um leve movimento e disparou seguidamente contra o arbusto com sua pistola Sten. Gritos de agonia revelaram que ele tinha atingido um dos inimigos. Mas então outro membro do SAS, Wally "Ginger" Hall, da Guarda de Granadeiros, com seu vistoso cabelo cor de gengibre, recebeu uma bala no peito.

Hall tombou. Ainda estava consciente e pediu aos companheiros que o deixassem ali. Quando Fiddick e os poucos sobreviventes conseguiram se safar graças a uma retirada empreendida a duras penas, o sargento Lodge, o renomado veterano do SAS e judeu alemão, não estava mais com eles.

Ao cair da noite, o grupo de Druce estava disperso pelos quatro cantos dos Vosges. Havia mortos, feridos e, provavelmente, prisioneiros naquelas colinas cobertas de matas, e muitos homens fugiam. Restavam-lhes poucas armas, munição e equipamentos.

Pior ainda, haviam perdido na fuga todos os seus rádios.

CAPÍTULO 6

———— ✳ ————

A PRIMEIRA FASE DA OPERAÇÃO WALDFEST de Isselhorst foi extremamente bem-sucedida: apreendeu boa parte das armas dos *maquis*, outro tanto do equipamento do SAS e dispersou ou aniquilou suas unidades de combate. Para Isselhorst, não poderia ter havido começo melhor. A 18 de agosto, deveria iniciar a segunda fase: a incursão da SS e da Gestapo nas aldeias consideradas base de apoio da Resistência.

Mas, antes, Isselhorst e seus colegas comandantes tinham um rico acervo de equipamentos e papéis apreendidos para estudar, além de prisioneiros para submeter a interrogatório. Entre os papéis, o que mais lhes chamou a atenção foi a chamada "Lista Esquecida" – um documento dos *maquis* descoberto na base do Lac de la Maix com os nomes de algumas das principais figuras da Resistência nos Vosges. Incluía muitos dos que desceram de paraquedas a 13 de agosto na área de Raon l'Étape. Como se isso não bastasse, o documento identificava suas aldeias de origem. Para Isselhorst, Schneider, Uhring e Gehrum, não havia presente melhor.

Ao amanhecer de 18 de agosto, os *Einsatzkommandos* entraram nas aldeias mencionadas – inclusive Raon l'Étape, Allarmont e Moussey – em uma missão de busca e captura. Os civis receberam ordem para sair das ruas, enquanto as tropas alemãs vistoriavam casa por casa.

O comandante da SS, tenente Karl Fischer, estabeleceu seu quartel--general na creche de Moussey. Exigiu que dez "reféns", entre eles Jules Py, prefeito, e Achilles Gassmann, vigário, se apresentassem. Obedecida a ordem, todos os homens entre 17 e 60 anos de idade foram obrigados a se perfilar na praça da aldeia. Os que tinham seus nomes na Lista Esquecida deveriam dar um passo à frente, do contrário os reféns seriam mortos.

Na tarde do dia 18, oitenta e oito homens em idade de lutar tinham sido presos em várias aldeias. Após uma noite inteira de interrogatórios e torturas, todos foram postos em caminhões e levados para longe.

Quinze quilômetros a leste de Moussey situava-se a cidade-guarnição de Schirmek, agora reforçada por causa da Operação Waldfest, da qual era o centro nervoso. Dali é que Schneider, Uhring e Gehrum dirigiam as ações, juntamente com Isselhorst quando este não estava em seu quartel--general de Estrasburgo. Nos arredores de Schirmek havia um *Sicherungslager*: um campo de segurança.

Os *Sicherungslager* eram, supostamente, a face mais "respeitável" do sistema de campos de concentração e extermínio dos nazistas. Schirmek contava ainda com renques de cabanas de madeira, celas de prisão subterrâneas, cercas de arame eletrificadas e torres de vigia. O local havia sido posto à disposição de Isselhorst para que os prisioneiros da Operação Waldfest pudessem ser "processados". No entanto, um destino mais sombrio aguardava as pessoas marcadas para "liquidação": os *maquis*, em primeiro lugar.

Poucos quilômetros ao sul de Schirmek há uma antiga estação de esqui. Antes da guerra, Natzweiler era um lugar de divertimento e férias. Mas, hoje, poucos vão lá por vontade própria ou sequer mencionam seu nome. Sob a ocupação nazista, Natzweiler se transformou num inferno. Era um campo de concentração – o único construído em solo francês –, onde dezenas de milhares passaram fome, foram espancados, torturados e mortos em câmaras de gás.

Natzweiler era um dos famosos campos *Nacht und Nebel* (Noite e Neblina). Numa resposta fria ao fortalecimento da Resistência, Hitler ordenara que todos aqueles "terroristas e inimigos do Reich" desaparecessem na *Nacht und Nebel*. Deviam ser erradicados sem deixar vestígios, para que seus entes queridos jamais soubessem aonde tinham ido parar. Hitler via, no sumiço completo dos *maquis* da face da Terra, um forte elemento de intimidação.

Para o *Sicherungslager* de Schirmek é que os oitenta e oito aldeões suspeitos de atividades guerrilheiras foram conduzidos. Depois de "processados" ali, muitos iriam cruzar os portões tenebrosos de Natzweiler.

Um membro da Operação Loyton precederia os aldeões em Schirmek. Seymour, confinado a uma maca, tinha sido presa fácil. Capturado na floresta, vira-se primeiro diante de um pelotão de fuzilamento. Mas um oficial alemão mais velho salvara-o, deixando claro que o queria vivo para interrogatório – e por isso Seymour foi o primeiro a chegar ao *Sicherungslager* de Schirmek.

Passou então às mãos do conhecido comandante do campo, o *Hauptsturmführer* Karl Buck. Buck, civil e engenheiro, supervisionara a construção do local, que era sua menina dos olhos. Lutara e fora ferido na Primeira Guerra Mundial, perdendo uma perna. Acabrunhado pelos ferimentos e com uma infecção gangrenosa que se recusava a ceder, Buck passou a usar morfina para conseguir suportar a dor. Seu caráter dava origem a lendas; de uniforme imaculadamente branco e bigode tão fino que parecia traçado a lápis, fazia uma figura inesquecível ao mancar pelo campo com sua perna postiça e suas bruscas mudanças de humor.

Quando Seymour chegou ao reino de Karl Buck, perguntaram-lhe logo o que significavam as asas de seu distintivo Jedburgh. Depois, ele explicou que pertencia a um grupo de paraquedistas vindo para uma "missão de reconhecimento". Não fazia a mínima ideia do que tinha acontecido a seus camaradas das Forças Especiais nem do destino que o aguardava. Como soldado capturado em uniforme, tinha direito a todas as salvaguardas previstas na Convenção de Genebra.

Mas, por enquanto, Seymour se viu diante de uma coleção de rádios, livros de código e explosivos apreendidos. Perguntaram-lhe o que significava tudo aquilo. Seymour sabia muito bem o que esperar caso não respondesse: a vida se tornaria bastante desagradável para ele. Enquanto o deixavam a sós por alguns instantes, outro prisioneiro britânico era trazido ao acampamento.

Tratava-se do cabo Gerald Davis, o operador Fantasma durão e leal de Hislop. Estava ferido, mas bem vivo. Perdendo-se dos outros durante o tiroteio na floresta, Davis tivera o azar de pôr toda a sua confiança no menos confiável dos lugares. Entrou numa igreja e pediu ajuda. O padre, Clement Colin, ofereceu-se para entrar em contato com os *maquis*. Mas, em vez disso, voltou acompanhado por um batalhão da Gestapo – e assim Davis foi se juntar a Seymour no campo de Schirmek.

Aos dois homens foi apresentado o mesmo ultimato: digam-nos tudo o que sabem ou enfrentem a escuridão, o sofrimento e a morte dolorosa.

O capitão Victor Gough – camarada de Seymour nos Jeds – conseguira escapar ileso ao tiroteio de 17 de agosto. Graças aos *Maquis* Alsacianos, enviou uma mensagem de rádio a Londres, relatando o impacto devastador que a Operação Waldfest tivera até então e a enrascada em que agora se achava, enquanto a perseguição aos *maquis* prosseguia.

"Sem rádio. Contatada a equipe Loyton do SAS aqui. Pedimos armas para *Pedal*. Não pudemos recebê-las – atacados na zona de salto. Muitas baixas…"

Tudo ia acontecendo muito rápido e era horrivelmente confuso. Cinco dias depois de descer nos Vosges, o capitão Gough estava fugindo com os *maquis* e sendo impiedosamente perseguido. Pedira um lançamento de armas em Pedal – codinome para uma de suas zonas de salto isoladas –, mas o grupo havia sido atacado ali. E no esconderijo de Druce, notícias igualmente ruins chegariam sobre o destino de seus homens desgarrados.

Não querendo partilhar o duvidoso cardápio do urinol de Père George, o tenente LeFranc sugeriu que fossem procurar um benfeitor mais próspero. Madame Rossi morava com a filha, Odette, numa casa alta, com venezianas, nas imediações de Moussey, bem na orla da floresta. A residência de madame Rossi tinha uma imensa roda-d'água de ferro e ela recebia com agrado todos quantos resistiam aos desprezíveis alemães.

Madame Rossi e a filha eram grandes, impetuosas e indomáveis. Não hesitaram em esconder e alimentar Druce e seus camaradas, embora cerca de quinhentos inimigos estivessem acampados por perto, no povoado vizinho. Tão animada e cheia de vitalidade era madame Rossi que, Druce suspeitou, ela se excitava ante o risco inevitável de abrigar paraquedistas britânicos.

Sua casa se situava na confluência do vale principal com uma garganta estreita, em forma de V. Ao lado, uma trilha serpenteava floresta adentro, tornando o lugar um abrigo perfeito para os *maquis* e os soldados britânicos. Madame Rossi não conseguia disfarçar seu ódio ao inimigo. Alegre e franca, em momento algum sugeriu que o grupo de Druce fosse se esconder em outra parte, apesar de sua casa ter sido várias vezes inspecionada pela Gestapo.

"*Oh, la! Les Boches!*", suspirou ela, debruçada sobre um quiche que tinha acabado de fazer, os braços grossos cruzados no peito e os olhos faiscando. "Ah, essas criaturas repugnantes! Uns brutos, é o que são."

Em seguida, pôs-se a rir. Se alguém sugerisse que ela se contivesse para não chamar uma atenção indesejada, ela reviraria os olhos, resmungando indignada: "*Mon Dieu! Les salauds! À bas les Doryphores!*" (Meu Deus! Os bastardos! Fora com os *Doryphores*!)

Les Doryphores eram uma praga de besouros que infestava a batata, um dos apelidos preferidos de madame Rossi para os alemães.

Madame Rossi era irrefreável e não se acovardava. No momento, sua casa oferecia um refúgio vital para Druce e uma base para a força da Operação Loyton. As florestas em volta estavam sendo esquadrinhadas pelo inimigo, de modo que não havia meio de Druce e seus camaradas comparecerem ao *rendez-vous* combinado. Agora, só restava dormir.

"Os alemães rondavam por ali o tempo todo", recorda-se Druce, aludindo à casa de madame Rossi. "Mas isso não a impedia de nos servir três refeições diárias. Realmente, não dava a mínima para os alemães e não tinha nenhum medo deles, não se importava com sua segurança e cuidava de nós como se fôssemos seus próprios filhos. Era uma mulher maravilhosa."

Dado que os soldados britânicos não podiam se aventurar de uniforme fora da casa, o tenente LeFranc se ofereceu para ir até o posto do coronel Grandval a fim de tentar enviar uma mensagem de rádio a Londres. Os documentos de LeFranc estavam em ordem, portanto ele tinha uma chance de se sair bem. Druce pediu-lhe que perguntasse os motivos do atraso do corpo principal da Operação Loyton. Ao mesmo tempo, queria que o quartel-general determinasse novas coordenadas para uma outra zona de salto, de modo que aqueles reforços pudessem chegar de paraquedas.

Nada parecia abalar Druce e ele de modo algum renunciaria ao prosseguimento da missão. A seu ver, as incursões da Waldfest eram um contratempo passageiro. Para ele, os Vosges continuavam sendo um lugar ideal para desferir ataques rápidos e, com a chegada de tropas inimigas, tornara-se maravilhosamente rico em alvos.

Em diversas situações de combate, um dos principais objetivos de qualquer comandante é romper a linha de suprimentos e comunicações do inimigo, sem a qual nenhum exército sobrevive por muito tempo. Esses ataques se inserem em duas categorias gerais: manobras de flanqueamento pela força principal ou incursões profundas por unidades pequenas e independentes. O SAS havia sido formado em 1941 para cumprir o segundo papel, acossar as linhas de suprimento inimigas no deserto do norte da África.

Na época, nada ia bem para os Aliados em nenhuma das frentes, mas o SAS ajudara a inverter essa situação. Quartéis-generais, comboios e aeródromos haviam sido atacados com enorme sucesso. Com a entrada do jipe americano em cena, esses esforços foram redobrados, pois o veículo era ideal para cruzar o deserto, carregar suprimentos e servir de plataforma para armas mais pesadas. Além disso, servia bem para a especialidade do SAS: as incursões rápidas.

Nos Vosges, a força de Druce, dispersa e abalada pelo recente combate, mantinha-se longe das poucas estradas e ferrovias que ligavam a linha de frente do inimigo ao coração do Reich. Embora recrutado havia pouco para o Regimento, Druce não desconhecia os métodos de luta do SAS. Permanecia à espera dos homens certos, do material e das armas que chegassem para acossar os alemães.

Depois que o tenente LeFranc partiu em sua missão importantíssima, Druce soube que Robert Lodge estava morto. Não havia detalhes sobre como o judeu-alemão, transformado em veterano do SAS, havia morrido. O inimigo o levou para a casa do vigário local, abade Gassman, que recebeu ordem de sepultá-lo.

Outro corpo foi entregue ao padre, sem identificação, e Gassman desconfiou que se tratasse de mais um paraquedista britânico. Druce achou que precisava ir lá e verificar por si mesmo. Ajudado por madame Rossi, vestiu-se com as roupas velhas e gastas que um trabalhador local usaria e caminhou cerca de 400 metros até a aldeia.

Druce já tinha percorrido aquelas colinas antes. Falava perfeitamente o francês e achou que não enfrentaria problemas. E uma coisa importava mais que todas: os mortos e desaparecidos eram *seus homens*. Estivera com eles por poucos dias, mas nem por isso deixavam de ser soldados de uma unidade sob seu comando. Druce se sentia responsável e, além do mais, precisava saber exatamente quantos de seus camaradas continuavam vivos.

Druce queria agir também devido à descrição que madame Rossi fizera do papel-chave desempenhado pelo abade Gassman na aldeia. Assim como Albert Freine, o guarda-caça e chefe da inteligência dos *maquis*, o padre de Moussey jogava um jogo duplo e perigoso. Ostensivamente um "bom francês" e amigo da Alemanha nazista, Gassman era na verdade o pivô da Resistência em Moussey.

"Sem ele", comentou madame Rossi em tom sombrio, "as coisas seriam muito diferentes por aqui."

Avançando pela floresta protegido pela noite, Druce chegou aos fundos da casa do abade Gassman sem ser visto. O padre de Moussey não pareceu estranhar a presença do capitão do SAS em sua porta. Com a maior frieza, convidou-o a entrar e a jantar. Embora conversassem quase sempre em francês, Druce percebeu que o padre falava um inglês quase perfeito e ficou imediatamente intrigado com o homem.

Gassman parecia um clérigo dos velhos tempos, quando a vocação do sacerdote vinha frequentemente associada à do militar. Alto e magro como um cadáver, seu ar de monge guerreiro era amenizado por um sorriso piedoso e fácil, sinal de um humor agradável. Gassman era uma pessoa muito humana. Ali estava alguém que testemunhava as virtudes e os pecados de seus semelhantes, em comparação com os quais o risco que agora corria era insignificante.

Gassman serviu a Druce um delicioso jantar e depois contou-lhe os tristes detalhes da morte de Lodge. Na noite de 20 de agosto, o corpo dele foi levado à igreja para o "velório". Gassman tinha encarregado alguns fiéis de cavar a sepultura e assistir ao enterro. Notou que Lodge estava morto fazia menos de vinte e quatro horas. Havia ferimentos de baioneta em seu estômago, além de uma perfuração de bala na cabeça, parecendo que o tiro tinha sido desferido à queima-roupa.

A princípio, Druce pensara que Lodge, ferido e na iminência de ser capturado, havia tirado a própria vida. "Para não cair nas mãos dos alemães, ele poderia muito bem ter cometido suicídio", aventa Druce. "Aquela história de ferimentos de baioneta e coisa e tal... Eu não me surpreenderia se Lodge houvesse estourado os próprios miolos. Ele era judeu e sabia o que o esperava... Nada de estranho então que decidisse: 'Bem, é hora de acabar com isto'."

Pela descrição que Gassman fez do segundo corpo, parecia tratar-se de Gerald Davis, o companheiro de Hislop nos Fantasmas. No dizer do padre, o cadáver de Davis chegara ao adro da igreja da aldeia após sua remoção de Schirmek. Davis tinha um orifício pequeno, de pouco mais de meio centímetro, na testa e outro maior, de saída, na nuca. Um tiro sem dúvida a curta distância.

Druce começava a suspeitar de que ambos os homens houvessem sido executados conforme a ultrassecreta e tenebrosa "Ordem de Comando" de Hitler, algo que só chegara ao conhecimento do SAS havia poucos meses.

Na primavera de 1944, o tenente Quentin Hughes, do 2 SAS, havia descido de paraquedas na Itália como parte de um grupo cuja missão era destruir aviões na base aérea de San Egido, no centro do país. Enquanto armava bombas Lewes nos aparelhos, uma delas explodiu antes do tempo, deixando-o cego e surdo. Hughes foi levado cativo e tratado de seus ferimentos, mas, tão logo se recuperou, soube que o entregariam à Gestapo a fim de ser executado como sabotador.

Um dos médicos do hospital, ajudado por um oficial de estado-maior alemão que também se recuperava ali (os dois haviam se tornado amigos de Hughes), conseguiu colocá-lo num trem de partida para um campo de prisioneiros de guerra. Esperavam que o braço comprido da Gestapo não o alcançaria naquele lugar. Mas Hughes, ainda não totalmente recuperado, tinha outras ideias. Ele e um prisioneiro de guerra americano saltaram do trem e rumaram para as linhas aliadas.

Hughes escreveu um relato de suas experiências, advertindo sobretudo que paraquedistas aliados eram vistos como "sabotadores" e entregues à Gestapo para serem fuzilados. Esse relatório foi parar na mesa de Bill Barkworth, oficial de inteligência do 2 SAS – a mesma pessoa que passara a Druce suas instruções de última hora. Barkworth alertou o coronel Franks e este, por sua vez, comunicou a seus oficiais o que poderia acontecer aos homens caso fossem capturados.

Entretanto, o relatório de Hughes dava apenas uma pálida ideia do que geralmente sucedia àqueles que caíam em mãos inimigas. No final do verão de 1944, os Aliados sabiam muito pouco sobre a máquina de morte posta a funcionar pelos nazistas em grande parte da Europa ocupada. Quase ninguém fazia ideia do que significava um "campo de concentração": supunha-se que fosse um lugar onde Hitler arrebanhava e detinha os opositores a seu regime.

O relatório afirmava também que o uso de um uniforme claramente identificável era vital para quem saltasse atrás das linhas inimigas. Hughes vestia um à moda antiga, completado por gorro e sapatos de feltro. Sua aparência "pouco convencional" permitira à Gestapo alegar que ele não havia entrado em ação uniformizado e, portanto, não merecia o tratamento devido aos autênticos prisioneiros de guerra.

Se Druce fosse preso com suas roupas de camponês andando pelas ruas de Moussey ou jantando na casa do padre, a morte seria certa.

"Eu sabia que, se me pegassem em trajes civis, cortariam minha cabeça", contou Druce. "E, francamente, todos fomos treinados na certeza de que, se nos surpreendessem espionando, seríamos fuzilados. Claro, o crime de ser capturado é... ser capturado."

Para Druce, os corpos de Lodge e Davis haviam sido exibidos em Moussey como advertência aos aspirantes a *maquis*; *pour ne pas encourager les autres* (para não encorajar os outros). Mas, sob a chefia do abade Gassman, os aldeões não iriam desistir. O padre de Moussey se mostrou ardentemente pró-britânicos e, durante o jantar, o motivo disso ficou ainda mais claro.

"Saiba que eu faria tudo pelos ingleses", disse Gassman. "Estive na Inglaterra apenas uma vez e ali me tornei seu devedor... Os ingleses são um povo formidável. Percebi logo que nós também deveríamos ser e que isso era possível; sim, era possível."

Servindo como sacerdote no exército francês, Gassman estivera em Dunquerque. Foi ali, naquelas praias assoladas pela guerra, que ele testemunhou pela primeira vez, com admiração, o tremendo espírito de resistência dos britânicos. A *flegme britannique*, a fleugma britânica ou "orgulho", como ele dizia.

Tinha visto tropas britânicas sob fogo pesado aguardando calmamente em linha, na praia, e concluiu que talvez nem tudo estivesse perdido. Caminhou para um dos botes que esperavam sob a mira dos aviões alemães, enquanto um soldado, à sua frente, tentava sem pressa acender seu cachimbo, com água pelo peito. Esse foi apenas um de muitos exemplos e todos deram forças a Gassman para continuar a luta.

Mas, na Inglaterra, Glassman se sentiu dividido. Por um lado, queria combater de armas na mão a fim de libertar a França; por outro, sentia-se responsável pelo seu rebanho, os paroquianos de Moussey. Sua lealdade à aldeia e à Igreja finalmente prevaleceu: Gassman voltou secretamente para os Vosges e para sua vocação. E logo se pôs a organizar a Resistência local.

Na verdade, Gassman e o prefeito de Moussey, Jules Py, eram os sustentáculos dos *maquis*. Os dois homens haviam também montado uma rede graças à qual pilotos aliados abatidos eram mandados de volta à Inglaterra.

Poucos aldeões franceses desempenharam um papel mais ativo nessas duas áreas do que os de Moussey.

Mas, no que diz respeito à guerra em si, quase ninguém de fora deve ter ouvido falar de Moussey. Longe das estradas principais, suas casas seguem o curso de um regato de montanha que corre pelo vale. Antes do conflito, viviam ali cerca de mil habitantes: camponeses, lenhadores e operários da fábrica de tecidos local. Havia a *mairie* (prefeitura), algumas lojas e um ou dois bares na rua principal – e a igreja do abade Gassman.

Nada sugeria que aquele lugar era uma morada de heróis.

CAPÍTULO 7

———— ✳ ————

SOMENTE A 22 DE AGOSTO — cerca de uma semana após o início da Operação Waldfest — é que as coisas começaram a melhorar para Druce e seus homens. Como Moussey era o centro da Resistência, cedo ou tarde os remanescentes dispersos da vanguarda da Operação Loyton acabariam indo para lá.

Ao crepúsculo, Druce disse um adeus sentido — e, pensava ele, temporário — a madame Rossi, antes de partir outra vez para a floresta. Guiado pelo tenente LeFrank, que voltara havia pouco, foi levado para um *rendez-vous* à meia-noite nas colinas sobranceiras à aldeia adormecida. Acampados no meio da mata estavam os sobreviventes da operação, inclusive o piloto canadense abatido e agora membro honorário do SAS, Lou Fiddick, o Jedburgh Victor Gough, Hislop e o corajoso tenente do SAS com cara de menino, David Dill.

Faltavam três homens: Lodge e Davis, que Druce sabia com certeza estarem mortos e sepultados no adro da igreja, e Hall, que havia tombado no tiroteio com um balaço no peito. O grupo de Druce contava agora com treze homens, incluindo Fiddick. Poderia ser muito pior. Considerando-se os milhares de alemães que vaculhavam os vales e florestas, era de espantar que tantos houvessem escapado à morte ou à captura.

Lou Fiddick resume o estado de ânimo dos que se reuniram na floresta: "Depois de descer das colinas, em seguida à emboscada... Senti medo ou mesmo desespero. Sentado no meio da mata, nas imediações de Moussey, não sabia realmente o que fazer. David Dill e eu ficamos ali parados por uns dois dias, perguntando-nos se devíamos ir para a frente ou para trás. Foi um dos piores momentos, sem dúvida".

O acampamento na mata era totalmente improvisado em comparação com a cabana da base dos *maquis* em Lac de la Maix. Consistia de pouco mais que alguns galhos amarrados à altura de um homem e cobertos por um pedaço de lona. A relva servia de cama e ajudava a combater o frio. Nas manhãs úmidas, sobretudo se tivesse chovido, podiam acender uma fogueira, cuja fumaça se misturava com a neblina e se perdia nas nuvens baixas.

Mas, nos últimos dias, tinha sido quase impossível ter o conforto dessas fogueiras. Desde o primeiro ataque, Hislop e seu grupo não paravam, indo de um acampamento improvisado a outro. Deslocavam-se apenas durante a noite para evitar as patrulhas alemãs, que pareciam avessas a penetrar na floresta após o escurecer. Um guia *maquis* abria caminho para a coluna, e cada homem avançava segurando o cinto do que estava na frente enquanto mergulhavam nas sombras densas da mata.

As coisas foram assim por muitos dias. Como não possuíssem mais rádios para fazer contato direto com Londres, as mensagens tinham de seguir via grupos franceses clandestinos, que possuíam um aparelho escondido num local ultrassecreto. Depois de sua visita ao abade Gassman, Druce passou a confiar mais na capacidade da Resistência local de fazer frente à Operação Waldfest; e, pelo rádio, os *maquis* receberam a confirmação de que novos suprimentos viriam pelo ar.

Dessa vez, Druce escolheu uma zona para o lançamento situada 15 quilômetros a oeste de Moussey — em Veney, um minúsculo povoado a leste da aldeia de Neufmaisons —, na esperança de que aquela área estivesse sendo menos patrulhada pelo inimigo. Recebeu data e hora do lançamento, mais detalhes de uma série de sinais codificados para fazer ao avião, usando movimentos de tochas que garantiriam estar a zona em mãos amigas.

Por cinco noites seguidas, na zona demarcada de Veney, o grupo de Druce esperou, tenso e na escuridão, com as tochas preparadas — mas a única aeronave que passou por perto era alemã. Lou Fiddick podia reconhecer um avião aliado apenas pelo ronco dos motores – e também qualquer um do inimigo. A ansiedade e a frustração estavam se tornando intoleráveis para Druce e seus homens.

A triste verdade – que o capitão do SAS lamentavelmente ignorava – era que o lançamento, vital para o grupo, já tinha ocorrido. O reabastecimento tão necessário e um novo contingente do SAS haviam sido lançados... mas numa zona 30 quilômetros a oeste de onde a força de Druce os aguardava.

O major Peter Power, veterano do SAS, havia descido com seus nove homens numa clareira próxima à região de Meurthe-et-Moselle, que ladeia os Vosges. Ele era um renomado membro do SAS e comandava um esquadrão completo de sessenta soldados. Reunira um grupo de elite para o que deveria ser uma importante missão de reabastecimento da Operação Loyton, mas tinha sido lançado num lugar totalmente errado.

Segundo o diário de guerra da missão, o equívoco se deveu a uma série de mensagens contraditórias enviadas a Londres por intermédio dos franceses clandestinos. "O capitão Druce pedira reforços, mas sua mensagem foi confundida com outra que chegou no mesmo dia... Decidimos agir de acordo com a segunda, pois ela se referia à zona de salto mencionada no último sinal, embora estivesse bem longe da área em que o capitão Druce supostamente se encontrava."

Nada disso, é claro, serviria de conforto para Druce, Hislop, Gough, Fiddick e os demais, plantados na zona de Veney à espera de um lançamento que jamais ocorreria.

O grupo do major Power e as dezenas de recipientes com armas, alimentos e rádios pousaram numa clareira da floresta, sendo recebidos com enorme surpresa pelos *maquis* ali reunidos. Estes haviam demarcado a área com fogueiras, à espera de uma equipe de três homens da SOE que cairia do céu escuro. Em vez disso, apareceram dez homens do SAS e toneladas de material bélico.

O major Power e seu grupo haviam descido por engano numa zona de salto Jedburgh. Isso foi logo confirmado quando um segundo avião sobrevoou o local e três homens saltaram de paraquedas. Um deles, um gigante barbado, era o major Oliver Brown, comandante da Equipe Alastair dos Jedburghs e ex-chefe instrutor da unidade.

Depois de reunir o material disperso, o major Power se encontrou com outro oficial Jedburgh, Arthur "Denny" Denning, cujo grupo convivia fazia muito tempo com os *maquis* locais. Em conversa com os oficiais Jedburgh, o major Power se inteirou da situação inesperada em que agora se encontrava.

A força de Druce, disseram-lhe, estava em maus lençóis. Sabia mais ou menos sua localização: acampara na floresta, em algum lugar perto de Veney. Ele e seus homens dificilmente conseguiriam carregar os suprimentos pelas montanhas inóspitas que os separavam de Druce, mas poderiam ao menos tentar entrar em contato com o capitão e reforçar seu grupo ameaçado.

Adivinhando talvez como seria difícil irem para leste, o coronel Franks enviou uma mensagem por rádio ordenando que o major Power tirasse o melhor da situação. Ombro a ombro com os *maquis* locais, semearia o caos na retaguarda dos alemães. A mensagem nunca foi recebida. Deixando o major Denning encarregado da grande quantidade de armas e suprimentos, que seriam distribuídos pelos ávidos *maquis*, o major Power se preparou para a marcha rumo leste, em plena floresta.

O nome completo do major Power, de 32 anos, era Peter Lancelot John Le Poer Power. Ex-plantador de chá no antigo Ceilão (hoje Sri Lanka), ele já tinha sido condecorado com a Menção Honrosa durante operações do SAS na Itália e com uma Cruz Militar durante uma missão mais recente na Normandia. Tinha uma cicatriz no rosto, resultado de um tiro recebido no norte da África, que fez suas feições parecerem mais fortes e mais inescrutáveis. Se havia alguém capaz de salvar Druce era o major Power; mas, avançando para leste, ia de encontro às mandíbulas da Operação Waldfest.

Antes de partir, o major do SAS decidiu desferir um primeiro golpe. Baseando-se em informações dos *maquis*, ele "escolheu como os dois melhores alvos para o ataque um quartel-general da SS em Vincey e um depósito de três milhões de litros de petróleo em Nomexy". Através de suas coordenadas, comunicou-se com Londres e os dois locais foram atingidos por bombardeiros da RAF.

"Quatrocentos soldados da SS foram mortos quando se preparavam para partir", registrou o major Power a respeito do primeiro no diário de guerra da missão. E, a respeito do segundo: "O petróleo foi totalmente consumido pelas chamas, cujo brilho pôde ser visto duas noites seguidas".

A Operação Loyton desferira o primeiro golpe. O segundo não tardaria.

Usando os explosivos plásticos e cronômetros entregues no lançamento equivocado, o major Denning e seus *maquis* entraram em ação. Com a proteção da noite, pequenas cargas foram colocadas nos tanques de combustível dos caminhões de munição alemães estacionados num depósito militar próximo. As cargas detonaram na manhã seguinte, após um prazo de doze horas, e transformaram a base agora tumultuada numa abrasadora bola de fogo.

Naquele inferno de chamas, que atingiu os depósitos de munição provocando explosões sucessivas, e na luta que se seguiu, os alemães sofreram cerca de oitenta baixas. Como retaliação, suas tropas cercaram a aldeia vizinha de St. Rémy-aux-Bois, suspeita de sediar as atividades dos *maquis*, e incendiaram-na.

Enquanto isso, o major Power e seus nove comandados do SAS rumavam para leste a pé. Premido pela urgência, o major conseguira dos *maquis* bicicletas suficientes para irem mais rápido; mas expor-se na estrada com uniformes ingleses aumentaria em muito o risco.

O major Power precisava, isso sim, de um guia confiável, que conhecesse as estradas vicinais e as trilhas da floresta, por onde seu grupo pudesse atravessar em segurança as montanhas. Acampado na mata densa a uns 30 quilômetros de Veney, onde Druce se escondia, o major Power encontrou uma jovem *maquis* chamada Simone, cuja reputação na Resistência dos Vosges chegava a rivalizar com a da lendária Joana d'Arc.

Mal tendo completado 17 anos, de cabelos louros e traços finos, Simone combinava a graça de uma gazela com a força de um touro. Seu olhar firme, seu vigor impressionante, sua coragem e habilidade de montanhesa eram reforçados por um senso inato de perigo mais comumente encontrado num animal selvagem. Simone ofereceu-se para levar o major Power, através das florestas de Baccarat, ao bem guarnecido rio Meurthe e dali ao coração da cordilheira dos Vosges.

Guiada por Simone, a força do major Power marchou para leste com ânimo renovado. Mas então chegou uma surpreendente mensagem de rádio. Segundo o diário de guerra, o grupo devia "explodir a ferrovia Lunéville–St. Dié a qualquer custo". *A qualquer custo*: uma ordem dessas não poderia ser ignorada, por mais urgente que fosse encontrar Druce.

A cidade de St. Dié localizava-se 30 quilômetros a sudeste da área de operações de Druce e a ferrovia, cruzando os Vosges, era uma excelente rota de reabastecimento para o inimigo. O major Power resolveu dividir sua força. Enviou uma equipe de quatro sob o comando de um de seus melhores homens, o tenente J. McGregor, para sabotar a ferrovia bloqueando-a com a explosão de um trem. Ele próprio só retomaria a marcha depois de realizada essa missão, continuando a avançar para leste ao encontro de Druce.

No momento em que a força de McGregor colocava múltiplas cargas ao longo da linha férrea Lunéville–St. Dié, unidades alemãs instalavam ninhos de metralhadoras em todas as pontes que cruzavam o rio Meurthe. A rota para leste estava fechada. Assim, McGregor fez o que qualquer outro agente do SAS naturalmente faria: lançar o pânico entre os inimigos onde quer que o pequeno grupo os encontrasse.

Para começar, os homens colocaram um grosso tronco de pinheiro atravessado numa estrada importante, para bloqueá-la. O SAS era treinado para atingir oficiais alemães de alta patente, pois pouca coisa aterroriza e confunde tanto uma tropa quanto ver seu comandante por terra. Na emboscada seguinte, a força de McGregor abateu um graduado chefe alemão e todos os que estavam com ele. "Carabinas acertaram uma bala de meia polegada bem na cabeça do oficial", conta McGregor, salientando a precisão da pontaria.

Mas os suprimentos de McGregor estavam se esgotando de maneira alarmantemente rápida. "Apertamos os cintos e tomamos Benzedrina", registra seu clássico diário de guerra.

Caçada por um inimigo furioso, quase sem munição, explosivos e comida, a pequena força parecia encontrar alemães a cada passo. McGregor concluiu que não tinha outra opção a não ser conduzir seus homens para o único lugar que garantia alguma segurança, se conseguissem chegar lá: o ponto, no oeste, onde estavam as linhas aliadas.

Enquanto isso, guiado por Simone, o major Power ainda rumava para leste no esforço de socorrer o grupo da Operação Loyton em perigo. E com efeito, na zona de salto de Veney, as coisas iam ficando cada vez piores para Druce e seus homens.

Nenhum suprimento chegara ainda pelo ar e eles estavam sendo constantemente acossados pelo inimigo. Longe de caçar um exército vencido, em fuga desabalada para a fronteira alemã, o SAS é que era a caça nos Vosges.

"Só pensávamos em salvar nossa própria pele", lembra-se Druce. "Os alemães mandaram uma divisão de Estrasburgo para nos encontrar e estávamos realmente em situação difícil… Eu só tinha 23 anos e, nessa idade, não refletimos bem sobre o que fazemos. Mas a pressão afeta os homens de diferentes maneiras."

Não ajudava muito o fato de os *maquis* espalharem certos boatos, alguns dos quais verdadeiramente assustadores. "Havia histórias fantásticas de mortos, feridos e prisioneiros", registrou Druce em seu diário de guerra. "E rumores medonhos sobre o sargento Seymour ter (a) se suicidado, (b) sido fuzilado ou (c) ferido a baioneta até a morte. Todas essas histórias nos deixavam de cabelo em pé."

E a pressão aumentava. Durante uma reunião a 24 de agosto, o *Standartenführer* Isselhorst e seus comandados decidiram "industrializar" a Waldfest: as deportações do dia 18 deveriam se estender a todas as aldeias dos altos Vosges até que a Resistência fosse aniquilada. Essa política seguia uma ordem de Himmler a seus chefes de estado-maior da SS e da Wehrmacht pela qual eles deveriam defender o muro ocidental dos Vosges até o último homem.

Na noite de 26-27 de agosto, Druce ouviu o barulho de um avião que sobrevoava a baixa altitude a zona de salto de Veney. Consultou Lou Fiddick, que lhe garantiu ser um Stirling – um bombardeiro quadrimotor de grande porte frequentemente usado para lançar paraquedistas e suprimentos. Os homens acorreram, agitando animadamente suas tochas, mas nenhum paraquedas desceu do céu claro, pontilhado de estrelas.

Com noite após noite em vã expectativa, o moral chegou a seu ponto mais baixo. Até Druce começava a desanimar – ele, o comandante de inabalável autocontrole e frieza. Druce queria a todo custo revidar e desferir um golpe no inimigo, transformando assim os caçados em caçadores.

"Bastante deprimido e desesperançado", escreveu ele no diário de guerra a 29 de agosto. "Com muita vontade de sair e atirar em quem estiver pela frente."

Druce não era o único a se sentir desanimado. O capitão Gough, dos Jedburghs, se encarregara de armar e equipar os *maquis* para o combate, mas, com os céus acima dos Vosges estranhamente vazios de aviões aliados, ele não pôde levar adiante sua tarefa. A pressão, como seria de esperar, e o desapontamento estavam lhe dando nos nervos e se refletindo nas mensagens cada vez mais desesperadas que enviava ao quartel-general da SOE.

"Necessidade urgente de armas, munição e granadas para seiscentos homens. Máximo de setenta recipientes. Mandar também Jed Set, duas mochilas. Área cada vez mais perigosa."

"Sem rádio… Sem poder receber armas… Atacados na zona de salto… Muitas baixas. Equipe Loyton precisando de reabastecimento em poucos dias. Por favor entrem em contato com eles e me mandem mochila e mais cem mil francos. Comida difícil."

"Não lancem… esta noite. Zona de salto nas mãos dos boches."

A força da Operação Loyton já se encontrava em terra havia mais de duas semanas e o grupo de Druce começava a passar fome. Sob o punho de ferro da Waldfest, o ir e vir estava fora de cogitação, ou seja, havia pouquíssimas oportunidades de os aldeões levarem alimento para os homens escondidos na floresta.

Pior ainda, os aldeões não tinham quase nada de que dispor e eles também já passavam fome. "Poderíamos sair e pedir duas batatas a uma boa e idosa senhora", observou Druce, "mas de que serviria isso se precisávamos alimentar oitenta, cem homens?"

Por fim, Druce e seus camaradas conseguiram cercar uma vaca velha e magra. Abateram-na a tiros e fizeram o melhor possível para retalhá-la, embora ninguém ali tivesse grandes habilidades de açougueiro. A carne era a mais dura que eles já haviam mastigado, mas pelo menos era carne.

Sem meios confiáveis para fazer contato pelo rádio, Druce não podia saber sequer quais de suas mensagens chegavam ao quartel-general. Do que, realmente, o coronel Franks estava a par? Compreenderia já que as expectativas da missão e a realidade *in loco* não coincidiam? Pressentiria o que aguardava seus homens caso mais elementos do SAS fossem lançados nos Vosges? Druce estava convencido de que sua missão era exequível, mas queria que seu chefe soubesse de todos os detalhes da situação antes de enviar mais homens e material para aquele teatro de guerra tão problemático.

"O que ele desejava e o que podia ser feito eram duas coisas muito diferentes", observou Druce, que até certo ponto achava ter falhado em sua missão. "O coronel queria um quartel-general organizado em algum lugar das montanhas, longe dos alemães, que pudesse usar, que pudesse ser abastecido e reabastecido, e a partir do qual fosse possível operar."

Mas a realidade era bem outra. "Precisávamos nos locomover o tempo todo... Se um lançamento de armas por paraquedas fosse feito no vale, levá-las para as montanhas já equivaleria a uma grande façanha. Mas transferi-las para outro ponto seria totalmente impossível."

A fim de obter informações claras, Druce ordenou que um de seus oficiais do SAS, o capitão Lesseps, fosse a pé até as linhas aliadas, a oeste. O oficial deveria apresentar ao coronel Franks um quadro completo do que seu comandante pretendia empreender nos Vosges, pois Druce achava que o chefe do 2 SAS precisava ser informado disso.

Mas os acontecimentos iriam anular esses esforços da maneira mais inesperada possível.

CAPÍTULO 8

———— ✳ ————

NA NOITE DE 30 DE AGOSTO DE 1944, uma figura suspeita foi avistada por Druce e seus homens. O que lhes chamou a atenção foi o comportamento estranho do indivíduo. Carregava um cesto e a todo instante se abaixava, como para colher cogumelos. Até aí, tudo bem: as florestas dos Vosges eram mesmo ricas em cogumentos comestíveis para quem soubesse identificá-los. O que tornava o fato bizarro era que, nas pegadas do homem, vinha *uma patrulha alemã*.

Pareceu a Druce quase como se o "coletor de cogumelos" estivesse conduzindo o inimigo para seu acampamento improvisado. Seguiu-se uma curta e feroz troca de tiros; mas, com o SAS sob a proteção da floresta e a noite caindo, os alemães mostraram pouco interesse em avançar por aquele matagal incerto. Druce aproveitou a chance e mandou alguns de seus homens contornarem o flanco do inimigo e capturarem o "coletor de cogumelos" para interrogá-lo.

Ele disse ser francês e chamar-se Fouch, embora, aos ouvidos de Druce, esse nome soasse mais alemão. Jurou que era um morador local e um "cogumeleiro" inocente; mas, antes que o capitão do SAS pudesse fazer mais perguntas, alguns *maquis* chegaram com notícias urgentes. Quase sem fôlego, traziam uma mensagem importante do coronel Grandval (Maximum): naquela mesma noite, com certeza, haveria um lançamento.

Com uma patrulha nas imediações, Druce raciocinou que seria preciso muita cautela para defender a zona de Veney. Uma parede de aço deveria ser erguida em torno da área. A localização de seu acampamento estava obviamente comprometida, por isso ordenou aos homens que o abandonassem, recolhessem todo o material e rumassem diretamente para a zona de lançamento. Os *maquis*, alojados em outro acampamento próximo, deveriam fazer o mesmo.

Fouch, o suspeito, foi posto sob guarda e obrigado a segui-los. Fazia pouco tempo o grupo de Druce havia recebido o reforço de alguns prisioneiros de guerra russos que haviam conseguido fugir. Eles deviam vigiar Fouch de perto. Druce e Fiddick se adiantaram para vistoriar a área de lançamento – uma clareira coberta de grama entre dois trechos exíguos de floresta. Rastejaram pela vizinhança na escuridão que aumentava, mas não detectaram nenhum sinal da presença do inimigo.

"Eu queria dar o fora dali o mais rápido possível", confessou Druce. "O local estava muito próximo dos alemães, mas era tudo o que tínhamos."

Às três horas da manhã de 1º de setembro, um leve ruído denunciou um avião que se aproximava. O ouvido apurado de Fiddick reconheceu que era britânico. Uma forma escura desenhou-se no alto, semelhante a um grande morcego saído das trevas da noite. Apressadamente, fez-se o sinal convencionado e o avião respondeu com as luzes de seu bojo. Cada vez mais ansiosos, os homens enfraquecidos suspiraram: o tão esperado lançamento iria finalmente ocorrer.

O avião solitário fez uma grande volta e se aproximou para baixar. Druce, Hislop, Gough, Fiddick, Dill e os outros aguardavam inquietos, com a tensão subindo a níveis quase insuportáveis. Só faltava os alemães atacarem a zona e o avião abortar o lançamento – ou este cair nas mãos do inimigo. Nenhum dos membros do grupo de Druce renunciaria àquele precioso suprimento: todos lutariam até a morte para pegá-lo.

Quando a aeronave passou bem por cima, ouviu-se um nítido estalido no ar e o primeiro paraquedas se abriu, branco-prateado à luz da lua. Silhuetas negras iam descendo, mas, para surpresa dos soldados que aguardavam, o lançamento inicial não foi de recipientes: uma das primeiras sombras era ninguém menos que o coronel Brian Franks, à frente de reforços do SAS.

Franks saltara com vinte e três homens. Um passo surpreendente por parte do comandante do 2 SAS. Deixando o veterano major Sandy Scratchely na chefia do quartel-general, decidira saltar numa região perigosa, atrás das linhas inimigas, sem transportes e infestada de alemães. Fizera isso às cegas, pois poucas das mensagens de Druce haviam chegado até ele.

O coronel Franks pousou numa saliência do terreno quase aos pés de Lou Fiddick. Levantou-se, recolheu o paraquedas e olhou desconfiado para o piloto canadense agora membro do SAS. Aquela figura o coronel certamente não conhecia, embora estivesse usando as insígnias do grupo.

"Olá, quem diabos é você?", perguntou Franks a Fiddick.

O canadense deu uma rápida explicação de como viera parar na força de Druce e Franks o convidou então, formalmente, a integrar o 2 SAS.

"Não se preocupe, você irá aprendendo aos poucos", disse-lhe o coronel. "E agora, onde estão os carregadores?"

Era uma pergunta pertinente: toneladas de suprimentos foram jogadas do avião, quando ele sobrevoou de novo a área. Homens apareceram para apanhar os recipientes à medida que estes iam caindo. Druce ordenou a seus comandados que redobrassem a vigilância, enquanto ele levava o coronel para a cobertura das árvores a fim de inteirá-lo da situação.

Druce não se sentia muito à vontade. "Achei que iria decepcioná-lo", relatou ele. "Havíamos sido enviados para fazer um trabalho, que era engajar grande número de pessoas numa operação, e falhamos miseravelmente. Não cumprimos nenhum dos objetivos... Se a culpa era nossa ou não, pouco importava."

Druce estava sendo duro demais consigo mesmo e não precisaria ter se preocupado com a reação de seu comandante. Franks – alto, esbelto, atlético, o típico chefe imperturbável – mostrou tirocínio e compreendeu instantaneamente a situação. Isso dava bem a medida do homem que ele era.

"Viu que tivemos azar desde o começo", recorda Druce. "Tinha imaginação, percebia as coisas rapidamente e estava sempre pronto para fazer qualquer coisa. Frio e disposto a ouvir, entendeu logo tudo."

A chegada do coronel Franks elevou instantaneamente o moral e deixou os homens ávidos por ação. Mas agora as coisas estavam a ponto de desandar na zona de lançamento de Veney.

Um dos recipientes que caíram no chão coberto de grama explodiu. Trazendo uma carga de explosivos plásticos, fusíveis e detonadores, aqueceu-se demais e se transformou espontaneamente num espetáculo de fogos de artifício. Do outro lado da clareira, um dos cestos colidiu com as árvores e também se incendiou.

Se os alemães não soubessem do lançamento antes, agora sabiam. Pior ainda, em meio à confusão causada pelas explosões, Fouch – o "cogumeleiro" e provável espião do inimigo – apossou-se de uma Sten e começou a correr. Os guardas russos de Fouch gritaram um alerta em alemão, a única língua estrangeira que falavam.

Ao ouvir os gritos de "*Achtung! Achtung!*", os *maquis* pensaram que eram do inimigo e abriram fogo. No tiroteio que se seguiu, um deles foi ferido. Enquanto Fouch tentava fugir, rumando para o espaço aberto, Druce compreendeu que seria um grande risco deixá-lo chegar às linhas alemãs.

"Ele não podia escapar", explicou Druce. "Além de traidor, agora sabia exatamente o que tinha ocorrido na zona de lançamento. Precisava ser morto... Não me arrependo de ter atirado nele."

Druce correu atrás de Fouch e o acertou. Feito isso, estava a ponto de acalmar os homens e restaurar a ordem quando uma série de gritos pavorosos cortou a escuridão. Um dos *maquis* – que, como os homens de Druce, estava faminto – confundiu um pacote de explosivos plásticos, envolto em papel impermeável, com um queijo. Arrancou vorazmente um bocado e engoliu-o. Só então percebeu seu engano.

O explosivo plástico continha arsênico. A situação do *maquis* era terrível. Consumira uma dose letal e se contorcia horrivelmente nos espasmos da morte.

"Era o fim para ele", relatou Druce. "Gritava como louco. Muito assustador..."

O pobre *maquisard* foi o segundo homem que Druce teve de liquidar naquela noite. Matou o primeiro por suspeita de traição; e, no segundo, desferiu um tiro de misericórdia.

Como logo amanheceria, era da máxima urgência que saíssem dali e encontrassem um lugar seguro para montar uma nova base. O último paraquedas foi escondido e Druce, reunindo seu grupo agora bem mais numeroso, se preparou para partir. Com o novo contingente do SAS, ele comandava agora trinta e cinco homens das Forças Especiais. Era um grupo nada desprezível.

A comida, a munição, os explosivos, as roupas quentes e os sacos de dormir transformariam a vida dos homens que já estavam em terra havia cerca de três semanas. E, talvez mais importante ainda, o coronel Franks tinha trazido vários Jed Sets com os quais seria possível manter novamente comunicação direta e confiável com Londres.

Os Fantasmas do capitão Hislop foram reforçados com uma unidade de três homens, comandados pelo tenente Peter Johnsen, que já tinha visto ação na França ocupada. Logo após o Dia D, Johnsen descera de paraquedas na Normandia para orientar um ataque de aviões Typhoon contra caminhões e trens alemães. Acabou resgatando cem prisioneiros de guerra aliados e recebeu, por isso, uma Menção Honrosa.

Considerando que haviam perdido antes todos os rádios, Hislop achou melhor desmontar os Jed Sets e carregar as peças no próprio corpo, metidas nos bolsos e nos cintos. Assim, se precisassem fugir e abandonar o material pesado, não se arriscariam a deixar para trás seus preciosos aparelhos.

Ao amanhecer, as forças de Druce se puseram a caminho. Atravessaram rapidamente o espaço aberto da estrada que conduzia a Veney e marcharam para leste, rumo ao terreno ondulante e densamente arborizado da Forêt de Reclos. Quando se afastavam, ouviram às suas costas violentas explosões: o inimigo trouxera armas pesadas para bombardear o local que o SAS acabava de deixar, na orla da zona de lançamento de Veney. O grupo tinha saído na hora certa.

Foram subindo em marcha batida o monte sobranceiro à aldeia de Celles-sur-Plaine. Ali, Druce achava que poderiam estabelecer uma nova base com algum grau de segurança. Mas os recipientes Bergen de suprimentos frescos eram pesados demais para serem conduzidos pelas ladeiras íngremes e todo o material não essencial teve de ser escondido entre os arbustos. Druce priorizou o mais importante: comida, munição, roupas quentes, rádios.

"Precisávamos reconhecer o terreno onde iríamos montar um novo acampamento", explicou Druce, "e sempre havia alemães nas rotas principais para nos atrapalhar. O cume que atingimos ficava a uns 8 quilômetros da planície – mas pareciam 50 quando chegamos naquelas alturas que considerávamos fora do alcance do inimigo."

Sua nova base nas montanhas foi escolhida com o auxílio de Roger Souchal, o aspirante a advogado de 17 anos agora na função de guia do SAS. Souchal havia se ligado ao coronel Franks, aparentemente para sempre. Franks exercia esse tipo de influência nas pessoas: inspirava lealdade, coragem e desprendimento, em grande parte pelo exemplo.

O coronel Franks estava com o SAS fazia poucos meses, mas lutara a seu lado na Itália quando servia nos comandos e ganhara a Cruz Militar. Nem inflexível nem escravo de convenções, servira também com os Fantasmas e era mais um dos amigos íntimos do Fantasma e ator David Niven.

Niven e Franks cresceram juntos na Ilha de Wight e, na adolescência, fundaram um clube de regatas. Ganharam alguma coisa no primeiro ano e gastaram tudo com bebedeiras, sendo encontrados uma bela manhã de cara numa moita de urtigas. Detalhe importante, Franks possuía uma combinação de bravura e arrojo que convinha perfeitamente ao Regimento. E, em seu comando do 2 SAS, parecia encarnar o lema da turma, cunhado por seu fundador, David Stirling, três anos antes: "Quem ousa vence".

Teoricamente, Franks poderia ter abortado a Operação Loyton face às condições adversas encontradas no terreno. A Instrução Operacional nº 38 – a ordem que definiu a missão – rezava o seguinte, com respeito à equipe de vanguarda de Druce: "Se esse grupo for bem-sucedido, os alvos estiverem ao alcance e o suprimento pelo ar se revelar viável, será, com quase certeza, autorizado seu reforço até as dimensões de um esquadrão".

Como o próprio Druce reconheceu, a equipe de vanguarda esteve longe de obter sucesso e, embora houvesse inúmeros alvos no terreno, o reabastecimento aéreo se mostrou tremendamente problemático. Franks tinha todas as desculpas para pôr fim à Operação Loyton, mas não estava na natureza daquele homem recuar. Ao contrário: assumindo ele próprio o controle, mostrava que fazia um pesado investimento pessoal na missão.

Nas montanhas acima de Celles-sur-Plaine, uma base provisória foi montada no meio da mata. O coronel convocou uma reunião com os líderes dos *maquis*, em resultado da qual muitos destes foram integrados ao SAS como carregadores, cozinheiros e ajudantes gerais. Estabeleceu-se que os *maquis* operariam separadamente, mas colaborariam de perto com o SAS quando possível.

O oficial Jedburgh, capitão Victor Gough, seria o contato entre os dois grupos. O coronel Franks trouxera também o capitão Chris Sykes, um dos oficiais de inteligência mais experientes do SAS. Sykes atuaria como o elemento de ligação de Frank com os *maquis*, trabalhando estreitamente com seu oficial de inteligência e guarda-caça Albert Freine.

O diário de guerra da Operação Loyton deixa claro que era excelente a rede de inteligência do SAS na região. "Há por aqui uns vinte nativos confiáveis, espertos e trabalhando sob a orientação dos oficiais de inteligência do SAS. Graças a essa rede e outros meios, acredita-se que toda informação sobre o inimigo na área possa ser recebida."

O capitão Sykes vinha a calhar para essa tarefa. Na SOE desde junho de 1940, trabalhara em Teerã disfarçado de diplomata. Antes da guerra, servira na embaixada britânica em Berlim e estava, pois, bem preparado para o papel. Em 1942, foi mandado ao Cairo, onde não tinha muito o que fazer, e por isso se apresentou como voluntário para o SAS.

Estudou na França antes da guerra, passando um ano em Paris. Escrevia (era romancista na vida civil) e falava fluentemente o francês. Meses antes de descer nos Vosges, trabalhou com um grupo de oficiais franceses, ajudando-os a organizar e depois a montar as operações de um dos esquadrões locais do SAS. Também recebeu uma Menção Honrosa logo após os desembarques na Normandia.

Sykes se considerava um grande amigo da França. Como ele sabia muito bem, os franceses sonhavam com um levante dos *maquis* tão amplo que desempenhasse um papel de destaque na libertação do país. Isso seria um gesto de desafio gaulês para levar a França a redescobrir seu orgulho e autorrespeito.

Sykes queria transformar esse sonho em realidade ali nos Vosges, mas sua primeira impressão dos *maquis* não foi inteiramente positiva. "Fomos recebidos por um bando de jovens destreinados, desarmados, ansiosos e fisicamente exaustos", observou ele. A única ideia de estratégia militar deles era reunirem-se em grandes grupos e "disparar as poucas armas que possuíam contra cada coelho que fizesse barulho".

No entanto, a despeito disso, Sykes notou que os *maquis* estavam se mostrando surpreendentemente eficientes em manter as florestas livres de soldados alemães. Na verdade, conseguiam essa façanha sobretudo *porque* não tinham treinamento nenhum.

"Destituídos de 'técnica de campo', continuavam a atirar em todos os coelhos e lebres que apareciam." Assim, disparos de armas automáticas eram ouvidos diariamente e numa grande extensão de território. "Isso convenceu os alemães de que os *maquis* eram uma imensa força pesadamente armada. Em consequência, eles evitavam penetrar nas matas."

Sykes selecionou dois grupos de *maquis* que considerou mais promissores. O primeiro era chefiado por um ex-soldado profissional de nome Joubert. Jovem simples, despretensioso e modesto, Joubert atraíra vários combatentes tão dispostos quanto ele. Apesar de muito novos, eram notavelmente bem disciplinados, e escolhiam a hora e o lugar do ataque com o máximo critério. Quando o moral baixava, Joubert decidia preparar uma boa emboscada para reerguer o ânimo de seus jovens camaradas.

O segundo líder *maquis* não podia ser mais diferente. Étienne tinha o dobro da idade de Joubert e a pior aparência imaginável. Falava francês com um terrível sotaque gutural germânico, andava se balançando como um macaco e usava um boné preto que quase lhe escondia os olhos. O grupo que comandava era moldado à sua imagem. Ninguém ali parecia ter menos de 50 anos; lembravam mais um bando de mendigos ou bruxos encarquilhados do que os *maquis* altamente eficientes que de fato eram.

Os homens de Étienne gostavam de beber. Suas ações eram quase sempre espontâneas e regadas a álcool, embora não menos eficazes por causa disso. Percorriam os montes o tempo todo, conheciam a floresta como a palma da mão e nenhum inimigo estava a salvo de sua sanha de matar. Devido, em grande parte, às operações de Joubert e Étienne era que os alemães acreditavam estar às voltas com um levante em massa.

Depois de receber reforços, os homens da Operação Loyton resolveram tomar a ofensiva. As primeiras ações seriam limitadas, cautelosas, pois o coronel do SAS queria sondar o inimigo. Ao longo dos Vosges, todo transporte motorizado tinha sido confiscado pelos alemães, de modo que qualquer coisa em movimento nas estradas devia ser deles. Franks enviou pequenos grupos de quatro elementos para colocar explosivos nos principais caminhos das montanhas.

O SAS usava dispositivos batizados eufemisticamente de "estoura--pneus" por seus inventores – o pessoal criativo da SOE. Agentes da SOE recolheram amostras de rochas das principais áreas onde o SAS e os *maquis* atuavam. Com elas, os cientistas da SOE fabricaram explosivos plásticos que imitavam a textura, a cor e a forma das rochas mais comuns em cada região. Postas numa estrada, essas cargas pareciam pedras inofensivas até que um pneu ou lagarta passasse sobre elas, provocando uma forte explosão.

Indo além, a SOE chegou a produzir estoura-pneus com o formato de excrementos de cachorro ou cavalo, raciocinando que nenhum alemão respeitável desceria de seu veículo para remover aquela porcaria do caminho. Mas, sem dúvida, o dispositivo mais brilhante desse tipo era o "rato--bomba", sobre o qual o manual de instruções é bem minucioso:

"Esfola-se um rato e enche-se a pele com explosivo plástico. A pele é costurada de modo a imitar um rato morto. Um fusível padrão nº 8 é colocado no explosivo..." O rato-bomba devia ser misturado ao suprimento de carvão de um trem. O foguista, com a pá, atiraria o rato na fornalha, juntamente com o carvão. A detonação do rato atingiria a caldeira de alta pressão, que por seu turno explodiria de forma devastadora.

Equipados com seus estoura-pneus, os grupos de quatro homens foram mandados para encontrar e identificar veículos, depósitos de combustível e linhas férreas em mãos inimigas. Franks ordenou que os comandantes não perdessem nenhuma oportunidade de atacar os "piolhos cinzentos", como ele apelidara os alemães – pois era assim que pareciam, do alto das montanhas, percorrendo os vales lá embaixo.

As mensagens de rádio enviadas a Londres durante essa primeira semana de setembro mostram até que ponto as Forças Especiais, agora revigoradas, estavam sequiosas de ação e até onde penetravam suas patrulhas.

Linha férrea St. Dié–Saales completamente cheia de trens parados. Alvo ideal RAF.

Sete trens de tropas em Jarville, folha 14G 8709 11 h 3 set.

Fonte agente Alsácia, 2 setembro. Contra-ataque alemão com gás marcado para 10 setembro. Tropas em Colmar se exercitando com máscaras. Três mil e quinhentos homens em Mutzig. Mais informação... Setecentos homens da Gestapo vindos pelo túnel Ste. Marie-aux-Mines. *Hitlerjugend* chegando à área. Cinquenta caminhões-tanque de petróleo na estrada Châtenois–Selestat.

A última mensagem alertava Londres para um possível ataque com gás. Durante a guerra, os nazistas desenvolveram os temíveis *sarin*, *tabun* e *toman*, que agiam contra os nervos. Mesmo no outono de 1944, os Aliados ainda não possuíam defesas eficazes contra esses agentes – sobretudo porque nem sabiam de sua existência. Tão avançadas são as armas químicas mortais que as grandes potências continuam a estocá-las, embora, supostamente, estejam banidas por tratados internacionais.

À medida que o avanço aliado ameaçava a própria Pátria, crescia o medo de que Hitler recorresse a esse expediente como última opção. A mensagem de rádio, além de alertar para a ameaça do gás, informava que a Juventude Hitlerista – a *Hitlerjugend* – estava montando defesas na área, o que era parte de uma iniciativa de Himmler para proteger a encosta ocidental dos Vosges.

John Hislop era um dos encarregados por Franks de averiguar a possibilidade de um rompimento das defesas de Himmler.

"Se você e Peter quiserem um pouco de novidade, saiam esta noite e coloquem minas na estrada", sugeriu Franks. "Peter" era o tenente Peter Johnsen, camarada Fantasma de Hislop que havia pouco resgatara os cem prisioneiros de guerra aliados.

Com "um pouco de novidade", Franks queria dizer uma breve interrupção das operações de rádio. E, de fato, Hislop já estava entediado de sua tarefa de ficar preso ao Jed Set, enviando as mensagens regulares da manhã e da tarde. Hislop – que, não fazia muito tempo, havia sido considerado *infelizmente, sem aptidão militar* – agarrou a chance de ter um pouco de ação. Franks mostrou-lhe, e ao tenente Johnsen, o ponto exato no mapa onde queria que as cargas fossem colocadas.

A rápida lição de um sapador do SAS refrescou a memória de Hislop e Johnsen sobre como instalar os explosivos, os fusíveis e os fios. Com as Bergens cheias saíram para a noite clara e fresca. Caminhando pela estrada tosca e serpenteante que levava a Moussey, Hislop se sentiu notavelmente descontraído. Agora era, podia-se dizer, um veterano dos Vosges e desenvolvera uma capacidade de atenção constante – um estado de alerta que devia acompanhar de perto quem agia naquele território.

Passaram por um local onde alguns lenhadores haviam trabalhado. O aroma de pinheiro recém-cortado acariciava suas narinas: forte, puro, lembrando o do limão. Hislop se recordou dos tempos em que cavalgava pelos bosques de sua terra natal, antes que a Europa mergulhasse na guerra. Era como se aquele fosse um passado muito distante, num mundo totalmente diferente.

A trilha pela qual desciam passava perto da casa de madame Rossi. Contornaram cautelosamente sua propriedade e bateram de leve na porta dos fundos. Madame Rossi abriu uma pequena fresta, mas, quando viu de quem se tratava, escancarou a porta.

"A princípio, pensamos que eram os alemães", declarou ela, enquanto, espontaneamente, corria a esquentar alguma comida no forno. "Já estiveram aqui, fazendo um monte de perguntas e observando tudo... Mas agora que está escuro não voltarão!"

Com a cozinha na penumbra e as janelas bem fechadas, nenhum raio de luz escapava e ninguém, de fora, conseguiria ver madame Rossi e sua filha ou as pessoas com quem elas pudessem estar. As duas corajosas francesas já não precisariam empurrar os convidados pela porta dos fundos enquanto visitantes alemães esmurrassem a da frente.

Com as sacolas Bergen cheias de explosivos sobre a mesa, Hislop e Johnsen esperaram a refeição inevitável. Devorando batatas — comida simples, mas deliciosa para quem sobrevivia de esparsas rações militares esquentadas em fogueiras nas montanhas —, Hislop e Johnsen se inteiraram das disposições das tropas inimigas, dos postos de controle e dos locais perigosos, além dos alvos mais à mão.

Depois de comer, os homens pegaram seu material de guerra e saíram cautelosamente, com o *"Bon courage!"* de madame Rossi ainda soando em seus ouvidos.

A noite estava calma e silenciosa. Hislop e Johnsen deslizaram pelas ruas desertas de Moussey como fantasmas. A 3 quilômetros de distância da cidade, fizeram uma parada. À esquerda, podiam ouvir o ruído de metal contra metal; e ver o brilho de lâmpadas de arco atravessando o emaranhado de árvores.

Os dois homens se aproximaram rastejando por entre os arbustos mergulhados na escuridão. Chegando perto o suficiente para ouvir vozes, pararam. Reconheceram imediatamente a língua alemã. Uma equipe de manutenção estava reparando veículos blindados. Anotaram a posição e voltaram para a estrada sem fazer barulho.

Apressaram o passo. Só os ruídos da natureza animavam a noite. Já era de manhã quando chegaram ao alvo: um entroncamento ferroviário.

Rapidamente, colocaram as cargas explosivas e desapareceram na noite.

CAPÍTULO 9

---------- ✳ ----------

TRINTA QUILÔMETROS A OESTE DA BASE de montanha do coronel Franks, o major Arthur "Denny" da Equipe Archibald dos Jedburghs movia uma guerra de guerrilhas bem-sucedida. Depois de entregar a seus *maquis* as armas lançadas com o grupo SAS do major Peter Power, ele e os guerrilheiros locais haviam travado uma série de batalhas rápidas nas encostas ocidentais dos Vosges.

As forças do general Patton estavam agora em algum ponto a oeste, empenhadas em rudes combates. A certa altura, Denning e os *maquis* tomaram a aldeia de Charmes, matando cerca de quarenta alemães. Apoderaram-se da ponte sobre o rio Mosela, pretendendo mantê-la até que os blindados de Patton chegassem para cruzar esse caudaloso curso de água.

No último momento, entretanto, Denning e seus *maquis* foram repelidos por quatrocentos soldados de infantaria alemães, apoiados por tanques. Os feridos graves tiveram de ser deixados para trás.

"Um ou dois feridos foram encontrados depois com a cabeça esmagada, provavelmente por coronhas de fuzis", registrou o major Denning no diário de guerra da Equipe Archibald. Os cadáveres ficaram no local à vista de todos, para "mostrar o que acontecia a terroristas" – pois era assim que os alemães chamavam os *maquis*.

Se um Jedburgh caísse nas mãos do inimigo, sem dúvida também seria considerado "terrorista" e encontraria o mesmo fim. Durante a violenta

115

refrega, o major Denning foi ferido na coxa, mas continuou lutando. Com isso, ganhou uma sólida reputação entre os *maquis.*

Tinha a sorte, é claro, de operar numa área onde os habitantes eram em sua maioria simpáticos aos Aliados. Ainda assim, nos últimos dias o major Denning e seus guerrilheiros franceses se viram forçados a recuar. "As condições se tornaram tão impossíveis que a atividade [dos *maquis*] precisou se limitar aos serviços de informação, sendo instantânea e totalmente interrompida", escreveu Denning no diário de guerra.

À medida que o desespero dos alemães ia aumentando, sua reação às atividades da Resistência se tornava ainda mais brutal. Particularmente, Denning receava que qualquer tentativa de agir mais para leste – penetrando o território da Operação Loyton – se revelasse desastrosa. "Represálias, fuzilamentos, incêndios e deportações desestimulavam os projetos de armar homens naquele lado."

Mas em algum lugar a leste, espremido entre os *maquis* do major Denning e a força da Operação Loyton, estava o major Power do SAS com sua unidade, embora nada se soubesse dele havia quase duas semanas. Nas profundezas dos Vosges, o major Power e seu pequeno grupo de homens do SAS pareciam ter desaparecido da face da Terra.

A força da Operação Loyton, do coronel Franks, estava prestes a encarar uma reação tão violenta quanto a que o major Denning e seus guerrilheiros da Resistência enfrentavam. Minas postas nas estradas, ataques relâmpago e incursões da RAF contra alvos apontados por seus homens haviam enfurecido a Operação Waldfest. Unidades da SS e da Gestapo sob o comando do *Standartenführer* Isselhorst estavam determinadas a garantir que toda atividade da Resistência fosse "instantânea e ferozmente esmagada".

A 4 de setembro, o coronel Franks e o capitão Druce se ocupavam de um novo lançamento de armas, em grande escala, para os *maquis.* Com a ajuda do coronel Grandval, determinaram exatamente o que era necessário para equipar uma força inicial de mais de mil homens. Depois que esse grande número de *maquis* estivesse armado e adestrado no uso de seu material, Franks empreenderia novas e mais ambiciosas operações de sabotagem e guerrilha.

Mas, antes que o lançamento se efetuasse, os *Maquis* Alsacianos deram um passo fatal. Os jovens combatentes de Joubert eram espertos demais para se meter numa aventura tão arriscada, e os velhos beberrões de Étienne eram prudentes e contidos; mas havia muitos guerrilheiros cujos dedos coçavam nos gatilhos. Na tarde de 4 de setembro, centenas de membros dos *Maquis* Alsacianos prepararam uma armadilha que teria consequências devastadoras. Atacaram um caminhão isolado na estrada para Veney, incendiando-o e matando oito soldados.

A armadilha foi bem executada, exceto pelo fato de os *maquis* terem ignorado a "regra de ouro" dessas missões: esteja sempre certo de sua rota de fuga e nunca deixe rastros. Após destruir o caminhão, voltaram à sua base de operações – uma fazenda deserta em Viambois, na orla da Forêt de Reclos. Os alemães seguiram-nos até lá e sua resposta foi rápida e decisiva.

Cercaram fortemente os *maquis*, encurralando centenas deles. Seguiu-se uma luta de morte. Na batalha de Viambois, os guerrilheiros foram apanhados completamente de surpresa. As tropas alemãs posicionaram metralhadoras na orla da floresta e, quando chegaram à fazenda em ruínas, os *maquis* foram recebidos por intensas rajadas de fogo. Os que tinham armas tentaram revidar – mas eram armas leves.

Os *Maquis* Alsacianos estavam em completa desvantagem. Só por muita sorte não foram totalmente aniquilados: um avião aliado surgiu por acaso e entrou na luta. Vendo os "piolhos cinzentos" em ação, mergulhou, metralhando e bombardeando as posições alemãs. Alguns *maquis* se aproveitaram da confusão para escapar, mas muitos feridos ficaram para trás – sendo liquidados ali mesmo onde haviam caído.

O capitão Gough – comandante da Equipe Jacob dos Jedburghs – foi um dos que conseguiram se safar. Mas seu camarada, o tenente francês Guy Boisarrie, tombou. Recebeu um único tiro na cabeça: indício de que talvez ele também houvesse sido capturado e sumariamente executado.

A mensagem seguinte de Gough reflete a situação desesperada em que se via: era o único membro da Equipe Jacob ainda em campo, acossado por um inimigo tenaz e impiedoso.

Skye capturado a 17 de agosto. Reportada execução em represália. Confiram por favor com a Cruz Vermelha. Connaught morto. Sou o único membro da Equipe Jacob que resta. Cem *maquis* mortos. Cem capturados no mesmo combate. O resto disperso...

"Skye" era o codinome do operador de rádio de Gough, Seymour. Sem dúvida foi capturado a 17 de agosto e, segundo boatos que chegaram até Gough, executado. "Connaught" era Boisarrie. Aproximadamente duzentos homens dos *Maquis* Alsacianos estavam mortos ou presos – e, sob a Operação Waldfest, "preso" era o mesmo que morto.

Os *Maquis* Alsacianos, tentando escapar da emboscada, atiraram suas armas no mato e lá as deixaram. Aos olhos do SAS, eles erraram feio ao preparar sua malfadada armadilha e foram punidos por isso. Mas, para os franceses, seus jovens e corajosos guerreiros estavam compreensivelmente ansiosos para atacar o inimigo e a emboscada havia sido um curso de ação natural, embora talvez bastante imprudente.

De qualquer modo, o resultado era o mesmo. O efeito sobre os *Maquis* Alsacianos – o corpo principal da Resistência na área – podia ser considerado pouco menos que desastroso. O diário de guerra da Operação Loyton registra secamente: "Essa derrota decisiva, consequência... de uma ação mal planejada de uma força mal armada abateu ao que parece seu espírito e tornou-os imprestáveis para futuros empreendimentos".

A notícia da batalha de Viambois espalhou-se pela região como ondas produzidas por uma pedra atirada na superfície de um lago sereno. Alguns *maquis* foram obrigados a falar antes de morrer. Naquela mesma noite, uma companhia de "piolhos cinzentos" foi vista aproximando-se da base de montanha do coronel Franks. A 600 metros de distância, os cinquenta soldados avançavam com o maior cuidado, o que pelo menos deu aos agentes das Forças Especiais e seus colaboradores *maquis* tempo para fugir.

O coronel Franks e seus homens sabiam qual era seu papel ali. Não deviam ficar e oferecer combates rápidos a destacamentos das tropas alemãs, como os *Maquis* Alsacianos haviam sido obrigados a fazer; melhor seria desvanecer-se na floresta escura e sobreviver para lutar mais tarde.

Felizmente, nessa mesma manhã o capitão Druce, de novo em trajes civis — aos quais já estava se habituando —, cruzara as montanhas para o norte, rumo à aldeia isolada de Pierre-Percée. Esta consistia num amontoado de casinhas no final de um vale sem saída, em forma de V, com encostas íngremes, cobertas de matas, por todos os lados. A oeste, a aldeia se aglomerava ao longo de uma bela extensão de água: o Lac de la Pierre--Percée, com suas margens pontilhadas de árvores verdejantes.

Em tempos de paz, Pierre-Percée tinha sido um local de férias muito procurado, mas, é claro, a guerra mudara tudo isso. Druce se encontrou com o prefeito, sr. Michel, e este confirmou que não se viam alemães na área havia um mês ou mais. Disse ainda a Druce que ele e seu grupo do SAS seriam muito bem-vindos na aldeia.

A caminho da base, Druce tentou roubar o carro de Fouch, o provável espião alemão executado na zona de lançamento de Veney. Sabia-se agora, com certeza, que ele trabalhara para o inimigo — e isso explicava por que ficara de posse de seu carro quando todos os outros veículos motorizados haviam sido requisitados pelos alemães.

Não conseguiu pegar o carro, mas chegou a tempo de dar ao coronel Franks a boa notícia sobre Pierre-Percée. Franks partiu com sua força para o norte, em direção à nova base de operações que planejava. Atrás deles, uma densa nuvem de fumaça subia do lugar de onde acabavam de sair: os alemães incendiaram o que restara de seu acampamento.

Marcharam a noite toda, uma noite de luar intenso e etéreo. Não havia, por isso, necessidade de ninguém agarrar o cinto do homem que ia à sua frente. A luz lançava sobre a floresta maravilhosos desenhos em prata e ébano, fazendo com que os troncos assumissem formas grotescas enquanto eles passavam e suas sombras parecessem serpentear pelo chão.

O acampamento foi montado na mata virgem acima do lago de Pierre-Percée. Os homens de Franks derrubaram duas árvores, fincaram-nas em um ângulo de 45° com relação a um galho horizontal e cobriram tudo com lona, à maneira de um teto. O acampamento era pequeno, rústico e provisório – não se pensou sequer em cavar uma latrina –, pois a qualquer momento os piolhos cinzentos poderiam surgir e eles teriam de sair correndo novamente.

Hislop fez logo contato com o quartel-general em Londres e enviou a palavra em código combinada, "Wren" – sinal de que o planejado lançamento de armas podia ser feito. Dois Stirlings apareceram à noite nos céus de Pierre-Percée e o primeiro jogou dezenas de recipientes numa clareira, acima da aldeia. Cada avião trazia armas suficientes para equipar cem guerrilheiros; mas, depois que os *Maquis* Alsacianos haviam sido dizimados na batalha de Viambois, teriam essas armas vindo tarde demais para ser úteis?

Ninguém sabia ao certo. Era preciso esperar para ver se os *Maquis* Alsacianos se reagrupariam e recuperariam o ânimo ou não. E, enquanto isso, alvos não faltavam para o SAS.

Quando o primeiro avião terminou de despejar sua carga, uma névoa subiu da floresta e envolveu a área, adensando-se e obscurecendo as fogueiras que os homens de Franks acenderam para demarcar o ponto de encontro. Um reforço de catorze homens, liderados pelo major Dennis Reynolds, que devia ser o segundo no comando da Operação Loyton depois de Franks, saltou com suprimentos, mas três homens se desgarraram devido à péssima visibilidade. O sargento Fitzpatrick, mais os soldados John Conway e John Elliot, não foram mais vistos. Era como se tivessem sido tragados pela neblina fria e pegajosa.

Na manhã seguinte, soube-se que uma patrulha alemã recuperara paraquedas na floresta a oeste da zona de descida. Podiam ser os dos homens perdidos, pois todos os vestígios do lançamento foram eliminados antes do amanhecer. Os três deviam ter se perdido na névoa e esperava-se que logo encontrassem o caminho para a base do SAS.

Na verdade, o soldado Elliot, desviando-se, tinha feito um mau pouso, quebrando uma perna. Fitzpatrick e Conway carregaram-no para o que parecia o lugar seguro mais próximo – uma fazenda nas imediações da aldeia de Pexonne. Localizava-se na orla do Bois de Bon Repos – o "bosque do bom repouso" –, do lado oposto do lago Pierre-Percée. Os três, no entanto, foram traídos por uma francesa e caíram nas mãos de um dos famigerados *Einsatzkommandos* de Isselhorst.

O coronel Franks e o major Reynolds ficaram sem saber o que acontecera a eles, mas não podiam perder tempo com esse problema. Havia uma guerra a lutar; e agora, com cerca de cinquenta agentes do SAS no teatro de operações, bem equipados com armas, explosivos e munição, eles comandavam uma força respeitável.

Um dia após o lançamento, Franks despachou seu primeiro grupo para armar uma emboscada de grande porte. Liderava-o o tenente Ralph "Karl" Marx, um indivíduo impressionante a quem o próprio capitão Druce – mestre supremo do autocontrole – considerava "frio como um pepino". Mal tendo completado 18 anos, Marx – craque do boxe e do tênis na escola – recusara uma vaga na Universidade de Cambridge e preferira alistar-se no exército logo no início da guerra.

Suas qualidades de liderança não tardaram a ser reconhecidas e ele foi enviado a Sandhurst para fazer o curso de oficiais. Integrado ao 9º/12º Regimento de Lanceiros, partiu para o norte da África e lutou nas batalhas de El Alamein, onde pela primeira vez ouviu falar na bravura do SAS. Com 22 anos ao descer nos Vosges, o tenente Marx era o exemplo típico do homem "de quem não se espera que seja frio e calmo, mas é... calmo, frio e eficiente", observou Druce.

Marx deixou a base do SAS em Pierre-Percée com nove camaradas munidos de suas armas pessoais e duas metralhadoras leves Bren, de 7,22 mm, além de dezoito "estoura-pneus". Tomaram rumo sul pela floresta de Pierre-Percée – passando perto de seu acampamento antigo e agora incendiado – e, ao escurecer, desceram para a aldeia de Celles-sur-Plaine.

Devido aos aviões aliados que controlavam os céus da Europa ocupada, os alemães passaram a se deslocar somente à noite e sem acender nenhuma luz, na tentativa de se furtar às incursões aéreas. Uma das principais rodovias dos Vosges atravessava o vale de Celles, constituindo uma importante linha de suprimentos para eles. Ao norte de Celles-sur-Plaine havia uma encruzilhada, da qual um dos ramos laterais avançava para noroeste, em direção à cidade de Badonviller, a cerca de 8 quilômetros dali. Quando a noite caiu, seis estoura-pneus foram colocados nos três ramos da junção em T, de modo que todos ficaram cobertos por uma carga.

Às dez horas daquela noite, duas explosões ecoaram pelo vale de Celles. Dois transportes de tropas alemães passaram por cima de alguns seixos inocentemente espalhados pela estrada e foram pelos ares com a explosão.

A essa altura, Marx e seus homens já estavam longe, marchando para noroeste em plena noite, a caminho de seu próximo alvo. Iam para La Chapelotte, um pequeno povoado ao norte de Celles-sur-Plaine, na estrada sinuosa para Badonviller. Palco de uma grande batalha durante a Primeira Guerra Mundial, o Col de la Chapelotte — um pico de quase 500 metros de altitude, coberto de matas, que se ergue acima do povoado — estava fortificado com vários *bunkers* e ninhos de metralhadora. Marx achou que era o lugar ideal para encontrar alguns inimigos e emboscá-los.

De manhã, pararam na floresta para comer e limpar as Bren. Depois, aproximaram-se de La Chapelotte para desfechar o ataque. Os soldados do SAS caminhavam por uma senda que margeava a estrada quando, de repente, uma patrulha alemã a pé surgiu da mata pelo outro lado. Pensando rápido, Marx saltou para uma vala próxima, seguido por seus homens.

Gritos soaram no ar ainda fresco da manhã: *"Kommen Sie hierher! Kommen Sie hierher! Schnell! Schnell!"* (Venham para cá! Venham para cá! Depressa! Depressa!).

Marx e seu grupo recusaram-se a sair. Os alemães abriram fogo. Balas atingiram a parede de árvores atrás da vala, arrancando pedaços de cascas e espalhando-os sobre os homens. Estes mantiveram a cabeça bem baixa e as armas apontadas para o inimigo. Se os alemães avançassem pelo espaço aberto e ficassem ao alcance de tiro, Marx e seus homens responderiam.

Mas, por enquanto, continham-se. Finalmente os alemães devem ter decidido que o comedimento é a melhor parte da coragem. O fogo cessou e os piolhos cinzentos desapareceram com estardalhaço nos bosques, dirigindo-se para La Chapelotte.

Marx correu para o abrigo das árvores e dividiu seu grupo em dois. Sete homens preparariam uma cilada perto de La Chapelotte, com as duas Brens cobrindo a estrada. Os dois restantes acompanhariam a patrulha alemã, aguardando a oportunidade de emboscá-la com suas submetralhadoras.

Marx e a força principal tomaram posição na vala, que distava uns 15 metros da estrada. Com as duas Brens firmes nos tripés fincados na borda, dispunham de uma perfeita posição de tiro. A estrada, ali, subia na direção do Col de la Chapelotte. Qualquer veículo que viesse daquele lado seria um alvo fácil, desde que a inoportuna patrulha alemã não desse o alarme.

Os homens esperaram, agachados atrás de suas Brens.

"Atirem quando eu atirar", sussurrou Marx. "Não antes."

Ouviram-se murmúrios de assentimento. Cinco minutos se passaram. Esses cinco logo se transformaram em dez – e a tensão aumentava. A qualquer momento os homens do SAS esperavam ver uma força inimiga saindo de La Chapelotte em seu encalço. E então Marx e seu grupo ouviram o ruído longínquo de um motor a diesel e o estalido de uma engrenagem. Um veículo se aproximava.

Ombros se retesaram por trás das Brens quando a conhecida silhueta de um caminhão militar alemão de cinco toneladas se projetou da curva, lançando uma densa fumaça pelo escapamento. Marx mirou por cima da grade que recobria o nariz comprido do veículo, bem no centro do para-brisa achatado. Quando ele atirasse, as balas atravessariam o vidro e atingiriam a traseira vulnerável do caminhão – tábuas cobertas de lona.

O grupo da emboscada aguardava. O caminhão se aproximou. Os dedos se contraíam nos gatilhos. Disparariam a qualquer momento.

O caminhão estava a 50 metros quando Marx abriu fogo. Todo o pente da Bren – trinta balas de 7,62 mm – se esvaziou contra o para-brisa, espalhando cacos de vidro e fragmentos de metal pelo ar frio da manhã. O caminhão estacou de repente, quase todo fora da pista, mas ficou protegido por um monte de terra.

Marx e seus homens subiram pela borda da vala a fim de colocar o veículo de novo em sua linha de tiro. Mas, tão logo se posicionaram, viram algumas figuras de uniforme cinzento correndo para o bosque, do outro lado da estrada. Os homens de Marx apontaram suas armas para o caminhão, mas não perceberam nenhum movimento ou sinal de vida.

Sabendo que o barulho da emboscada tinha sido ouvido em La Chapelotte, Marx ordenou que todos se escondessem novamente na mata. Avançaram rapidamente em direção a um ponto de encontro onde haviam escondido suas Bergens pesadas. Todos juntos novamente, rumaram para o sul, seguindo uma trilha aberta e tentando se afastar o máximo possível do inimigo.

Caminhavam havia não mais do que cinco minutos quando o temido contra-ataque ocorreu. Uma tropa alemã começou a disparar do fundo do vale. A distância era grande demais para que o fogo fosse eficiente, mas um barulho assustador ecoava pelo meio das árvores. Era o ladrar de cães.

"Para o alto!", ordenou Marx. "Para as colinas!"

Virou-se para oeste, na intenção de ir diretamente para a base do SAS, deixando que seus perseguidores enfrentassem a mata densa e as colinas íngremes. Mas, quando os homens mergulharam no bosque, três deles devem ter ouvido mal a ordem. Voltaram correndo para a trilha que haviam deixado e grito nenhum pôde trazê-los de volta.

Depois de percorrer algumas centenas de metros, os homens restantes de Marx chegaram a uma clareira. Ele ordenou que fizessem uma parada. Ainda avistavam a trilha lá embaixo e, de vez em quando, os três homens desgarrados apareciam aqui e ali, correndo desesperadamente a distância. Eram o sargento Terry-Hall e os soldados Iveson e Crozier. Atrás deles vinham alemães com cães sedentos de sangue.

O alcance máximo da Bren é 900 m. Os perseguidores estavam muito além disso e, se Marx atirasse, só o que conseguiria era denunciar sua posição. Não tinha escolha a não ser apontar a bússola na direção da base do SAS e conduzir seus homens para oeste, nas montanhas.

Ao crepúsculo, Marx ordenou outra parada. Não queria voltar à base sem antes fazer um reconhecimento e estaria muito escuro quando chegassem lá. Foi uma sorte parar. Duas horas depois, o som de rajadas intermitentes de metralhadora cortou os ares. E esse som só poderia provir da base. Decorrida mais uma hora, Marx recebeu uma mensagem do coronel Franks em seu Jed Set.

"Não volte ao acampamento. Aguarde instruções."

Ao amanhecer, ficou claro que sua situação era difícil. Ouviam-se caminhões avançando pelo vale de Pierre-Percée, lá embaixo, e o povoado fervilhava de inimigos. No lado oposto de sua posição no alto do morro, em Celles-sur-Plaine, havia mais alemães. O inimigo era visível também na estrada para Raon l'Étape, a oeste; e, no quarto lado, estava La Chapelotte, onde eles acabavam de atiçar um vespeiro de atividade inimiga.

Marx e sua pequena força estavam totalmente cercados.

CAPÍTULO 10

———— ✻ ————

O pesado fogo de metralhadoras que o tenente Marx ouvira era realmente de um ataque à base do SAS. De novo, só por muita sorte é que a força da Operação Loyton escapava de uma armadilha e o capitão Henry Carey Druce estava outra vez por trás de tudo.

Na manhã de 9 de setembro, Druce tinha ido até Pierre-Percée numa missão de reconhecimento, vestido como morador local. Andando pelas ruas do povoado, percebeu que estavam cheias de soldados inimigos. Isso acontecia apenas cinco dias depois de ter estado ali, ouvindo do prefeito que havia semanas não se viam alemães naquele lugar. Era óbvio o motivo pelo qual aqueles homens de uniforme cinzento tinham vindo.

A certa altura, Druce pediu fogo e ofereceu um cigarro a um soldado alemão que parecia querer abordá-lo. Graças à sua aparente autoconfiança e ar "amigável", o pior não aconteceu.

Feito o reconhecimento, Druce voltou às pressas para a base do SAS, que Franks ordenou fosse imediatamente desmontada. Mal haviam partido e tropas alemãs começaram a se aproximar por todos os lados. A retaguarda de Franks ficou sob fogo pesado e só devido ao aviso oportuno de Druce é que a força da Operação Loyton conseguiu escapar sem sofrer baixas.

Só lhes restava uma rota de fuga: para o sul, atravessando o vale de Celles, rumo à zona de lançamento onde Druce e seu grupo de vanguarda haviam descido. Dali, a força da Operação Loyton foi obrigada a se deslocar repetidamente, coleando pela região do Lac de la Maix – o lugar de seu primeiro encontro com o inimigo, a 17 de agosto. Eram acossados em círculos e mal conseguiam permanecer um passo adiante dos perseguidores.

Finalmente, a 14 de setembro, subiram as montanhas a leste de Moussey, instalando uma base sólida num vale cercado de encostas ao sul de Les Bois Sauvages – os Bosques Selvagens. Esse vale densamente arborizado e profundo chama-se Basse de Lieumont – "sopé do lugar montanhoso". Em Basse de Lieumont é que o SAS teria algo parecido com um quartel-general operacional permanente nos Vosges.

A fim de descobrir um lugar alternativo seguro, o coronel Franks despachou o major Dennis Reynolds, seu segundo no comando chegado havia pouco, para vistoriar a área ao norte de Pierre-Percée. Remoto, cercado de matas e quase desprovido de estradas, o lugar parecia oferecer um esconderijo perfeito para o grupo de cinquenta homens do SAS, além dos guias e auxiliares *maquis*. O recém-chegado capitão Anthony "Andy" Whately-Smith – ajudante de ordens de Franks – acompanhou o major Reynolds em sua missão.

Mas, nas imediações de Pierre-Percée, os dois se depararam com uma patrulha alemã. No tiroteio que se seguiu, ambos conseguiram escapar, mas o major foi ferido no antebraço. Num ato incrível de bravura, um casal francês acolheu os dois oficiais britânicos, um dos quais estava seriamente enfraquecido pela perda de sangue.

Freddy e Myrhiam Le Rolland eram parisienses que haviam decidido retirar-se para uma bela casa no magnífico cenário de Pierre-Percée. Levaram Reynolds e Whately-Smith para uma caverna na mata, a poucos passos de sua residência. Ali, os dois homens do SAS poderiam passar despercebidos debaixo do nariz dos alemães. Num lance de boa sorte, Myrhiam tinha trabalhado como enfermeira. Ela conseguiu tratar o ferimento do major Reynolds e impedir a gangrena, que já começava a se manifestar.

O coronel Franks, de vários pontos de encontro, enviou mensagens pelo rádio aos dois homens, mas o major Reynolds estava fraco demais para andar. Por fim, Franks resolveu ir buscar pessoalmente os dois oficiais, depois que seu novo acampamento em Basse de Lieumont estivesse firmemente estabelecido e seus homens retomassem a ofensiva.

O tenente "Karl" Marx também tentava abrir caminho para a nova base de Franks em Moussey. Sua unidade não tinha sofrido baixas e mesmo os três homens vistos pela última vez correndo dos alemães e seus cães de caça tinham conseguido despistá-los. Mas, por quarenta e oito horas, Marx e seus homens só puderam comer batatas que encontraram no mato e ingerir Benzedrina para ficar o mais longe possível do inimigo.

Sem se importar com esses contratempos, ao chegar à nova base de Lieumont o tenente Marx se colocou à disposição para novas operações ofensivas. O coronel Franks decidiu confiar ao jovem oficial uma das mais audaciosas missões da guerra, destinada a desafiar ao máximo os alemães. Levando equipamento de demolição muito especial, Marx deveria, com sua unidade, cruzar a fronteira para a Alemanha a fim de explodir um trem em solo inimigo.

Marx escolheu levar consigo três homens que haviam participado de sua última missão e eram treinados e confiáveis: os cabos Garth e Pritchard, e o soldado Ferrandi, além de um reforço, o soldado Salthouse. Cada homem carregava 2,5 kg de explosivos plásticos, quatro interruptores a pressão, detonadores, escorvas, uma dúzia de estoura-pneus e duas caixas com os chamados "sinais de neblina", que eram realmente um dispositivo muito especial.

A experiência ensinara ao SAS que não havia grande utilidade em explodir ferrovias. O maquinista, aproximando-se, quase sempre avistava a ruptura nos trilhos e freava a locomotiva. Os trilhos danificados podiam ser facilmente removidos e substituídos, de modo que a interrupção no transporte não ia além de algumas horas. Era necessário, pois, um comprometimento maior dos serviços e a resposta para isso era o "sinal de neblina".

Ao desenvolver esse dispositivo engenhoso, a SOE adaptara um recurso que vinha a calhar para seus objetivos e se mostrava comprovadamente eficiente havia meio século. O "sinal de neblina" original tinha sido criado para advertir um maquinista sempre que o aviso de parada à frente estivesse obscurecido pela neblina – daí seu nome. Consistia num vasilhame cheio de pólvora negra e espoletas, preso a uma chapa de pressão e colocado em cima do trilho. Quando havia muita neblina, o sinaleiro fixava três deles na linha, antes de um aviso de parada. A locomotiva detonava os sinais ao passar por cima deles, que explodiam barulhentamente e advertiam o maquinista de que devia reduzir a velocidade.

Conservando o projeto original, a versão da SOE tinha um "nariz" que se projetava do vasilhame, virado para a borda externa do trilho e atado a um pedaço de corda de detonação. Os gases quentes da pólvora queimada saíam pelo "nariz" e acendiam a corda de detonação, conectada a uma carga explosiva posta a certa distância na frente.

Uma corda de detonação "arde" a uma velocidade de 7 mil metros por segundo; o sinal de neblina e a carga principal explodem com um intervalo de microssegundo, não dando tempo ao maquinista de executar uma manobra de evasão. Sem conseguir parar, o trem se descarrila, provocando uma tremenda destruição e uma longa interrupção no tráfego.

Na tentativa de anular o sinal de neblina, os alemães muniam suas locomotivas de escovas de aço para "varrer" a linha à frente. A versão "Torpedo A3" do equipamento-padrão da SOE era uma resposta a isso: baseava-se num desenho americano melhorado que, prendendo-se fortemente aos trilhos, não podia ser varrido.

Com os sinais de neblina à mão, o tenente Marx e sua equipe de quatro homens marcharam para leste, rumo à Alemanha de Hitler. Estavam a cerca de 20 quilômetros do alvo. A ferrovia avançava na direção norte-leste, da cidade francesa de Saales até a Renânia alemã, formando uma artéria vital para o reabastecimento da combalida defesa inimiga nos Vosges.

O alvo ficava muito além de Schirmek, sede do quartel-general de campo do *Standartenführer* Isselhorst e seus lugares-tenentes. Se o grupo de Marx pudesse alcançar a ferrovia e destruí-la, isso ajudaria em muito a abalar a capacidade de Isselhorst de cumprir a ordem de Himmler para esmagar as forças rebeldes nos Vosges. Ou seja, atacar a própria Alemanha constituiria um sério golpe psicológico.

Ninguém achava que a missão seria fácil. A ferrovia era vigiada vinte e quatro horas por duplas de sentinelas postadas a intervalos de cem metros. Presumivelmente, a vigilância iria aumentar à medida que o tenente Marx se embrenhasse em solo alemão, antes de lançar seu ataque.

A caminho, Marx não perdeu a oportunidade de semear o caos em sua esteira. O grupo colocou estoura-pneus com explosivos plásticos num importante cruzamento de rodovias que encontrou. Um transporte de tropas alemão foi vitimado, perdendo uma roda e caindo numa vala lateral. Mais uma carga, esta operada por detonador a pressão, reforçada por um pedaço de explosivo plástico de meio quilo, ficou à espera em outra rodovia. Um *half-track* – veículo blindado de transporte de tropas com rodas na frente e lagartas de tanque atrás – acionou a carga e partiu-se em dois com a explosão.

Em Champanay, logo ao sul de Schirmek, o tenente Marx visitou uma casa na tentativa de contatar o líder da Resistência local. Mas recebeu a informação de que o chefe *maquis* tinha sido preso, juntamente com vários de seus comandados. E quanto mais o tenente avançava para leste, menos as pessoas pareciam dispostas a ajudá-lo ou acolhê-lo.

Agora os homens procuravam algo de que tinham urgente necessidade: comida. Marx e Ferrandi chegaram a uma residência que supunham amistosa. Escaparam por pouco. Marx se revelou um mestre do sangue-frio ao minimizar assim o incidente no diário de guerra: "Enquanto saíamos pela porta dos fundos, os alemães entravam pela da frente. A dona da casa havia nos traído".

Rumando ainda mais para leste, ele e sua unidade envolveram-se num incidente que, sem dúvida, foi considerado controverso o bastante para que o diário de guerra da Operação Loyton sofresse censura após a guerra. Com a etiqueta original de "SIGILOSO ATÉ 2019" na capa, uma versão do documento foi liberada em 1994, mas com alguns trechos reescritos.

Um deles diz respeito às ações do tenente Marx e seus homens quando se preparavam para atacar a ferrovia perto da cidade "alemã" de Wildersbach. Precisando cruzar a fronteira da época – logo depois do início das hostilidades, grande parte dos Vosges orientais haviam sido "reincorporados" à Alemanha e a fronteira desta estava agora vários quilômetros a oeste do Reno –, Marx enviou o cabo Pritchard e dois homens para reconhecerem o terreno à frente.

Pritchard voltou com mais do que Marx esperava. O trecho censurado do diário de guerra de 1944 registra: "Regressaram às 15h com comida e um sargento alemão. Os paraquedistas Ferrandi e Salthouse levaram-no para o mato e fuzilaram-no".

Parece que Pritchard capturou um guarda fronteiriço para interrogá-lo e obter informações que facilitassem a entrada do grupo em território alemão. Por algum motivo – talvez a determinada altura do interrogatório –, o homem foi morto. Nenhuma outra explicação é dada no diário e não há mais documentos disponíveis sobre o incidente.

Talvez o guarda tenha tentado escapar, resistir ou dar informações erradas, se é que não o mataram por vingança a sangue-frio. Pode ser também que não pudessem manter um prisioneiro em plena missão nem, é claro, libertá-lo e assim permitir que ele revelasse sua força e posição.

O diário de guerra não dá resposta. Mas fica bem claro que a ausência do soldado alemão foi notada, pois a guarda de fronteira passou imediatamente de catorze para vinte e um homens. A essa altura, porém, Marx e seu grupo já haviam cruzado para o território inimigo. Protegidos pela escuridão da noite, avançaram rumo a seu objetivo.

Escolheram atacar um entroncamento ferroviário a oeste de Wildersbach, para onde convergiam três linhas. Em cada uma delas foi posto um sinal de neblina amarrado a uma carga de meio quilo de explosivo plástico. Quinze minutos depois das dez, naquela noite, um trem esbarrou nos sinais, acionou a carga de explosivo plástico à sua frente e avançou sobre os trilhos que haviam ido pelos ares.

Em alta velocidade, a locomotiva saltou sobre esses trilhos, arrancando mais pedaços à medida que deslizava incontrolavelmente e acabou tombando para o lado, numa ribanceira íngreme. E lá ficou, uma sucata ofegante e envolta em fumaça, com um séquito de vagões arrebentados e amontoados atrás dela. Marx e seus sinais de neblina haviam feito seu trabalho; o trem estava destruído, a linha estava bloqueada e, por uma grande extensão, arruinada.

Logo ao amanhecer, o comandante e seus homens se encontravam novamente em território francês, solicitando uma incursão da RAF. Os aviões destroçaram o que havia sobrado do trem e da carga, que de outro modo poderiam ser reaproveitados. Foi um desfecho perfeito para a missão concebida pelo coronel Franks, se não levarmos em conta o misterioso fuzilamento do guarda fronteiriço alemão.

A resposta do inimigo foi imediata e violenta. Destacamentos de infantaria começaram a varrer cada pedaço dos bosques onde os sabotadores poderiam se esconder e a vingar-se nos aldeões franceses da região. Em um povoado onde foram procurar comida, Marx e seus homens souberam que a Gestapo viera e levara embora todos os moradores do sexo masculino, deixando em seu lugar tropas alemãs trazidas em seis caminhões.

Uma patrulha desses soldados por pouco não capturou Marx e sua força. Mas – "frio como um pepino" – ele decidiu que ainda havia muito por fazer. O grupo possuía um resto de explosivos plásticos e detonadores para usar. Dividindo sua unidade em duas, deixaram seis quilos de explosivos nas estradas da área vizinha. A primeira carga foi acionada quando um caminhão do exército passou por cima de um dos estoura-pneus. Detonações em série, a partir da primeira, "jogaram pedaços do veículo para todos os lados", lembra-se Marx.

Num ato final de sabotagem, o último explosivo foi usado contra um belo carro do tipo em que os oficiais alemães se locomoviam. Por sorte, este levava os comandantes de alta patente enviados à área para coordenar a perseguição aos *maquis* e seus camaradas sabotadores.

Com as Bergens já bem mais leves, Marx conduziu seus homens em marcha forçada para oeste, rumo à base do SAS em Moussey. Às suas costas, podiam ouvir os alemães vasculhando as florestas que eles haviam acabado de deixar; o inimigo disparava ao acaso, na tentativa de atingir alguém, mas disparava contra fantasmas.

Em retribuição ao seu comando dessa missão especialíssima, o tenente Marx receberia a Cruz Militar. A citação diria de suas ações: "Ao longo de toda essa operação, o tenente Marx mostrou-se imbuído da vontade inabalável de causar dano ao inimigo. Sua habilidade e sua coragem pessoal durante esse período foram um exemplo para as tropas e merecem todos os elogios".

Mas, por enquanto, Marx conduzia sua equipe para oeste, atravessando os Bosques Selvagens na direção da base do SAS nas montanhas acima de Moussey. Más notícias o aguardavam lá. Quando a caminho para se encontrar com o coronel Franks, os três homens de sua missão anterior – vistos pela última vez correndo dos cães de caça alemães – haviam se abrigado numa serraria, a Scierie de la Turbine, no vale de Celles.

Cinco outros homens do SAS juntaram-se a eles naquele lugar – um grupo de sabotagem liderado pelo tenente James Black. Infelizmente, foram traídos. Sua presença chegou aos ouvidos da Gestapo local e forças inimigas cercaram a serraria. No tiroteio que se seguiu, o grupo de oito homens do SAS, já antes com pouca munição, ficou sem balas para disparar. Todos foram capturados e pelo menos um deles – o tenente Black – estava ferido.

Chris Sykes – o oficial de inteligência do 2 SAS – conseguira obter o máximo de detalhes possível de seus contatos entre os guerrilheiros. Entre estes, destacava-se Albert Freine – o guarda-caça e chefe da inteligência dos *maquis* – que se tornara a fonte mais confiável de Sykes. Lamentavelmente, Freine soubera que os oito homens do SAS presos haviam sido levados para o *Sicherungslager* de Schirmek – o campo de segurança onde o perneta e viciado em morfina Karl Buck mandava e desmandava. Quanto a seu destino dali por diante, estava nas mãos dos deuses.

Sykes e Freine passaram a se reunir diariamente sob uma árvore. Em meados de setembro, o tempo nos Vosges começou a mudar e aos dias amenos do verão sucederam-se as condições bem mais comuns na área: chuva e garoa. "Semanas de miséria compartilhada nos tornaram amigos para a vida inteira", observa Sykes de seu convívio com Freine.

O conhecimento que o guarda-caça tinha dos movimentos do inimigo se revelou enciclopédico e inestimável; em diversas ocasiões, salvou vidas. Nas más condições do início do outono, o solo estava úmido e as botas do

SAS deixavam pegadas nas trilhas e caminhos enlameados. Os alemães reconheciam as marcas distintas feitas pelos solados de borracha e, assim, rastreavam com mais facilidade a força da Operação Loyton. Alertados por Freine, os homens do SAS recortaram as solas para disfarçar o padrão, mas a impressão dos saltos continuava distinta como sempre.

Sykes percebia que Freine mal suportava a pressão. Seus nervos estavam a ponto de explodir. Pouco depois da incursão do tenente Marx em solo inimigo, o punho de aço da Waldfest agora pesava ainda mais nos vales dos Vosges. Seus principais alvos eram gente como Freine, de quem uma confissão arrancada sob tortura proporcionaria um verdadeiro tesouro de informações.

No vale de Celles próximo, um *garde de forêt* (guarda florestal) desempenhava papel semelhante ao de Freine. Fazia as vezes de intermediário entre o coronel Franks e o major Reynolds, o oficial do SAS ferido que se abrigara numa caverna de Pierre-Percée juntamente com o capitão Whately-Smith. Forte e calado, o guarda tinha um tipo de coragem que não lembrava em nada a do fanfarrão Freine. De fato, ostentava a *flegme britannique* (fleugma britânica) que tanto impressionara o pároco de Moussey, abade Gassman, nas praias de Dunquerque.

Sykes se encontrava com esse guarda regularmente para obter notícias dos dois oficiais do SAS. Em resposta, o homem magro e curtido pelas intempéries descalçava seu tamanco de madeira e, sem dizer palavra, tirava um pequeno bilhete oculto entre os dedos do pé: uma mensagem do major Reynolds. Sykes rabiscava a resposta, o guarda escondia-o entre os dedos e calçava de novo, em silêncio, o tamanco. Silêncio eloquente: revelava uma firmeza de rocha diante da adversidade.

Com efeito, adversidade era o que não faltava a esses pilares da Resistência local. A indomável madame Rossi passara por maus bocados, mas, como era de esperar, permaneceu calada e não se curvou. Sykes conheceu-a, é claro, e – fato impressionante – seu riso solto e sua alegria não se alteraram, como não se alterou seu desejo de alimentar, abrigar e ajudar os homens do SAS em todas as oportunidades.

Os alemães suspeitaram que a casa de madame Rossi estava no caminho para a nova base do SAS. E era verdade. Assim, a Gestapo voltou a visitá-la várias vezes. Em certa ocasião, vasculharam a residência de alto a baixo, enquanto a temível senhora mantinha ali escondidos seis homens do SAS, alguns dos quais deitados sob a roda-d'água no quintal. Experiências dessas teriam abalado os nervos da pessoa mais corajosa, mas ela nunca confessou que sua casa estava sendo usada como refúgio e ponto de encontro para o SAS e os *maquis*.

Uma outra mulher de Moussey, igualmente formidável, servia a causa da Resistência. De muitas maneiras, a senhorita Bergeron era o oposto de madame Rossi: tinha o ar severo, essa solteirona de meia-idade que morava numa fazenda a certa distância da aldeia. Era também a principal intermediária para os *maquis*. Não seria pouco o que poderia dizer aos alemães caso eles conseguissem dobrá-la. Mas, num aspecto, as duas mulheres se pareciam muito: eram *inquebrantáveis*.

Os homens da Gestapo submeteram a senhorita Bergeron a todas as humilhações e terrores imagináveis. Espancaram-na, torturaram-na; transformaram sua bonita casa de fazenda num bordel. Mas a mulher silenciosa, altaneira e digna – sempre bem-vestida e limpa – mostrou ter a coragem de uma leoa. Quando perceberam que não tirariam nada dela, os alemães se voltaram para sua tia de 80 anos de idade. Uma noite, arrancaram a octogenária da cama e forçaram-na a dançar para eles de camisola. Ela morreu em consequência do choque.

Mesmo assim a senhorita Bergeron não falou. No máximo, esses ultrajes a tornavam mais forte.

Mas, em meados de setembro de 1944, as forças da Waldfest caíram sobre um de seus alvos principais: o guarda-caça Albert Freine. Se a Gestapo conseguisse dobrar Freine, as consequências seriam inimaginavelmente desastrosas para o SAS. Freine sabia tudo o que havia para dizer. Quando as chuvas do outono cinzento desceram sobre os Vosges, a Gestapo procurou a esposa do guarda-caça. Por vinte e quatro horas ela foi espancada, violentada e interrogada. Sabia quase tanto quanto o marido – mas não falou.

A Gestapo a levou para a floresta. Com a arma apontada para a cabeça dela, perguntaram-lhe onde era "a base dos paraquedistas britânicos". A mulher passou tão perto da base, cuja localização conhecia muito bem, que Sykes avistou o grupo conduzido por ela. Contudo, de algum modo, a sra. Freine conseguiu convencer a Gestapo de que era uma mulher simples e ignorante, e de que seu marido também não passava de um pobre *garde-chasse*. Eles a soltaram, mas, como advertência, destruíram a casa dos Freine.

Albert Freine não cedeu, ostentando sempre seu ar de desafio tácito. "A morte, para mim, é uma ninharia!", disse a Sykes. "Eu, prisioneiro? Nunca! Ainda que o golpe mortal seja desferido por minha própria mão!" Sykes acreditava nele. A fanfarronice de Freine escondia um coração de ferro.

O clima outonal nos Vosges revelou-se frio demais para a estação. Com os ataques intensificados da Waldfest e o tempo piorando, estava difícil para os homens da Operação Loyton conservar o ânimo e o moral. Um manto de névoa estendeu-se sobre as montanhas, tornando o reabastecimento pelo ar terrivelmente difícil. Vários precisaram ser cancelados e a força de Franks ia ficando rapidamente sem munição, explosivos e comida.

Um relatório sobre a Operação Loyton resume a quantidade de problemas que os homens de Franks enfrentavam. "O mau tempo e as condições que impedem os voos, impossibilitando o envio de suprimentos, além de dificultar a escolha de uma zona de lançamento livre da supervisão inimiga nesse terreno impróprio... aumentam as dificuldades da operação."

Quando chovia, e agora chovia muito, os homens tinham de se enfiar em seus sacos de dormir cobertos da cabeça aos pés com capas impermeáveis para passar as horas escuras e úmidas da noite. Molhados, os sacos se tornavam imprestáveis e era quase impossível secá-los. Os macacões de paraquedista — perfeitos para o salto, por serem de algodão e aquecer quando fazia bom tempo — ficavam encharcados com a chuva incessante.

Fazia cinco semanas que a vanguarda do capitão Druce se encontrava em terra, numa missão concebida inicialmente para durar três no máximo. Calculara-se que, nesse prazo, o 3º Exército de Patton romperia as defesas alemãs e chegaria aos Vosges. Infelizmente, havia poucos indícios de que isso aconteceria logo e, à medida que o tempo piorava, o avanço de Patton parecia cada vez menos provável.

Um relatório de inteligência da Operação Loyton enviado a Londres deixa bem clara a situação: "Os vales começam a ficar muito encharcados e provavelmente não darão passagem a caminhões e tanques. No local, costuma-se dizer: 'Quando começa a chover aqui, chove sem parar'. De fato, o aguaceiro às vezes dura uma semana inteira, com poucas pausas muito breves. Os riachos, avolumados pelas chuvas, transbordam..."

"Não foi um período agradável", observou o capitão Druce, que normalmente não se queixava de nada. "Acho que os piores momentos eram quando estávamos molhados, sujos, exaustos e sem nenhuma esperança de deitar numa cama quente... Sempre tentando adormecer sob algum tipo de coberta, quase nunca um saco de dormir ou coisa parecida. Setembro, naquela área, pode ser tremendamente frio à noite. É nessas horas que o moral cai bem baixo, quando se quer dormir e não se dorme... Um frio dos diabos, estávamos molhados sem poder nos secar e com certeza famintos, pois tínhamos períodos em que realmente não havia muita coisa para comer."

Nessas circunstâncias, receber "encomendas de consolo" – recipientes especiais com cartas de casa, chocolate, cigarros e bebidas – tinha enorme significado para os homens em terra. Além de representar sucessos contra o inimigo, as encomendas aumentavam em muito o moral de todos. Infelizmente, o quartel-general do SAS encontrava dificuldades para proporcionar esse consolo a seus homens tão sofridos.

A alfândega britânica havia muito alegava que não podia permitir o envio de grandes suprimentos de cigarros e bebidas às unidades do SAS em ação atrás das linhas inimigas. Seu raciocínio, aparentemente, era que esses homens receberiam as mercadorias isentas de taxas aduaneiras e não tinham endereço oficial do exército fora do Reino Unido.

Em meados de setembro de 1944, o quartel-general do SAS estava prestes a vencer essa batalha burocrática, mas então o mau tempo se instalara de vez nos Vosges. Três bombardeiros pesados de quatro motores Handley Page Halifax tinham sido designados para dar apoio permanente à Operação

Loyton, na tentativa de não deixá-la sem o necessário. As "encomendas" deveriam ser lançadas aleatoriamente, de modo que, se umas poucas fossem recuperadas, os homens ainda gozariam de algum alívio para seus espíritos abalados.

Tais contratempos podem parecer insignificantes numa ocasião em que os soldados estavam sendo perseguidos por uma força tão formidável quanto a da Operação Waldfest; mas, se eles não conservassem o moral, estariam perdidos – e Franks sabia disso muito bem. Por sorte, ele estava na iminência de receber algo capaz de elevar o moral dos homens mais que qualquer outra coisa.

Algo que mudaria o jogo em termos da capacidade de seus homens de fazer a guerra nos Vosges.

CAPÍTULO 11

────────── ✳ ──────────

A Operação Loyton nunca havia sido concebida como uma missão a ser executada apenas por soldados a pé. Nos desertos do norte da África, o SAS aprendera a importância crucial da mobilidade – em termos tanto de atacar o inimigo rápida e impetuosamente, com poder de fogo adequado, quanto de escapar sem dificuldade. Esse método era fundamental para a guerra de guerrilhas em terra.

O jipe americano vinha a propósito para isso. Designado como "caminhão, utilitário, 4×4, M38", era um veículo *general-purpose* (GP), "polivalente" – daí seu apelido: GP ou *jeep*. Sólido, confiável, relativamente veloz e fácil de manobrar, o M38 parecia ter sido projetado para as operações do SAS. Despojado de "acessórios" – inclusive para-brisa, grade de radiador e para-lama dianteiro –, o jipe carregava combustível, água, armas e munição suficientes para o tipo de incursões de longa distância que se tornariam a marca registrada do Regimento.

Graças à sua ampla visibilidade, esse veículo aberto também servia muito bem para as missões de patrulha. A maioria era equipada com uma Vickers "K". Essa metralhadora leve de tiro rápido – calibre .303 polegada – podia despejar um fogo arrasador, sobretudo quando carregada com uma mistura de balas convencionais, balas antiblindagem e rastreadores.

Eram geralmente instaladas aos pares e um jipe podia levar até cinco Vickers (com uma montada separadamente). Assim provido, o SAS, apoiado pelo Long Range Desert Group (LRDG), percorreu o deserto norte-africano em missões de reconhecimento, captura e sabotagem, atacando linhas de suprimento, depósitos de combustível, aeroportos e armazéns de munição. Em setembro de 1942, foi lançada sua missão talvez mais celebrada: a Operação Caravan.

Dezessete veículos com setenta e sete homens cruzaram quase 2 quilômetros de deserto, fustigados pela areia. Chegados a seu objetivo – a cidade líbia de Barce, em mãos dos italianos –, a patrulha se dividiu. Metade atacou o acampamento inimigo e a outra, o aeroporto. Neste último, cerca de trinta aviões – principalmente bombardeiros de três motores da força aérea italiana – foram atingidos. Em outra missão similar, vinte aviões acabaram destruídos num ataque relâmpago.

Os Vosges foram escolhidos como área "ideal" para as operações do SAS porque, em teoria, o terreno montanhoso e selvagem se prestava às missões conduzidas em jipes. Se pudesse dispor desses veículos, o coronel Franks achava poder revolucionar a guerra que estavam travando ali. A terceira semana de setembro foi fria, úmida e cortante, mas mesmo assim o coronel do SAS insistiu várias vezes em agendar um lançamento; o tempo cada vez pior, no entanto, fez abortar todas as tentativas.

Um relatório do capitão T. Burt, intendente do 2 SAS no Reino Unido, dá uma ideia dos problemas encontrados para reabastecer a força Loyton. "As condições atmosféricas estavam contra nós e o avião teve de ser chamado de volta quando sobrevoava o Canal. Mesmo aqui a névoa estava tão baixa que a carga precisou ser despejada nas imediações do aeródromo."

Na base de Basse de Lieumont, Franks se sentia duplamente frustrado. Nos últimos meses, aperfeiçoara-se uma técnica para lançar jipes de avião em áreas remotas como os altos Vosges. O Agrupamento 38 da RAF – uma unidade com mais experiência em lançamento de tropas aerotransportadas – recebera a delicada incumbência de desenvolver e aperfeiçoar o processo. Instalado numa "gaiola" de metal especialmente projetada, o jipe podia ficar suspenso da viga principal de um bombardeiro pesado

Halifax, meio escondido em seu compartimento de bombas. Uma vez solto, descia atado a quatro paraquedas de dois metros de diâmetro, um em cada canto do veículo.

Pelo menos, essa era a teoria. Na prática, se o jipe volteasse, as cordas se enroscariam umas nas outras; e, se um dos paraquedas não se abrisse, o pouso seria um desastre. As gaiolas eram vitais para amortecer o impacto. As rodas da frente e de trás ficavam protegidas por invólucros projetados para amortecer o choque. As metralhadoras Vickers, desmontadas, iam em segurança dentro do veículo.

Colocavam-se os quatro paraquedas dentro de "valises" acomodadas no banco de trás do jipe. Após o lançamento, uma linha fixa presa ao Halifax abria as valises e os paraquedas saíam. Uma pequena carga explosiva detonava após o pouso, cortando as cordas dos paraquedas e deixando o veículo livre. Então, com mais facilidade, os homens recuperavam o veículo e partiam rapidamente.

Na primeira operação – lançamento de jipes para as equipes do SAS logo depois do Dia D –, cerca de 50% dos veículos se perderam. O coronel Franks esperava um resultado melhor nos Vosges e rezava para que o tempo melhorasse. Seis jipes lhe seriam entregues, o que permitiria à metade de sua força empreender missões motorizadas e bem armadas.

Enquanto isso, as missões a pé continuavam.

A 17 de setembro, o major Peter Lancelot John Le Poer Power finalmente chegou à base do coronel Franks. Para isso, ele e seus homens haviam percorrido dezenas de quilômetros de terreno hostil e montanhoso, evitando os predadores da Waldfest e rastreando a força principal do coronel, a partir de Pierre-Percée, por inúmeros lugares, sempre parecendo que estavam a um passo de alcançá-la.

"Embora marchasse para leste, na tentativa de fazer contato com o capitão Druce, ele permaneceu fora de alcance por quatro semanas", diz o diário de guerra sobre o major Power e seus homens. Durante esse tempo, o major do SAS não ficara inativo e não perdera uma oportunidade sequer de atacar o inimigo. O mesmo se pode dizer do coronel Franks e sua força principal, a despeito das condições cada vez piores.

Justamente no dia da chegada do major Power ao quartel-general do SAS em Moussey, Druce tinha saído em missão. Soubera que quatro trens carregados de tanques haviam ficado parados na estação de St. Dié, a 12 quilômetros de seu acampamento em Basse de Lieumont. Enviou uma mensagem dando as coordenadas ao quartel-general das Forças Especiais, requisitando um ataque da RAF contra eles.

No dia seguinte, foi encarregado de perseguir dois agentes da Milícia – o grupo francês pró-nazista – de origem "árabe" (com toda a probabilidade, argelinos). Em outra seção do diário de guerra da Operação Loyton originalmente censurada, Druce relatou: "Conseguimos cercá-los após considerável dificuldade e eliminá-los". De novo, tentou-se disfarçar a rude solução dada por Druce e seus homens ao caso daqueles que poderiam trair o SAS ou, de qualquer modo, pôr em risco sua missão.

Outra unidade de sabotagem de Franks havia explodido, na ferrovia de Celles a Allarmont, um trem que levava suprimentos vitais para a frente de combate. Essa mesma unidade tentou emboscar um carro do estado-maior alemão usando uma bazuca americana – de novo, mirando os comandantes inimigos. A granada atravessou o veículo sem explodir, mas pelo menos conseguiu pará-lo.

Essas missões, entretanto, estavam se tornando cada vez mais perigosas; os homens do SAS precisavam mesmo era de velocidade e poder de fogo. Na noite de 19 de setembro, teriam isso finalmente. Para guiar o Halifax até a zona de lançamento escolhida, o coronel Franks contou com a ajuda de um novo equipamento: um farol aéreo Eureka, projetado para "guiar" aviões em voo cego no meio de nuvens e neblina cerrada.

Mais apropriadamente conhecido como "Radar transponder Rebecca/Eureka", consistia de um sistema de receptor e antena (o Rebecca) que o avião usava para interceptar um sinal enviado pela unidade Eureka instalada no chão. O Rebecca calculava o alcance e a posição do Eureka com base no tempo e na direção do retorno do sinal. Tinha alcance de 70 quilômetros em boas condições atmosféricas e, mesmo com nuvens e em vegetação densa, podia ser detectado a até 8 quilômetros de distância.

Na noite de 18-19 de setembro, o Eureka do coronel Franks iria ser posto à prova. E, também, os habitantes de Moussey, que vinham sofrendo havia tempos.

A única zona de lançamento possível, ainda não sob controle inimigo, era um pequeno campo nas imediações da aldeia de Moussey, ao norte, resguardado pela floresta. Mais para o norte ainda, erguia-se a cordilheira de 700 metros de altitude que domina o horizonte de Moussey, quase sempre envolta em névoa cinzenta e chuva. Ao sul e a leste, surgem mais picos e cadeias – Côte du Mont, Côte des Chênes, Le Roitelet – de altitude similar.

As tripulações da RAF teriam de descobrir um trecho de relva de menos de 150 m^2, espremido entre picos altos e ameaçadores por todos os lados. Já seria uma façanha levar os Halifaxes até lá, quanto mais sobrevoar o local várias vezes, a 300 metros de altura, para atirar suprimentos e jipes em paraquedas.

Os aldeões de Moussey sabiam que um *parachutage* (lançamento por paraquedas) iria ocorrer e que o SAS precisava de voluntários para recuperar as cargas e afastar-se o mais rápido possível. Apesar dos riscos, eles apareceram de todos os lados, conduzidos pelos guerrilheiros encanecidos de Étienne.

Segundo o capitão Druce, que trabalhou de perto com os *maquis* de Étienne, "ele e seus trinta homens eram de primeira classe. O próprio Étienne era realmente um ótimo líder".

Naquele noite, Étienne se superou. Toda a população de Moussey parecia avançar sobre a relva iluminada pela lua, desprezando o fato de haver tropas alemãs acantonadas a pouco mais de um quilômetro dali. Tamanha demonstração de solidariedade por parte dos aldeões ajudou a reerguer visivelmente o ânimo dos homens do SAS, que perceberam quanto a boa gente dos Vosges estava se esforçando. Isso emocionou muitos deles.

Como era de esperar, Étienne e seus homens haviam trazido uma grande quantidade de garrafas de *eau de vie*, uma aguardente destilada na região, para "aguentar o frio e a umidade". Saudavam amigos e familiares em meio às trevas que cobriam a zona de lançamento, passando as garrafas de mão em mão.

Não havia nada que os britânicos pudessem fazer para acalmar os ânimos, ainda que o quisessem. A certa altura, Chris Sykes advertiu Étienne de que o barulho realmente tinha de cessar. O chefe dos *maquis* concordou sem discutir.

"*Silence!*" Sua voz ecoou por todo o campo. "*Tais-toi! Un peu de discipline ou je te claque!*" (Silêncio! Cale-se! Um pouco de disciplina ou eu te bato!)

Essa ameaça foi recebida com aplausos acalorados.

Mas, ao primeiro ruído dos motores dos aviões que se aproximavam, a zona de lançamento acalmou-se. Um silêncio cheio de expectativa pairou enquanto os homens agitavam suas tochas. O primeiro Halifax respondeu, começando a descrever círculos em baixa altitude. Quando os primeiros paraquedas se abriram, os aldeões bradaram: "*Ce sont des hommes! Ce sont des conteneurs! Ce sont... un jim!*"

Homens (*hommes*) e recipientes (*conteneurs*) eles esperavam, mas ver o primeiro *jim* (jipe) baixando para a terra sob seus quatro paraquedas era um espetáculo verdadeiramente miraculoso. À medida que cargas pousavam com um estalido de galhos quebrados e um jipe solitário vogava para leste, figuras disparavam em todas as direções para pegar o material de guerra.

Instantes depois, a voz de Étienne se fez ouvir novamente: "*Mon Colonel! Ici il-y-a un jim suspendu dans les arbres!*" (Meu coronel! Há aqui um jipe pendurado das árvores!).

Depois do segundo e do terceiro sobrevoo da aeronave, os repetidos lançamentos mergulharam o campo no caos. Gente corria de cá para lá, procurando cargas perdidas. O barulho de marteladas ecoava enquanto os recipientes eram abertos, alcançando o vale até então silencioso. E, na extremidade norte da zona de lançamento, uma serpente humana podia ser vista coleando em direção à floresta, rumo à base do SAS, cada figura semelhante a um formiga encurvada ao peso de seu volumoso fardo.

Por fim, o cansaço matou a discrição. Os gritos de Étienne e seus homens foram ficando mais e mais descontrolados enquanto eles procuravam as cargas que haviam caído no meio do bosque. Figuras exaustas se arrastavam morro acima sob o quarto ou quinto fardo. E, numa das extremidades da zona, o primeiro dos valiosos jipes era equipado com armas pesadas.

Seis jipes eram esperados, mas só três foram lançados devido às condições de voo adversas. Desses, um deles pousou intacto bem no centro da zona. O segundo se desviou um pouco, indo parar num vale lateral. E o terceiro mergulhou nas profundezas da mata, onde ficou preso em galhos num ângulo bizarro e perdeu todo o seu combustível.

Lou Fiddick foi tentar recuperá-lo. "Gente não faltava. Muitos franceses me ajudaram a salvar o jipe... Por fim conseguimos descê-lo, mas com a maior dificuldade... O pior foi nos livrarmos do paraquedas, para que os alemães não soubessem de nossa presença ali. Estava todo enroscado nos galhos."

Quando o primeiro jipe subiu a trilha sinuosa que levava à base de Basse de Lieumont, a porta de uma casa isolada se abriu e uma refeição quente foi oferecida aos soldados famintos.

Todas as aldeias sabiam dos *droppages* (lançamentos). E poucos habitantes de Moussey ignoravam onde o coronel Franks havia montado seu novo quartel-general. Mas, coisa incrível, ninguém na aldeia pensou em denunciar a força britânica.

Os jipes estavam seguros no meio da mata espessa e acidentada; porém, havia muita coisa a fazer para pô-los em ordem. Era preciso limpar e experimentar as armas, pois, besuntadas de graxa, haviam sido colocadas na traseira dos veículos. Os tambores tinham de ser recarregados, já que parte da munição se sujara. O jipe que tinha caído sobre as árvores precisava ser reabastecido e seus freios, consertados.

Com o primeiro dos veículos pronto, o coronel Franks estava apto a lançar ataques rápidos pela área mais extensa possível dos Vosges. Fazendo isso, esperava dar a impressão de que a vanguarda americana rompera as linhas alemãs. Tais operações lançariam o pânico e a confusão entre as tropas inimigas, contribuindo assim para quebrar sua resistência.

Essa, pelo menos, era a teoria, amparada por uma mensagem que acabara de chegar. "Ficamos sabendo que os americanos provavelmente estariam em nossa área no dia 19", escreveu o coronel Franks no diário de guerra. "Então, resolvi desdobrar minhas forças da seguinte maneira..."

Duas patrulhas de seis homens a pé se encarregariam de acossar o inimigo. O resto do grupo – menos alguns elementos que permaneceriam no quartel-general – embarcaria nos jipes sob o comando direto de Franks e iria ao ataque.

No dia 19 de setembro é que haviam chegado os primeiros jipes. Se as informações estavam corretas, então as forças americanas já estariam às portas de Moussey. Era, pois, o momento de desfechar uma ofensiva às claras. Franks pediu que seus homens se preparassem para a iminente irrupção americana e ficassem atentos para não disparar contra seus próprios aliados.

Mas, se houve alguma ruptura, havia sido na inteligência ou nas comunicações – muito provavelmente em ambas. Depois de um rápido avanço nos últimos dias, as forças do general Patton tinham parado novamente. No momento, ao final da terceira semana de setembro, os tanques, os transportes de tropas, os caminhões e os canhões autopropelidos do 3º e do 7º Exércitos não estavam indo a lugar nenhum, pois a resistência na encosta ocidental dos Vosges revelou-se bem mais feroz do que os comandantes aliados haviam previsto.

"Ao que parece, os alemães pretendem evitar a todo custo nossa passagem pela crista dos Vosges", registra um documento do 7º Exército americano. "Elaboraram um plano de fortificações... Milhares de jovens da *Hitlerjugend* e adolescentes alsacianos de 12-15 anos, convocados à força, foram postos a trabalhar nas primeiras defesas".

A Organização Todt – uma conhecida empresa de "engenharia civil" com o nome de seu fundador, o velho nazista Fritz Todt – supervisionava as obras nos Vosges. Em setembro de 1944, essa firma dispunha de 1,4 milhão de trabalhadores forçados sob seu controle, dos quais 1% eram alemães que não tinham sido aceitos no serviço militar, 1,5% prisioneiros dos campos de concentração e o resto prisioneiros de guerra e trabalhadores compulsórios de territórios ocupados, inclusive crianças.

"Numerosas peças de artilharia foram trazidas", prossegue o relatório do 7º Exército americano. "Todas as pontes e passarelas sobre o Meurthe estão minadas. Guardas vigiam esses pontos dia e noite. Todas as vias que cruzam o Meurthe foram... cortadas transversalmente em dois e às vezes em três lugares por trincheiras largas e profundas cobertas com pranchas de madeira, formando assim uma barreira antitanque. E até as pontes secundárias estão minadas e vigiadas.

Novas tropas perfazendo três divisões – uma blindada, uma motorizada e uma de infantaria – chegaram ao setor. O tráfego ocorreu quase exclusivamente à noite, com grande quantidade de homens, material e suprimentos. A presença de tanques pesados (Panteras e Tigres) indica que os alemães não permanecerão na defensiva, mas aproveitarão qualquer oportunidade para atacar."

No final de setembro de 1944, os exércitos de Patton se defrontaram com mais um inimigo além das defesas erigidas ao longo dos Vosges. Durante semanas após o Dia D, uma extraordinária iniciativa americana mantivera as colunas blindadas sequiosas de combustível em movimento. O Expresso Red Ball – essas palavras, *red ball*, são usadas pelos ferroviários para designar algo que precisa andar depressa – consistia num sistema de comboios de caminhões concebido para manter de qualquer maneira os suprimentos em trânsito.

Rotas prioritárias com o símbolo Red Ball foram reservadas por toda a França libertada, todas abertas unicamente para o tráfego militar. Cerca de seis mil caminhões com o mesmo símbolo, em obediência ao lema do Red Ball – "Sempre em movimento!" –, circulavam dia e noite, indo e vindo das linhas de frente.

Mas, num dia normal de operações, as forças de Patton consumiam nada menos que oitocentos mil galões americanos de combustível. No final de setembro de 1944, nem os caminhões do Red Ball conseguiam mais reabastecê-las.

Na arrancada final para os Vosges, as tropas de Patton precisaram parar devido à falta de combustível. No entanto, por algum motivo – talvez a onipresente "neblina de guerra" –, o coronel Franks e seus homens não tinham sido alertados para esse problema. Ao contrário: informaram-nos de que a cavalaria americana surgiria nos montes a qualquer momento.

"A ligação entre os diferentes ramos da inteligência era reconhecidamente precária", observou Chris Sykes. "Assim, segundo as instruções que recebemos, devíamos nos preparar para um avanço que, na verdade, havia sido cancelado."

De fato, as forças de Patton só cruzariam os Vosges mais de um mês depois. E nesse ínterim, o coronel Franks e seus homens ficariam às voltas com uma guerra solitária e unilateral.

CAPÍTULO 12

———— ✳ ————

ÀS SEIS HORAS DA TARDE DE 21 DE SETEMBRO, o coronel Franks partiu da base "bandida" do SAS para sua primeira incursão em jipe. Franks dirigia o primeiro veículo, com o major Power servindo-lhe de artilheiro na frente e Roger Souchal de guia. O tenente Dill ia ao volante do segundo jipe, com três artilheiros inclinados sobre as duas temíveis metralhadoras Vickers.

Em meio à escuridão, atravessaram a aldeia de Moussey, viraram à esquerda e depois à direita, tomando um caminho estreito, sinuoso, talhado nas colinas. Dirigiam-se para La Petite Raon e Vieux-Moulin, onde a vanguarda de Druce descera de paraquedas. Haviam recebido informações de que os alemães tinham uma unidade de tanques posicionada na floresta e o coronel Franks não estava disposto a deixar escapar esse valioso alvo.

O rastro inconfundível das esteiras dos tanques Tigre alemão era visível na estrada para Vieux-Moulin. O Tigre era um monstro de 55 toneladas provido de um assustador canhão de 88 mm, metralhadoras de 7,66 mm e uma blindagem de 120 mm. O armamento que os jipes carregavam não poderia sequer arranhar esses tanques, a menos que os homens do SAS chegassem suficientemente perto para jogar uma bomba Gammon pela abertura da torre ou cobrir o veículo de granadas.

O coronel Franks fez uma parada em Vieux-Moulin para obter informações dos moradores. Soube então que cinco Tigres estavam estacionados nas vizinhanças, ocultos na mata. A única maneira de atacar aqueles tanques formidáveis seria emboscá-los quando estivessem indefesos – com os motores desligados e a equipagem desatenta. Se os homens de Franks conseguissem matar ou dispersar um número suficiente de tripulantes, poderiam aproximar-se e explodir sua blindagem.

O coronel Franks e o major Power se embrenharam nos bosques para fazer um reconhecimento a pé e ver se seria possível atacar os Tigres por trás. Escondidos atrás das árvores, perceberam o que parecia ser um grupo de sentinelas alemãs e a silhueta de um tanque bem camuflado. Um som de marteladas ecoava pela mata escura. Aço contra aço: as equipagens dos tanques deviam estar fazendo neles alguns reparos. Aqui e ali, brasas de cigarros eram vistas entre as árvores.

Os dois comandantes do SAS voltaram aos jipes. Orientados pelo que haviam visto, viraram os dois veículos na direção de onde o primeiro Tigre devia estar estacionado. Os jipes se arrastaram por uma trilha da floresta, movendo-se o mais lentamente possível para não denunciar sua aproximação. Quando chegaram a cem metros da posição alemã, pararam com as armas apontadas na linha dos faróis dianteiros acesos.

Com aquela iluminação, esperavam surpreender os movimentos dos tripulantes quando reagissem ao facho súbito e ofuscante. Sem dúvida, pensariam tratar-se de camaradas seus, pois a própria ideia de soldados britânicos vagando pelos Vosges naquele momento lhes pareceria absurda.

Os dois faróis varriam a escuridão. Atrás, sem ser vistas, figuras se inclinavam sobre suas Vickers, na expectativa. Por duas vezes a força de Franks repetiu essa manobra, mas em nenhuma se observou movimento entre as árvores ou uma resposta qualquer. A equipagem do Tigre não dava sinal de vida: parecia ter desaparecido.

Por fim, não restou ao coronel outra opção a não ser dar a ordem de retirada. Precisavam deles na zona de lançamento de Moussey. Uma segunda remessa estava marcada para aquela noite, com mais três jipes que completariam o número de seis pedido pelo coronel do SAS.

Ao sair, Franks tomou nota da posição dos Tigres. Pediria pelo rádio, ao quartel-general das Forças Especiais, um ataque de bombardeiros da

RAF contra o trecho de floresta onde os tanques pesados estavam escondidos. Voltaram então à zona de lançamento de Moussey e receberam os três jipes restantes, sem grandes dramas ou incidentes. Agora, o coronel do SAS dispunha de veículos suficientes para tornar sua força verdadeiramente móvel.

Ao anoitecer do dia seguinte, os homens da Operação Loyton removeram a camada de galhos com que haviam camuflado seus jipes e partiram em comboio. Seis veículos com vinte e um soldados saíram de sua base secreta, motores roncando e latarias estalando enquanto desciam a trilha áspera e lamacenta. Rumaram para o sul, em direção a Moussey, com a fumaça densa do diesel se enovelando pelo ar frio e úmido.

O coronel Franks dirigia o primeiro veículo, com o cabo Kubiski servindo-lhe de artilheiro na frente, o soldado Mason de mecânico e Chris Sykes de navegador e artilheiro na parte traseira. O tenente David Dill comandava o segundo jipe, com o sargento de esquadrão major "Chalky" White encarregado das Vickers frontais e o cabo Austin posicionado como artilheiro atrás. O major Peter Power e o capitão Druce dirigiam os dois veículos seguintes, cada qual com seu próprio grupo de artilheiros e operadores de rádio.

"Os seis jipes partiram juntos às 17h, cruzaram o vale em direção a Moussey e se dirigiram para os bosques de Celles", registrou o coronel Franks no diário de guerra. "Paramos para a noite em V 447841."

Na manhã seguinte, o coronel Franks dividiu sua força em três unidades. Enviou dois jipes sob o comando de Druce para reconhecer a estrada de Moyenmoutier, uma cidade cerca de 30 quilômetros a oeste de Moussey. O major Power, com outros dois jipes, rumou para o norte, a fim de vistoriar a principal rota de suprimentos que atravessava o vale de Celles, enquanto o coronel Franks ficava com os dois últimos veículos.

O grupo do major Power foi o primeiro a atacar. Chegou à estrada que atravessa o vale de Celles, detendo-se na encruzilhada principal. Era um ótimo lugar para emboscadas, pois todo o tráfego teria de parar ali para esperar passagem.

153

Entraram numa clareira onde os jipes ficariam escondidos no mato baixo, mas com as Vickers livres para atirar, e desligaram os motores. Esperaram, com as sete metralhadoras de tiro rápido .303 polegada mirando a estrada e uma Bren de reserva.

O major Power passara a maior parte daquele mês terrível tentando juntar-se ao resto da Operação Loyton nas profundezas dos Vosges. Inclinado sobre as duas Vickers da frente, de olho na alça de mira acima dos tambores de munição da metralhadora, sentia que agora toda a sua persistência seria recompensada.

Ouviu-se o ruído de um motor. O motorista diminuiu a marcha ao se aproximar da encruzilhada. O major Power contraiu os músculos. O veículo vinha do leste, em direção a Raon l'Étape, a 8 quilômetros dali. Só podia ser o inimigo, pois os habitantes locais só podiam viajar a cavalo ou em carros de bois durante os quatro longos anos da ocupação.

Uma capota fina e elegante surgiu na curva, lustrosa e faiscando à luz da manhã. Um carro de passageiros apareceu, com uma cruz negra superposta a uma branca impressa na porta da esquerda – o símbolo da Wehrmacht. Os dedos do major Power se crisparam nos gatilhos das Vickers.

Agora.

Mirou bem o veículo que se aproximava. Este diminuiu a velocidade para apenas uns 15 quilômetros antes de chegar à encruzilhada, tornando-se um alvo quase estático. Mas nesse momento o major do SAS ouviu o som de outros veículos que vinham da mesma direção. Seu coração deu um salto. Inacreditavelmente, outro carro apareceu na curva. Estava sem nenhuma dúvida viajando em comboio com o primeiro.

O major Power deixou que o carro da frente se aproximasse de sua posição. Postados atrás das árvores e mergulhados na sombra, ele e seus homens não podiam ser vistos da estrada. Mirando o primeiro veículo com suas duas metralhadoras, fez sinal aos outros para atirarem no segundo. E então, como num passe de mágica, um terceiro carro contornou a curva – grande e brilhante, pedindo para ser alvejado.

Quais eram as chances? Na primeira emboscada com jipe nos Vosges, três veículos cheios de oficiais alemães haviam se deparado com os homens do SAS, mais parecendo carneiros indo para o matadouro.

O ruído mais possante de um motor a diesel alertou o major Power da aproximação de um quarto veículo. A "cauda" do comboio era nada menos que um transporte de tropas do exército – sem dúvida, a escolta dos oficiais que iam na frente. O major do SAS calculou que o primeiro carro poderia ser atingido antes que o caminhão chegasse ao alcance dos tiros.

Conteve o fogo até o último instante. Seus homens só disparariam quando ele disparasse, de modo que não eram necessárias ordens de comando. Quando o primeiro veículo ia dobrar a curva seguinte e desaparecer de vista, o major Power acionou o gatilho. As duas metralhadoras cuspiram fogo, os primeiros projéteis levando apenas um quinto de segundo para cruzar os duzentos metros entre seu jipe e o carro.

Balas atravessaram a carroceria e estraçalharam vidros. O major Power manteve o dedo firme no gatilho enquanto, à sua volta, as Vickers rugiam furiosamente. Girando os canos no ponto de apoio, alvejou o veículo da capota aos pneus com uma devastadora barragem de fogo. Quando esvaziou os dois tambores de sessenta tiros, nada mais se movia no carro atingido.

Em questão de segundos os três automóveis pararam. Todos estavam perfurados como peneiras. O major Power estendeu a mão, retirou os tambores vazios e substituiu-os. No momento em que esvaziara metade deles, o carro da frente era uma sucata irreconhecível, acaçapado na pista sobre os pneus furados e com chamas saindo da parte de trás estraçalhada.

Balas explosivas tinham penetrado no tanque. A qualquer instante o carro pegaria fogo. Os outros dois veículos e o caminhão não estavam em situação melhor. Apenas uma figura emergiu da fumaça e foi logo abatida pelo atirador que manuseava a Bren. O major Power ordenou o cessar-fogo.

Cerca de dois mil projéteis haviam sido disparados contra os veículos, muitos a curta distância, fazendo em pedaços os automóveis e o caminhão. No silêncio que se seguiu, o ruído de motores que se aproximavam podia ser claramente ouvido. O segundo jipe do SAS estava em posição um pouco mais alta que o primeiro e o atirador da corroceria deu o alarme. Na esteira dos veículos atingidos ele tinha avistado mais quatro caminhões e talvez outros viessem atrás.

O major Power concluiu que tinham se saído bem. No entanto, o elemento surpresa agora estava perdido e era tempo de empreender a retirada. Baixou a arma, ligou o motor do jipe e partiu à frente do outro numa corrida desabalada pelas montanhas, em direção a seu esconderijo na floresta. Conforme soube depois, vinte e cinco caminhões seguiam os carros; o major Power se retirara bem a tempo.

Atrás deles, uma coluna de fumaça oleosa subia da estrada do vale de Celles, onde quatro veículos eram consumidos pelas chamas. A caminho do esconderijo, o major Power se encontrou com o coronel Franks e deu-lhe as boas notícias: três automóveis alemães destruídos. Os dois jipes do capitão Druce também chegaram em segurança. Druce, por seu turno, entrara em ação, embora não com tanto êxito.

Além de requisitar todos os veículos motorizados, os alemães tomaram as bicicletas dos franceses a fim de formar patrulhas. Portanto, todo ciclista nas estradas devia ser alemão, assim como todos os veículos motorizados eram em definitivo dirigidos pelo inimigo. Ou, pelo menos, foi o que os homens do SAS pensaram. Em Moussey, contudo, havia uma exceção.

Talvez porque o usasse pouco e os alemães não tivessem percebido que ele possuía um, o prefeito de Moussey havia conseguido conservar seu automóvel... se é que se podia chamá-lo assim. Tratava-se de um velho e minúsculo Detroit Electric Brougham, que lembrava uma carruagem com um motor elétrico no lugar de quatro cavalos arreados. Concebido em 1907, foi um dos primeiros carros elétricos fabricados, com uma bateria de chumbo e ácido recarregável para uma autonomia de 130 quilômetros a 30 por hora.

Ao preparar emboscadas, sobretudo nas vias estreitas dos Vosges, havia pouco tempo para estudar o veículo que se aproximava. As decisões tinham de ser tomadas num estalar de dedos. Druce fez exatamente isso na manhã de 23 de setembro: o veículo recebeu a carga total de oito metralhadoras

Vickers. Em segundos, o Brougham deixou de existir, feito em pedaços pela barragem de projéteis e balas traçantes capazes de perfurar blindagens.

Por um verdadeiro milagre, o prefeito conseguiu rolar do carro e cair numa valeta ao lado da estrada. Ao perceber quem o atacara, agitou seu lenço branco acima do barranco. Mas Druce já se afastava com seus homens da cena da emboscada.

Já era noite no esconderijo do SAS, em plena floresta, quando Sykes soube quem tinha sido o verdadeiro alvo de Druce. Ele estava conversando com Albert Freine e chamou o coronel Franks tão logo ouviu o guarda-caça mencionar o acontecido. Freine repetiu a história com todos os detalhes e, à medida que o fazia, Franks e Sykes iam ficando cada vez mais desolados. Afinal, o prefeito de Moussey era um de seus colaboradores mais fiéis; não permitissem os céus que Druce o tivesse matado!

O relato de Freine — repleto de advertências sombrias — foi interrompido por um ruído em uma das trilhas. Uma figura foi logo avistada subindo a encosta em sua direção. Freine disse que conhecia o homem e correu ao encontro dele. Era um mensageiro do prefeito que, segundo parecia, estava bem vivo.

Enviara duas garrafas de seu melhor champanhe, acompanhadas do seguinte bilhete: *"Merci pour la salve tirée en mon honneur ce matin!"* (Obrigado pela salva disparada em minha homenagem hoje de manhã!). Da parte do prefeito, não havia ressentimentos, sobretudo porque não tinha sofrido sequer um arranhão.

As chances de emboscar o Brougham do prefeito tinham sido tão elevadas quanto as da força do major Power ao apanhar três carros alemães de uma vez só; em ambos os casos, foi um momento absolutamente fortuito — pelo menos no caso do prefeito, pois ele escapara ileso e com o humor obviamente intacto.

Mas o ataque devastador do major Power na estrada ao norte de Celles-sur-Plaine mexera num vespeiro. Não se destroem três carros cheios de comandantes alemães sem consequências graves. Em outras palavras, aquela rota estava agora fechada para qualquer ação com jipes (*jeeping*, como os homens do SAS a chamavam), pelo menos até que a poeira baixasse.

Mas o coronel Franks estava ansioso para agir. Resolveu atravessar a área pelas trilhas da floresta e contornar o local da emboscada de Power na tentativa de atingir Allarmont, situada na extremidade nordeste do vale de Celles. Assim, poderia assolar novamente a principal rota de suprimentos antes de desaparecer nas montanhas.

Marcou o caminho pelo mapa do Club Alpin de France, que os homens do SAS estavam usando. Esses mapas, produzidos pelo conhecido clube de montanhismo francês, provaram ser os mais detalhados e precisos de todos. Mas as trilhas de floresta escolhidas mal se podiam considerar transitáveis. Quando os jipes desceram após uma jornada dificílima em terreno elevado e chegaram à estrada principal, os homens perceberam que não haveria retorno.

"O caminho que escolhemos era íngreme demais para subirmos de volta", escreve o coronel Franks no diário de guerra. "A aldeia de Allarmont estava fortemente guarnecida pelo inimigo e meu itinerário levava à estrada principal a apenas uns 3 quilômetros do ponto onde o major Power havia feito sua emboscada."

Franks se encontrava agora na principal via de reabastecimento com dois jipes, incapaz de regressar e espremido entre uma aldeia cheia de soldados inimigos de um lado e o local da devastadora emboscada do major Power do outro. Sua posição era perfeita para preparar uma armadilha, mas primeiro eles precisavam definir a maior das prioridades: uma rota de fuga viável.

Franks descobriu em seu mapa uma trilha que parecia promissora. Rumaram para oeste, subindo a estrada principal, encontraram-na e fizeram seu reconhecimento por cerca de 500 metros. A trilha parecia em bom estado e por ela, certamente, os jipes podiam passar. Escolhida a rota de fuga, voltaram à via principal e se posicionaram para a emboscada. Entretanto, devem ter sido vistos, pois tiros partiram de uma casa do lado oposto da estrada.

Oito metralhadoras Vickers se voltaram naquela direção e cuspiram o inferno. Projéteis antiblindagem atravessaram as toscas paredes de pedra, abrindo buracos do tamanho de um punho nas janelas e portas. Quando o fogo proveniente dos jipes cessou, cessou também o do inimigo. Mas, no silêncio que se seguiu, os homens do SAS puderam ouvir soldados de infantaria alemães saltando de veículos dos dois lados de sua posição.

Haviam atingido seu objetivo; era hora de escapar.

Dirigiram-se para a rota de fuga em alta velocidade. Os dois jipes entraram na trilha, mas as rodas traseiras do jipe de Franks atolaram na lama. Os pneus molhados recuperaram aderência momentaneamente, antes de a traseira toda perder tração e derrapar. O jipe caiu numa vala e tombou, com as rodas girando no ar.

Por sorte, Franks e seus três homens foram atirados para fora e não se machucaram. Mas não havia tempo para endireitar o veículo. Já se ouviam na estrada os gritos dos alemães e o baque do metal das solas de suas botas.

Franks e seus homens saltaram para o outro jipe intacto e, com o tenente Dill ao volante, subiram a trilha rumo às montanhas, procurando se agarrar a qualquer chance de salvação. Os pneus reforçados rangiam no chão barrento, devorando terreno.

Apesar de terem perdido um jipe, tudo ia passavelmente bem até que, numa curva, Dill teve de frear. Adiante, a trilha estava bloqueada por troncos de árvore. Atrás, a área fervilhava de inimigos. O coronel Franks, o tenente Dill e seus homens só tinham uma escolha: abandonar o único jipe restante.

Prosseguiram então a pé, com o inimigo em seu encalço, rumo à segurança duvidosa das montanhas.

CAPÍTULO 13

———— ✳ ————

ENQUANTO O COMANDANTE DO 2 SAS e seu pequeno grupo corriam para as montanhas acima do vale de Celles, a Operação Waldfest se preparava para desfechar uma terrível represália contra os aldeões dos Vosges. Depois da aventura do tenente Marx em solo alemão, o ataque ousado do major Power foi como uma capa vermelha agitada diante de um touro. Se algo comprometia a eficiência da Waldfest era aquele punhado de paraquedistas britânicos percorrendo os Vosges de jipe e explodindo o que viam pela frente.

Agora, o SAS já estava em sua área de operações havia seis semanas, o que era tempo suficiente para a SS e a Gestapo terem acabado com ele. Mas a SS e a Gestapo falharam, embora tivessem feito bem seu dever de casa e descoberto muita coisa sobre o adversário com quem estavam lidando. Relatórios da inteligência alemã da época mostram que Isselhorst e seus asseclas conseguiram obter informações precisas sobre o inimigo.

> Com base em ordens e papéis interceptados... soubemos que a inteligência inimiga tentou infiltrar equipes e agentes isolados, além de equipar grupos da Resistência na retaguarda das atuais linhas alemãs. Nesse trabalho as tropas do SAS desempenham o papel principal, com seus agentes de espionagem especiais.

Os homens saltam providos de todo o necessário para suas incursões. Além das armas e equipamento que o paraquedista traz consigo em sua mochila, recipientes são lançados com os usuais suprimentos de comida, armas extras, munição, explosivos... O objetivo é a interrupção de linhas férreas, a explosão de pontes, o ataque a encruzilhadas e o corte de comunicações telefônicas.

Os arquitetos da Waldfest também chegaram a conhecer exatamente quem eram seus adversários nos Vosges. "Há por ora três regimentos que pertencem à 1ª Brigada do SAS", esclareceu o relatório da inteligência alemã. "O comandante da Brigada é um tal McLeod. O do 1º Regimento do SAS é o coronel Kaine. O do 2º Regimento do SAS é o coronel Franks."

O brigadeiro-general Roderick McLeod era, de fato, o comandante da Brigada do SAS. O 1º Regimento do SAS era liderado pelo coronel Blair "Paddy" Mayne — e não "Kaine", como está no relatório alemão, que entretanto passou perto. E, é claro, o "coronel Franks" comandava o 2 SAS e era, no teatro de guerra dos Vosges, o homem que orquestrava os ataques, mergulhando a região no caos.

Com base em documentos interceptados e interrogatórios de prisioneiros, o *Standartenführer* Isselhorst compreendera que estava enfrentando uma ameaça bem real. "A experiência obtida na Itália e na França mostra que membros do SAS são especialmente treinados para esse tipo de trabalho. Suas atividades são extremamente perigosas. A presença de unidades do SAS deve ser logo relatada às divisões envolvidas."

Até certo ponto, Isselhorst e sua gente exageraram o perigo representado pelo SAS nos Vosges. Cinquenta homens das Forças Especiais não poderiam causar muita confusão e prejuízo. Entretanto, justamente a incerteza e o medo de que o fizessem — o mito dos vingadores da adaga alada — eram talvez o grande trunfo desses homens na região. Milhares de soldados alemães haviam sido trazidos para debelar um punhado de agentes do SAS, o que os impedia de defender as fortalezas dos Vosges e deter o avanço de Patton.

Franks anotou no diário de guerra: "De um modo geral, os alemães parecem estar com muito medo de nós. Pelo que se diz aqui, nosso número foi tremendamente exagerado... Antes de nos descobrir na área de Moussey, eles se puseram a visitar todas as fazendas dos bosques [de Celles] e a colocar guarnições nesses locais. Quando desconfiavam de alguma coisa, destruíam a casa até os alicerces e fuzilavam os moradores".

A escolha de jipes para as operações foi um golpe de mestre. Aos olhos dos alemães, o SAS devia ser um grupo numeroso e forte, pois, do contrário, como se arriscaria a incursionar por território inimigo? Sem dúvida, apenas homens agindo a partir de uma posição de força fariam semelhante coisa. Evidentemente, o SAS era ali uma potência militar considerável – ou parecia ser.

Como Franks anotou no diário de guerra, "É absolutamente certo que a entrada em cena dos jipes espantou e irritou os alemães, obrigando-os a redobrar esforços para nos destruir".

Para os organizadores da Waldfest, nada mais óbvio que a necessidade de uma base de operações para os jipes; e nada mais óbvio também que alguns habitantes dos Vosges *deviam* saber quem eram aqueles agentes petulantes e de onde eles partiam em suas missões.

Como o SAS não foi encontrado pelos meios "normais" – patrulhas aéreas e terrestres, interceptação de sinais de rádio e interrogatórios de prisioneiros –, o punho da Waldfest estava prestes a cair pesadamente sobre os suspeitos de "abrigar" esse inimigo "extremamente perigoso". Assim, a aldeia de Moussey se tornou alvo do *Standartenführer* Isselhorst.

A primeira força da Loyton soube da terrível repressão em Moussey quando Henry Carey Druce se viu envolvido nela sem querer. Era a tarde de 24 de setembro de 1944 e o capitão voltava de jipe de La Petite Raon, aonde fora em busca de possíveis alvos. Em três lugares – La Petite Raon, Le Puid e Le Vermont – sua patrulha motorizada encontrara o inimigo, abrira fogo com as Vickers K e liquidara uma dezena de soldados alemães.

Falando das operações motorizadas de Druce, em que servia como artilheiro, Fiddick, o piloto canadense, observou simplesmente: "Seu trabalho era criar destruição – e ele criava".

Mas a tarde caía e Druce estava ansioso por voltar à base do SAS em Basse de Lieumont. Havia um motivo especial para isso: a caminho, conseguira comprar um queijo que parecia muito saboroso. Tinha quase o tamanho e a forma de um pneu de carro grande e, não sabendo onde colocá-lo, amarrou-o sobre o capô do jipe. Pareceu-lhe que isso dava a seu grupo um certo ar francês.

"Comprei-o num endereço que me deram", disse Druce, "e era bem grande. Onde, com todos os diabos, iria pôr um queijo daquele tamanho? Eu estava orgulhoso de mim mesmo e o exibi sobre o capô do jipe."

Quando os dois veículos se aproximaram de Moussey, Druce não fazia a mínima ideia de como as coisas estavam ruins em "sua" aldeia. A fim de se certificar de que passariam sem ser molestados, ele perguntou a uma mulher, nas imediações, se havia alemães nas ruas. A mulher respondeu que não. Ela mentia ou estava enganada, mas Druce jamais soube qual das duas eventualidades era a correta.

Os dois jipes entraram na aldeia, fazendo uma pequena curva antes de chegar à praça central. De repente, Druce percebeu o que os aguardava. Espremidos entre a igreja e o memorial de guerra ali erguido viam-se vários homens da SS em uniforme completo. Estavam perfilhados, ouvindo a arenga de um oficial de alta patente.

Lou Fiddick dirigia o segundo jipe, logo atrás do de Druce. "O comandante alemão reunia seus soldados quando chegamos", lembra ele. De um lado, erguia-se a escola, apinhada de civis assustados e trêmulos. A SS devia ter juntado ali os habitantes de Moussey para iniciar outra represália brutal.

"Eu não esperava encontrá-los e eles não esperavam me encontrar", comentou Druce, falando dos soldados da SS. Na frente da escola havia dois grandes mastros, com uma sentinela a postos. Esse homem foi o primeiro a avistar os jipes britânicos e levantou a arma para fazer a saudação nazista, pensando que os recém-chegados só podiam ser seus camaradas. Seria o primeiro a morrer.

Druce estava ao volante do primeiro jipe. Pisou no acelerador, lançando o veículo na direção das fileiras inimigas, enquanto seus homens empunhavam as armas e se preparavam para abrir fogo. O artilheiro que estava atrás – cabo "Boris King", na verdade um russo chamado Boris Kasperovitch – inclinou-se sobre as Vickers gêmeas e fez pontaria. Atingiu a sentinela postada diante da escola, fazendo-a saltar com a violência da rajada.

Sete Vickers cuspiram compridas línguas de fogo, as balas de .303 polegada destroçando a formação da SS a quarenta metros de distância, que diminuía cada vez mais. As Vickers K possuem uma taxa de fogo máxima de 1.200 tiros por minuto. Do jipe de Druce, foram disparados contra o alvo três tambores – 180 balas –, que varreram as linhas inimigas de uma extremidade a outra. Bastaram poucos segundos para isso e os últimos disparos foram feitos quase à queima-roupa.

A formação se desfez. Os soldados da SS haviam sido arremessados longe pela intensa barragem e os poucos sobreviventes procuravam em desespero um abrigo. No segundo jipe, o grupo de Lou Fiddick não deixou por menos, abatendo as fileiras alemãs com seus disparos.

Por um instante algumas balas zuniram ao lado do veículo de Druce: alguém estava respondendo ao fogo. Druce localizou os atiradores. A casa do prefeito era bem afastada da rua e dois alemães haviam se posicionado no teto.

Atrás e ao lado de Druce, os artilheiros estavam ocupados disparando contra a formação desfeita da SS. Só ele poderia agir. Pisou nos freios, diminuindo a velocidade, pois em marcha lenta conseguiria atirar. Empunhou a Vickers com uma só mão, girou-a no pivô, mirou os atiradores no teto da casa do prefeito e abriu fogo.

Nenhum soldado, em sã consciência, enfrenta com seu fuzil uma Vickers K. Druce viu um dos homens cair e o outro se abaixar em busca de proteção. Largou a arma, recolocou ambas as mãos no volante e acelerou o jipe para dar o fora dali. Quando dobraram à direita na extremidade da praça, haviam deixado para trás um caos sangrento e uma terrível carnificina.

Pelos cálculos de Druce, de quinze a vinte soldados da SS foram mortos ou feridos no ataque. Mas, do lado do SAS, houve uma baixa importante: o queijo.

"Quando avistamos o grupo na praça de Moussey, o queijo estava em nossa linha de tiro", lamentou Druce. "A arma que o atingiu era a do lado do motorista, do meu lado... Assim, no final, ele ficou parecendo realmente um queijo suíço!"

Enquanto os jipes se afastavam, Druce e seus companheiros tinham a esperança de que a maioria dos habitantes de Moussey houvessem se aproveitado da confusão para escapar. Quando chegaram à base da Operação Loyton, corria ali um boato sobre o que estava acontecendo na aldeia, mas os detalhes não eram claros.

"Fomos informados de que muita gente havia sido presa", contou Druce. "Mas acho que nem Brian [Franks] sabia de tudo àquela altura. Sem dúvida, todos ignorávamos que uma grande operação de captura estava sendo conduzida pelos alemães e que aquela gente toda iria ser deportada." Mesmo depois de tomar conhecimento da escala maciça das deportações, "não fazíamos ideia do local para onde os aldeões iriam ser levados ou se seriam mantidos como reféns permanentes e em quais circunstâncias".

Já o *Standartenführer* Isselhorst sabia exatamente o que esperava os 210 aldeões aprisionados em Moussey naquele dia. Não conseguindo deter os homens do SAS e os *maquis*, Isselhorst decidira soltar seus cães de guerra. Como se vê nos documentos da Waldfest da época, o objetivo da captura em massa realizada no dia 24 de setembro, um domingo, era "exterminar esse bando alarmante de terroristas" de uma vez por todas.

O *Einsatzkommando* Ernst – liderado pelo *Sturmbannführer* Hans-Dietrich Ernst, que acabava de enviar oitocentos judeus franceses para as câmaras de gás de Auschwitz – encarregou-se de tomar a dianteira nessa nova onda de repressão da Waldfest. Em todas as aldeias do vale de Rabodeau, homens aptos estavam sendo reunidos e mandados para o assustador inferno que era o *Sicherungslager* de Schirmek.

A ação começou ao amanhecer, quando o *Einsatzkommando* Ernst, com o apoio de unidades da SS e da Wehrmacht, "atacou" Moussey. Todos os aldeões que ainda não haviam sido reunidos foram arrancados de suas casas e encaminhados para a escola local. Homens, mulheres e crianças se amontoaram na praça, do outro lado da creche, onde a Gestapo instalara seu quartel-general provisório. Quem assistia à missa do abade Gassman também foi levado à força para a praça.

Nas aldeias vizinhas – La Petite Raon, Le Harcholet, Belval, Le Saulcy e Le Vermont –, incursões matinais similares estavam em curso. Em Moussey, só pela intercessão do abade e do prefeito é que os alemães não atearam fogo à aldeia e pouparam mulheres e crianças. Os dois haviam oferecido a própria vida para salvar as ovelhas mais vulneráveis de seu rebanho.

Mesmo assim, todos os homens aptos tiveram de marchar para o quartel-general da SS, situado no Château de Belval, um edifício gótico de sinistra fachada cinza localizado numa casa de fazenda confiscada, na extremidade leste do vale. Após uma noite de selvagem interrogatório supervisionado pelo comandante Ernst, todos os homens com idade entre 17 e 50 anos foram postos em caminhões e levados embora. Além dos 210 presos em Moussey, havia 309 vindos das aldeias vizinhas.

Desses 519 deportados, poucos voltariam. Seriam tragados pela *Nacht und Nebel* – a noite e a neblina.

Durante a operação em Moussey, o chefe da Gestapo falou aos aldeões, deixando claro que os alemães sabiam da presença de paraquedistas britânicos na região, os quais até a percorriam em jipes. O castigo mais severo seria infligido aos habitantes de Moussey como advertência a outros que poderiam se sentir tentados a abrigar "terroristas". Não haveria perdão.

"Mas abriremos exceções", anunciou o chefe da Gestapo. "Qualquer pessoa que der um passo à frente e fornecer informações sobre esses paraquedistas estará livre."

Todos ali sabiam onde estava situada a base do SAS. O chefe da Gestapo repetiu sua oferta – e nenhum morador de Moussey deu um passo à frente para falar.

Mais tarde, durante os interrogatórios no Château de Belval e em Schirmek, a mesma proposta foi apresentada aos homens, em circunstâncias mais discretas e indubitavelmente mais persuasivas. No entanto, mesmo sob tortura, os aldeões permaneceram firmes. Nenhuma tropa alemã chegou à base do SAS na montanha. De fato, os homens do coronel Franks continuaram operando de seu esconderijo em Basse de Lieumont e não houve o mínimo indício de que alguém os havia traído.

✳   ✳   ✳

O coronel Franks por muito pouco não conseguia chegar à base. Fugindo do inimigo pela área acima do vale de Celles, ele, o tenente Dill e sua pequena força correram para o santuário tosco, mas bem à mão, do Père George. Ficaram escondidos no celeiro do apaixonado comunista enquanto a caçada prosseguia à sua volta. Por fim a patrulha se distanciou e os homens do SAS puderam voltar ao reduto de Basse de Lieumont.

Haviam perdido dois jipes e, portanto, só lhes restavam quatro. O vale de Rabodeau onde haviam montado sua base de operações perdera, por sua vez, cerca de quinhentos habitantes, mas mesmo assim o coronel Franks não desistia. Atormentava-o, na verdade, uma sensação de culpa pelo destino dos aldeões, muitos deles inocentes, e no fundo achava que, se redobrasse esforços, o povo de Moussey seria vingado.

Escrevendo logo depois da Operação Loyton, o coronel Franks deixou bem claros seus sentimentos: "Todos os moradores de Moussey foram ad-miráveis... Em Moussey, que sempre nos acolheu bem, viam-nos sem dú-vida como a vanguarda da Força de Libertação. O fato de agora nos termos afastado da área, deixando os aldeões entregues a tamanha desgraça, não pode ser subestimado; creio mesmo que se sentirão abandonados por nós".

Imediatamente após a deportação em massa de 24 de setembro, o coronel Franks só queria uma coisa: vingança. Daí por diante, aqueles que fizeram os aldeões franceses sofrer iriam por sua vez sofrer duramente nas mãos do SAS, que esmagaria a cabeça da serpente. Nenhum oficial alemão dormiria em paz em sua cama ou percorreria tranquilo os Vosges enquanto o SAS tivesse munição para disparar.

O primeiro golpe não tardou. A 25 de setembro – um dia depois das deportações em massa –, uma das patrulhas a pé de Franks voltou à base. A força estava quase sem explosivos, especialmente estoura-pneus. Mas um operador e demolidor excelente do SAS, o tenente Silly, tinha improvisado alguns usando explosivos plásticos combinados com sinais de neblina.

Colocando-os nas principais rotas de suprimento que subiam o vale, o tenente Silly teve sorte. Dois veículos se aproximaram dos seus artefatos: e eram dois automóveis alemães. Ele não havia economizado explosivos plásticos. Os carros se partiram ao meio. Os poucos homens que escaparam da explosão foram abatidos pela Bren da patrulha quando tentavam sair dos veículos em chamas. Um caminhão que os escoltava também bateu nas minas e todos os seus ocupantes morreram.

No mesmo dia, o major Power voltou à carga e, com seus jipes, iria desferir outro golpe direto contra o alto comando inimigo. Em dois veículos, chegaram a uma encruzilhada e logo avistaram sua presa: um carro que ia de oeste para leste. Viajava a uns 100 km por hora e já estava a cerca de 500 metros de distância — no limite do alcance do tiro preciso das Vickers.

Os homens do SAS abriram fogo assim mesmo. Várias metralhadoras dispararam contra o alvo e o major Power viu os projéteis incendiários perfurarem toda a lataria do carro, envolvendo-o em chamas. O carro conseguiu fazer a curva logo adiante, mas estava todo furado de balas. ·

Agora, a Operação Loyton tinha oito automóveis em seu ativo — e queria mais. O recado estava dado: nenhum oficial alemão poderia percorrer em segurança as estradas dos Vosges.

O destino reservava mais uma chance de vingança ao major Power. Voltando de um refúgio temporário nos bosques, foi abordado por um francês local que se apresentou como um comandante *maquis* de nome Marcel. O francês tirou do bolso interno da jaqueta um maço de documentos: era a ordem de batalha (*orbat*) completa da 21ª Divisão Panzer, entregue a ele apenas dois dias antes.

A 21ª Divisão Panzer se distinguira na campanha do norte da África, onde encabeçara vários dos ataques de Rommel. De novo sob o comando de Rommel, empenhara-se vigorosamente na luta pelas cabeças de ponte da Normandia, sendo a primeira força blindada a enfrentar os Aliados no primeiro dia dos desembarques. E agora, era uma das principais unidades Panzer a tentar cumprir a ordem desesperada de Himmler para defender os Vosges.

Os documentos especificavam a estrutura de comando da divisão, seu armamento, suas posições, suas defesas mais sólidas e a distribuição de seus efetivos. Esse tipo de informação era inestimável. Com os papéis na mão, o major Power agradeceu a Marcel, subiu para o jipe e voltou imediatamente para a base de Basse Lieumont.

O relatório do coronel Franks enviado por rádio no dia seguinte a Londres reflete a importância vital daqueles documentos. "Conseguimos documentos referentes a ordem de batalha, munição, etc. [...] 21ª Panzer. 12º Regimento Panzer de Granadeiros. O documento diz 112ª Brigada Panzer possui dois Panteras, 17 PZ KW, quatro esperando cinco Panteras... Nenhuma esperança de entregar o documento a patrulhas americanas."

O "PZ KW" era o tanque Panzer IV de porte médio, a peça básica das divisões blindadas alemãs; o Pantera era seu substituto mais moderno e mais possante.

Como a mensagem de Franks deixa claro, não era possível transmitir por rádio o conteúdo de toda aquela papelada. Mas, se ele conseguisse colocar a *orbat* nas mãos do general Patton, esse lance de espionagem poderia mudar todo o jogo. Infelizmente, como o avanço de Patton fora detido, não havia por enquanto "patrulhas americanas" perto do grupo da Operação Loyton – assim, seria preciso um voluntário para levar o precioso documento, atravessando as linhas inimigas.

Só havia um candidato à altura: o capitão Henry Druce, é claro.

CAPÍTULO 14

———————— ✳ ————————

O CAPITÃO DRUCE ESTAVA FARTO de percorrer os Vosges ludibriando alemães. Adquirira o hábito de passear de bicicleta por Moussey e as aldeias próximas, em trajes civis – aproveitando para descobrir alvos potenciais. Achava que astúcia e ousadia bastavam para atravessar os postos de controle.

Certa vez, parou para beber um gole num bar cujo dono era uma de suas fontes de informação. Tinha ido ao banheiro quando ouviu uma arma sendo engatilhada do lado de fora da porta. Temendo ser apanhado, saltou pela janela. A única chance de fuga era a bicicleta de um garoto encostada a um muro. Montou nela e pedalou para longe, com balas passando rente às suas orelhas, e conseguiu escapar.

Pela anotação do coronel Franks no diário de guerra, um leitor desatento seria perdoado se pensasse que a nova missão de Druce através das linhas inimigas era um passeio no parque: "Decidi enviar o capitão Druce para fazer contato com os americanos, explicar-lhes nossa posição e entregar-lhes… os documentos interceptados que o major Power trouxe".

Druce escolheu Lou Fiddick – o piloto canadense transformado em veterano do SAS nos Vosges – para acompanhá-lo nessa missão especial. Os dois homens estavam prestes a esgueirar-se por um terreno em que dois poderosos exércitos se empenhavam num confronto árduo e brutal, as forças alemãs protegidas por fortalezas, artilharia pesada, e pontes e estradas repletas de armadilhas. Mas, se tal era possível, Druce estava ainda mais despreocupado com a missão do que seu coronel.

"Acordei às 3h e me preparei para ir ao encontro dos americanos", anotou Druce no diário de guerra. "O F/O [*flight officer*, oficial aviador] Fiddick foi comigo e chegamos a St. Prayel mais ou menos às 19h. Ali encontramos dois membros da Milícia, mas eles só tinham pistolas contra nossas Tommy e fugiram. Depois que escureceu, topamos com uma patrulha... que nos ouviu, mas não pôde nos descobrir, embora passasse a um metro de nós. Não atiramos neles por causa da proximidade do rio Meurthe, que estávamos prestes a atravessar."

Fiddick foi um pouco mais enfático ao descrever sua desesperada tentativa de cruzar as linhas inimigas: "De repente nos deparamos com duas sentinelas. Elas estavam armadas, nós estávamos armados; assim, ficamos na posição de *cowboys*, imóveis e olhando uns para os outros. Então eles foram recuando lentamente. A tensão era grande naquele momento".

"De armas em punho, estávamos prontos para abrir caminho a tiros", diz Druce a respeito desse incidente, que ocorreu perto da ponte sobre o rio Meurthe. "E tenho a satisfação de dizer que não fizemos isso porque não tínhamos lá grande pontaria e não conseguíamos ver bem no escuro. Seja como for, os dois homens desapareceram e nós nos dirigimos para a ponte."

Os alemães haviam instalado suas defesas mais poderosas ao longo das duas margens do Meurthe. Se Druce e Fiddick fossem vistos a meio caminho, ficariam encurralados entre essas duas linhas defensivas e não teriam quase nenhuma chance de escapar. Adiantando-se para a ponte, ouviram de repente um grito de alarme saído das sombras.

"Passei um mau bocado — muito medo — quando aquele maldito sujeito no rio nos descobriu", reconheceu Druce. "Achei que era o fim... As sentinelas iam para a frente e para trás; estavam a poucos passos de nós e aquele era um péssimo momento. Mas não nos viram nem nos ouviram. Tudo estava no mais absoluto silêncio. Em seguida, afastaram-se e nós cruzamos a ponte."

Tendo atravessado a duras penas o rio Meurthe sem ser mortos ou presos, os dois homens se viram entre as principais defesas alemãs na escuridão da noite. Só perceberam ter alcançado a linha de frente das posições do inimigo quando se depararam com uma de suas trincheiras.

"Dar de frente com uma trincheira alemã não foi nada agradável", admitiu Fiddick. Agachados ali, na escuridão, ignoravam se tinham sido pressentidos e podiam ouvir patrulhas alemãs rondando à sua volta. O sistema labiríntico de trincheiras parecia ter saído da Primeira Guerra Mundial e, de algum modo, Druce e Fiddick teriam de encontrar um meio de atravessá-las.

"Recuamos para uns arbustos, a curta distância", recorda Fiddick. Dali, os dois homens tentaram descobrir uma rota segura. Para além das trincheiras estendia-se a terra de ninguém, depois da qual esperava-os o maior desafio: aproximar-se das linhas aliadas. Seria uma pena deixar os inimigos para trás e ser alvejado pelos amigos.

"Uma coisa que nunca me sairá da lembrança é estarmos rastejando pelo campo aberto, além das trincheiras", confessou Fiddick. "Não sei se era uma plantação de batatas ou coisa parecida; de qualquer forma, tínhamos de rastejar por aquele espaço aberto para que ninguém nos avistasse das trincheiras."

Avançando em plena escuridão sem ser percebidos, Druce e Fiddick encontraram outro sistema de trincheiras. Este, conforme logo descobriram, estava ocupado pelo 1º Regimento de Spahis, parte das forças da França Livre do general Leclerc, conhecido como "La Division Leclerc". Leclerc foi um dos primeiros a partir para a Grã-Bretanha sob o comando do general Charles de Gaulle e recrutou um exército francês no exílio – que agora lutava ombro a ombro com o 3º Exército de Patton.

Contra todas as expectativas, Druce e Fiddick haviam obtido sucesso.

A estadia de Lou Fiddick nos Vosges terminaria com a entrega dos preciosos documentos ao alto comando americano. Recebeu ordem de voltar a seu regimento na Força Aérea Canadense. O mesmo não aconteceu a Henry Carey Druce. Como seu último aparelho de rádio acabasse de emudecer, o coronel Franks não teve escolha a não ser pedir ao polivalente Druce que voltasse através das linhas inimigas, levando algumas peças de reposição para a base do SAS nos confins dos Vosges.

Na base, as coisas pioravam cada vez mais. Durante as quarenta e oito horas em que Druce e Fiddick cruzaram as linhas inimigas, a força de Franks entrara em ação, mas sem muito sucesso. Uma patrulha a pé regressou após descarrilar um trem. Atacou a cerca de 15 quilômetros de Moussey, a leste da cidade de St. Dié — mostrando até onde o SAS ainda era capaz de chegar.

Ponto para o SAS.

Mas um jipe de patrulha conduzido pelo coronel Franks caiu numa emboscada selvagem, e ele e seus homens tiveram muita sorte em escapar vivos. Com efeito, mal saíram da base e foram atacados. Franks se viu coagido a desistir da missão — uma tentativa de chegar a Pierre-Percée para fazer contato com o major Dennis Reynolds e o capitão Whately-Smith. Os dois oficiais do SAS — um dos quais ainda estava se curando de seus ferimentos — ficaram escondidos em sua caverna durante semanas e todos os esforços que fizeram para se reunir à força principal haviam fracassado.

Ponto para o inimigo.

Agora — 28 de setembro — já estava bem claro que empreender operações com os jipes equivalia praticamente a suicídio. Toda aldeia ao longo do vale havia sido guarnecida com fortes contingentes alemães — que chegavam a vários milhares de soldados no todo.

"As estradas estavam, pois, proibidas aos jipes", registra o diário de guerra. "Os jipes podiam sair, mas não voltar, pois presumivelmente os alemães tinham fortes ninhos de M. G. [*machine guns*, metralhadoras] já a postos."

Mais um ponto para o inimigo.

Com as operações motorizadas fora de cogitação, Franks despachou várias patrulhas a pé — lideradas pelos tenentes Marx, Dill, Silly e outros. Mas o coronel do SAS podia sentir o inimigo fechando o cerco como turbarões em volta de um naufrágio sangrento. O cabo Boris Kasperovitch — o russo do SAS que fuzilou a formação da SS em Moussey — foi morto em uma dessas missões. O soldado Fred Puttick desapareceu durante a mesma patrulha, tendo sido morto ou preso.

Outro ponto para o inimigo.

"Ficamos aos poucos reduzidos a armar emboscadas a pé, a partir da floresta", observou Chris Sykes, o oficial de inteligência do SAS. "Tínhamos o consolo de saber que feríramos o inimigo, obrigando-o a retirar um número considerável de tropas da linha de frente... para contra-atacar seu adversário invisível nos Vosges."

O pior estava por vir. Com o tempo mais frio e rigoroso, os suprimentos tanto do SAS quanto dos *maquis* sobreviventes tinham quase se esgotado. O comandante Joubert, dos *maquis* – cujos jovens subordinados haviam combatido com tamanha valentia –, foi encurralado ao sair para procurar comida e munição, de que todos tinham necessidade urgente. Os alemães não sabiam com certeza que aquele era o tão procurado líder dos *maquis*; mas, como todos os homens aptos haviam sido enviados para os campos de concentração, tinham fortes suspeitas.

O *Standartenführer* Isselhorst queria que Joubert confessasse logo. Decidiu que a tortura seria a melhor maneira de "persuadir" o francês a revelar a localização da base do SAS. A Gestapo começou pelos pés do prisioneiro, golpeando-os com um bastão pesado até esmagar todos os seus ossos. Em seguida, passaram para o resto do corpo. Joubert não esmoreceu. Sabia tudo e não disse nada. Mas, com sua captura, os *maquis* de Joubert deixaram de contar como força de combate.

Um ou dois dias depois, Étienne – o líder aparentemente indestrutível e eterno dos velhos *maquis* "beberrões" – foi encontrado sem vida nos bosques. Nenhum mortal o venceu: tombou vítima de um ataque cardíaco. Porém, como acontecera com Joubert, seu maravilhoso e irreverente bando de *maquis* pereceu com ele.

E nas montanhas acima de Moussey, a Gestapo finalmente fez uma visita ao sítio remoto do Père George. O encarquilhado e empedernido fazendeiro comunista foi devidamente preso e despachado para Natzweiler. Embora o velho jamais cedesse ou falasse, com dois golpes a força do coronel Franks ficara privada de boa parte de sua estrutura operacional nos Vosges: os dois grupos locais da Resistência, aliados fiéis, e um esconderijo oportuno.

O diário de guerra da Operação Loyton registra assim a situação: "Área repleta de inimigos, pouca comida e franceses assustados demais para ajudar". Não havia dúvida: a Waldfest de Isselhorst parecia estar trabalhando bem.

A 30 de setembro, o capitão Gough chegou à base do coronel Franks em Basse de Lieumont. Gough tinha sido obrigado a aceitar que a força dos *maquis* já não existia, ou seja, o papel dos Jedburghs se tornara dispensável. Estava prestes a partir numa jornada semelhante à de Fiddick e Druce, rumo às linhas americanas (e francesas).

A mensagem radiofônica final de Gough reflete o tipo de dificuldades que ele enfrentara nos últimos dias. "Retirada. SAS vai se comunicar com vocês. Muita dificuldade em trabalhar sozinhos. Agenda regular impossível. Quando pudermos, recorreremos a um canal de emergência..."

Após dar adeus ao coronel Franks e seus homens, Gough partiu para oeste. Logo depois foi capturado pelos homens do *Einsatzkommando* Ernst. Seguiram-se violentos interrogatórios e Gough acabou enviado para o *Sicherungslager* de Schirmek, para se juntar aos outros prisioneiros da Operação Loyton e gozar a hospitalidade do comandante do campo, Karl Buck, em suas celas subterrâneas.

Uma desgraça nunca vem desacompanhada — especialmente nos Vosges. A 2 de outubro, a patrulha do tenente Silly voltava de uma missão. Havia conseguido explodir dois *half-tracks* alemães e, melhor ainda, um automóvel de oficiais, o nono na lista da Operação Loyton. Mas os homens tiveram de ir longe, até Belval, a oeste, para obter esse raro sucesso e o terreno de ambos os lados fervilhava de alemães.

Havia tantos piolhos cinzentos na área que Franks precisou enviar uma mensagem relutante ao quartel-general das Forças Especiais: "Reabastecimento impossível até novo comunicado". Com a falta de lançamentos aéreos e com as aldeias de Rabodeau esvaziadas de seus habitantes, os homens do SAS começavam a enregelar, a passar fome e a ficar sem munição.

O estado de ânimo do pessoal de Franks pode ser medido por uma mensagem sobre seu último reabastecimento pelo ar: "Mandem o que pedimos... Na última solicitação deve ter ficado claro que comida era nossa principal necessidade, mas os dois primeiros recipientes só continham bazucas e bombas, que NÃO foram pedidas".

De olhos fundos, trêmulos e magros, os homens de Franks estavam chegando ao ponto de não conseguir mais lutar. Prometeram-lhes que a cavalaria americana logo surgiria no horizonte e ela, de fato, deveria ter alcançado Moussey havia dias. Mas não se notava nem sinal dos americanos e, com o tempo piorando, as chances de rompimento das linhas inimigas diminuíam a olhos vistos nos Vosges cada vez mais cobertos de neve.

Inacreditavelmente Isselhorst ainda não se dava por satisfeito. Setembro cedeu lugar a um outubro enregelante e a neve acarpetava os cumes das montanhas. Nova onda de retaliações atingiu os infelizes aldeões ao longo do vale de Rabodeau. Determinadas a incrementar as buscas, prisões, deportações e execuções, as forças da Waldfest multiplicaram os golpes.

Ao fim da primeira semana de outubro, cerca de mil moradores haviam sido capturados em todo o vale, que muito apropriadamente passou a ser conhecido como "Vale de Lágrimas". Enviados para os campos de concentração, 661 jamais voltariam. A certa altura da operação de captura, parece que a localização da base do SAS foi revelada.

A 6 de outubro, aquele que Isselhorst sem dúvida planejava ser seu último ataque foi desfechado contra o quartel-general do coronel Franks em Basse de Lieumont. O capitão John Hislop – comandante Fantasma, campeão de equitação e um dos membros do primeiro grupo liderado por Druce – estava na base ao final da tarde quando o inimigo foi detectado. Em volta, o barulho de uma tropa avançando se filtrava por entre o emaranhado da floresta.

Sendo pinheiros, as árvores não haviam perdido nada de seu verde com a aproximação do inverno e as agulhas caídas serviam para amortecer o som. Ainda assim, o tilintado de metais, o estalar de um galho sob os pés e o roçagar de corpos forçando passagem entre os arbustos chegaram claramente aos ouvidos dos homens reunidos. Pior ainda, ecoava no ar o ladrido assustador de cães de caça. Completamente cercados, a única opção era permanecerem quietos e imóveis, na esperança de, com sorte, despistar os perseguidores.

Hislop achava que não haveria nenhum meio de o grupo passar despercebido: "Logo seríamos superados em número além de qualquer esperança razoável de sobrevivência... Pensei 'parece o fim' e me preparei para enfrentar a situação da melhor maneira possível". Embora não receasse muito a morte, Hislop temia não resistir ao interrogatório da Gestapo. Achava preferível lutar.

Estava agachado diante de uma fogueira, junto com seus camaradas Fantasmas Peter Johnsen e o major Power. A fumaça se misturava à neblina e à chuva grossa, de modo que dificilmente seria visível. Johnsen revirava suas meias sobre as chamas, no esforço de secá-las, mas as mãos do jovem tremiam por causa da tensão. Nas últimas semanas, Johnsen se distinguira pela frieza, o equilíbrio e a coragem; e a Hislop parecia um desperdício que um rapaz tão brilhante perdesse a vida naquele lugar e naquele momento.

Hislop sentiu que, de certo modo, já vivera sua vida. Conformava-se agora com a perspectiva de resistir e encontrar um fim violento. Quanto ao major Power, encostara-se a uma árvore, inescrutável como sempre. Um cigarro quase apagado pendia de sua boca; o rosto era quase tão inexpressivo quanto se estivesse examinando uma sequência de cartas promissoras no pôquer e aguardando a próxima jogada.

O silêncio nervoso foi sacudido por um barulho tão inesperado quanto indesejável. Alguém deixara cair uma lata vazia, que foi rolando encosta abaixo, o som se perdendo cada vez mais a distância. Na calmaria que se seguiu, todos esperavam que o inimigo irrompesse para começar a chacina. Os rumores da perseguição continuavam e, mesmo através da grossa parede das árvores, soavam como se os alemães estivessem ainda mais perto.

As mãos tensas dos soldados britânicos se contraíram em torno do cabo das armas. E ninguém pôde acreditar quando o rumor da tropa pareceu se afastar. A floresta em torno caiu no silêncio de antes. Era inconcebível que os soldados alemães não tivessem ouvido o som da lata rolando. Por vários minutos intermináveis os homens permaneceram calados, imóveis e atentos. Mas, por mais que apurassem os ouvidos, o inimigo parecia mesmo ter se afastado.

O crepúsculo havia descido sobre a mata e o coronel Franks ordenou aos homens que desmontassem imediatamente a base. De novo se puseram em marcha, mas agora tinham de abandonar seus bem-amados jipes. Precisavam andar depressa e sem ruído, buscando o terreno mais remoto e inacessível que encontrassem. Partiram ao cair da noite, embrenhando-se na escuridão que se adensava – e, assim, escaparam da morte certa.

O inimigo tinha vindo apenas em patrulha e, às primeiras luzes da manhã seguinte, voltou com toda a sua força. Atacou a base até com blindados e canhões de campanha trazidos para essa finalidade, mas então os homens do SAS já haviam desaparecido, como fantasmas, nas montanhas. Nem todos, porém. Sete bravos da força do coronel Franks, comandados pelo formidável David Dill – o tenente do SAS com cara de menino, mas nem por isso menos temível, do grupo inicial de Druce –, foram deixados na base como retaguarda.

Sua missão era esperar ali pelo capitão Druce, que devia chegar a qualquer momento após cruzar as linhas inimigas com as peças de rádio. Mas foram cercados por um forte contingente de tropas alemãs. No combate feroz que se seguiu, Dill e seus homens resistiram por horas, até ficar sem munição.

O oficial inimigo que aceitou sua rendição apertou a mão de Dill. "Você é meu prisioneiro", anunciou ele. "Considero-o um soldado como eu."

Além de Dill, o sargento Jock Hay – o braço direito de Druce por muito tempo –, os cabos George Robinson e Fred Austin, e os soldados Jimmy Bennet e Edwin Weaver, além do jovem e indomável guia francês, Roger Souchal, foram presos. Infelizmente, não ficariam nas mãos da Wehrmacht por muito tempo: acabaram entregues aos homens do *Einsatzkommando* Ernst.

Dill e seus companheiros foram mandados para o mesmo centro de detenção que os outros prisioneiros do SAS: o *Sicherungslager* de Schirmek. Nas células subterrâneas do complexo, reuniram-se ao capitão Victor Gough e vários outros membros do SAS que haviam sido capturados. Um dos homens de Dill, o soldado Edwin Weaver, iria se distinguir notavelmente em Schirmek: gritava "Fodam-se os alemães!" toda vez que alguém entrava em seu cubículo.

O rapaz de 17 anos, Roger Souchal, tentou convencer seus captores de que era membro oficial do Regimento do SAS e deveria, portanto, permanecer na companhia daqueles a quem tão fielmente havia servido. Alegou ser um membro franco-canadense da unidade. Com efeito, os dados de Souchal haviam sido transmitidos por rádio ao quartel-general do SAS para que seu nome fosse formalmente registrado na *orbat* do 2 SAS como uma forma de protegê-lo.

Mas uma francesa local denunciou-o como membro dos *maquis* e ele foi mandado para um campo de concentração. Souchal sobreviveu aos horrores que enfrentou e, após a guerra, recebeu a Medalha do Rei por Serviços à Causa da Liberdade, dada a civis estrangeiros que ajudaram a Grã-Bretanha na guerra.

A citação diz: "Monsieur Roger Souchal serviu como mensageiro e guia a um destacamento do SAS nos Vosges. Tomou parte em emboscadas contra comboios alemães e o modo como empregou seu conhecimento do local foi de extrema importância para que um erro na escolha das rotas não custasse a vida do grupo".

Por muitas vezes o jovem francês Roger Souchal teve a vida dos homens do coronel Franks nas mãos e nunca lhes faltou. Agora, sem seu guia esperto e intemerato, a principal força do SAS teria de se haver por conta própria nas florestas dos Vosges, enquanto o inimigo a pressionava.

E em algum lugar daquelas montanhas tenebrosas, a figura solitária do capitão Henry Druce procurava um acampamento que havia sido tomado pelo inimigo.

CAPÍTULO 15

---- ✳ ----

Cumprindo a palavra, Druce voltara aos Vosges. Seguira a mesma rota já percorrida por ele e Fiddick, partindo das linhas francesas. Se possível, sua anotação no diário de guerra é ainda mais sumária que a concernente à jornada de ida e minimiza a façanha de um modo admirável. "Decidi retornar e pôr o coronel ao corrente da situação para nossas futuras operações. E também a fim de levar ao capitão Hislop as peças e cristais de rádio que tanta falta lhe faziam."

A "situação para nossas futuras operações" era realmente muito simples: as forças americanas demorariam a chegar aos Vosges. Se o tempo no alto das montanhas irregulares impossibilitara os voos de reabastecimento, tornara também as operações militares convencionais na área ainda mais inviáveis.

Sobre sua passagem pelas linhas inimigas, Druce escreveu que foi "escoltado por uma patrulha francesa até a orla dos bosques... Havia ali um ninho de metralhadoras alemão, mas o inimigo devia estar dormindo porque não atirou. Penetramos uns dois quilômetros na mata e nos escondemos até o nascer do dia".

Ciente de que um grupo de retaguarda o esperava, rumou para a base do SAS em Basse de Lieumont. Mas, ao chegar, descobriu que ela tinha sido destruída e que o tenente Dill com seus homens haviam sido capturados. Indagou aos habitantes locais sobre o sítio do Père George, na esperança de que Franks e seus camaradas houvessem se abrigado ali. Soube, porém, que os alemães o tinham incendiado até os alicerces.

Sem meios de descobrir por onde andavam agora seus camaradas, Druce só podia imaginar um curso de ação: o homem que iniciara tudo ao descer nos Vosges a 12 de agosto se preparou para atravessar pela terceira vez as linhas inimigas e unir-se às forças do general Leclerc.

Druce tinha outro motivo urgente para voltar às posições aliadas. Obtivera, de seus contatos nas imediações de Moussey, informações vitais que, a seu ver, alterariam radicalmente o plano de ataque do general Patton. O capitão do SAS sentiu a urgente necessidade de passar essas informações ao comando aliado.

"O capitão Jean [um líder dos *maquis*] informou sobre a chegada de três novas divisões alemãs às proximidades de St. Dié, por onde, era de meu conhecimento, os americanos inciariam seu ataque", anotou Druce no diário de guerra. "Essa notícia sobre as três divisões era tão importante que precisava ser transmitida imediatamente aos americanos... Parti de manhã pela mesma rota, pela terceira vez..."

Enquanto Druce rumava para as linhas aliadas, as coisas chegavam ao ponto mais baixo para o corpo principal das forças da Operação Loyton. Umas poucas horas de repouso, em conforto e segurança; comida nutritiva; um lugar quente e seco para dormir – era só o que queriam os homens. As preocupações da vida civil não atingiam mais aqueles soldados sofridos e cansados de guerra. Não pensavam no futuro, pois viviam um dia de cada vez.

O coronel Franks e seus homens já não dispunham de uma base de operações. Estavam quase sempre molhados, com frio e fugindo. Mas mesmo assim não desistiam de sua missão. O tenente Swayne do SAS havia entrado em ação com sua patrulha. Atacaram na estrada que segue para o sul a partir de Neufmaisons – a aldeia situada a leste de Veney, onde Druce e seus homens tinham sido obrigados a esperar demoradamente pelo reabastecimento.

O ataque do tenente Swayne foi a última ação significativa da Operação Loyton e se revelou maravilhosamente oportuno. O grupo destroçou dois automóveis alemães – agora, eram onze na lista. Em grande parte, o objetivo do SAS nos Vosges tinha sido eliminar comandantes alemães:

esmagar a cabeça da serpente. Após destruir onze carros e seus ocupantes, poucos poderiam dizer que a serpente nazista não tivera sua cabeça significativamente machucada.

A força de Swayne se reuniu à unidade nômade de Franks a 8 de outubro de 1944. No mesmo dia, o general Eisenhower escreveu de próprio punho ao quartel-general do SAS cumprimentando-o pelas realizações do Regimento na França ocupada:

> Congratulo-me com todo o efetivo da Brigada de Serviço Aéreo Especial pela contribuição que deu ao sucesso da Força Expedicionária Aliada.
>
> A violência com que o inimigo atacou as tropas do Serviço Aéreo Especial mostra bem os danos a ele causados por vocês graças a seus próprios esforços e à informação que deram sobre a disposição e os movimentos dos alemães.
>
> Muitos homens do Serviço Aéreo Especial continuam por trás das linhas inimigas; outros estão sendo encaminhados a outras tarefas. A todos, digo: parabéns e boa sorte.

No meio da neblina gelada dos montes, em algum lugar a leste de Moussey, Franks e seus homens precisavam mesmo de toda a sorte do mundo.

A 9 de outubro de 1944, o coronel do SAS se curvou ao inevitável. Com pouca munição e explosivos, sem comida e abrigo para seus homens, ele ordenou que a Operação Loyton fosse suspensa. Uma missão destinada originalmente a durar de duas a três semanas — tempo em que, segundo as expectativas, as forças americanas atingiriam os Vosges — havia se transformado numa aventura épica de oito semanas.

"Decidi pôr fim à operação", anotou Franks no diário de guerra, "e instruí o pessoal a tentar chegar às linhas americanas do modo como pudesse."

Franks dividiu seu grupo em unidades de quatro e seis homens. Cada unidade partiria em momentos diferentes e por diferentes caminhos, a fim de maximizar suas chances de sobreviver. O coronel ficaria com um esta-do-maior composto pelo major Power, os capitães Sykes e Hislop, e dois outros, num ponto de encontro situado no vale de Celles. Ali esperariam por quarenta e oito horas um contato com a retaguarda de David Dill, Henry Druce e os demais.

O tenente Dill, é claro, tinha sido capturado com seus homens e Druce rumava para as linhas francesas; mas, na situação caótica e perigosa em que se via, Franks ignorava tudo isso. O coronel do SAS queria tam-bém fazer uma última tentativa para resgatar o major Dennis Reynolds e o capitão Whately-Smith, levando-os consigo para as linhas aliadas.

Desejando-se *bonne chance* (boa sorte), os guerreiros remanescentes da Operação Loyton se separaram. Cerca de quarenta homens tomaram rumo oeste, penetrando a floresta úmida e fria e seguindo em direção às linhas inimigas (e, se tudo corresse bem, amigas). O grupo de Franks, com seis homens, foi para o norte, para o vale de Celles. Chovia pesadamente havia dias e a água se condensava em neve e gelo no alto das montanhas. As condições nunca tinham sido tão penosas e desalentadoras.

Chegando ao ponto de encontro, a unidade de Frank se abrigou numa serraria abandonada. Ficar na floresta seria mais seguro; mas mesmo a pessoa de ânimo mais resistente não poderia dormir naquela situação por dias a fio. À noite, devoraram algumas maçãs guardadas no celeiro de uns aldeões que já haviam ajudado o SAS anteriormente.

Sykes foi conversar com a família, mas encontrou-a aterrorizada. A Gestapo havia descoberto suas simpatias e viera prender o marido. Não o encontrando, os soldados deram um ultimato: ou o fugitivo se apresentava ou eles queimariam a casa. A mulher estava desesperada; com a mãe idosa e um bebê, o que faria?

A força de Franks passou a noite no esconderijo. Na manhã seguinte, visitaram pela última vez o guarda-caça que lhes servira de contato com os dois oficiais do SAS escondidos na caverna de Pierre-Percée. O guarda--caça foi peremptório: com o vale de Celles repleto de alemães, se o ma-jor Reynolds e o capitão Whately-Smith se arriscassem a sair, muito prova-velmente encontrariam a morte.

Franks pediu-lhe que levasse a eles uma derradeira mensagem. Os dois deveriam permanecer na caverna e esperar a chegada dos americanos. Isso não poderia demorar. O guarda-caça deu aos homens do SAS a pouca comida que possuía, para seu sustento durante a viagem, e despediu-se. Quando o grupo de Franks voltou à serraria, a Gestapo chegava às vizinhanças.

Ao final da tarde, os seis homens das Forças Especiais foram obrigados a presenciar, de seu esconderijo, o interrogatório da família francesa. A Gestapo queria saber onde estavam o marido que desaparecera e os "paraquedistas britânicos". A mulher respondeu, mas suas palavras obviamente não satisfizeram aos homens de Isselhorst; eles pegaram os animais do sítio e puseram-nos no caminhão militar, depois do que destruíram tudo na casa e a incendiaram.

Franks e seus homens ardiam no desejo de fuzilar os cinco vândalos da Gestapo. Poderiam facilmente matar os esbirros de Isselhorst. Mas, e depois? Como levar consigo uma mulher, uma velhinha e um bebê através das linhas inimigas? Ao contrário, se deixassem a família ali, rodeada de cadáveres de soldados da Gestapo, o destino dela estaria selado. Pareceu-lhes que a única maneira de pelo menos salvar suas vidas era fazer o mais difícil: não intervir.

Indignado e furioso, Franks ordenou a seus homens que não atirassem. Teria sido fácil para a mulher dizer simplesmente aos esbirros da Gestapo: "Aqueles que vocês procuram estão escondidos na serraria". Mas ela não disse nada, assistindo em silêncio tudo o que possuía, casa e bens, ser consumido pelo fogo diante de seus olhos. Depois os homens do SAS viram as duas mulheres com o bebê caminhando para o norte sob a chuva torrencial.

Após a partida de Druce e das equipes dispersas do SAS que iriam tentar atravessar as linhas inimigas, John Hislop era o único remanescente do grupo "original" que saltara com Druce no dia 12 de agosto. Enregelado até os ossos e com a fome devorando-lhe as entranhas, os nervos de Hislop estavam por um fio. Para piorar as coisas, o único Jed Set que lhe restara já quase não funcionava mais.

A manhã de 12 de outubro surgiu abençoadamente fresca e clara – condições perfeitas para fazer contato por rádio com Londres. Hislop conseguiu falar com o quartel-general das Forças Especiais e perguntar se ainda havia alguma tarefa a cumprir antes que o resto do pessoal da Operação Loyton também partisse rumo às linhas aliadas. A resposta foi a que todos mais esperavam: os últimos homens deviam abandonar a área imediatamente.

Mensagem recebida, Hislop espatifou e enterrou o Jed Set, e queimou os livros de código. Com isso, pairou no ar a sensação de que tudo havia acabado, sensação repleta de promessas e ameaças em igual medida. Promessas porque finalmente iriam para casa; ameaças por causa daquilo que se interpunha entre os homens do SAS e a segurança: milhares de soldados alemães dispostos a tudo para fazer recuar a maré do avanço aliado.

As unidades do SAS que haviam partido antes da força de Franks agora enfrentavam essas ameaças. Fato extraordinário, em alguns casos continuaram a combater sozinhas, cercadas e carentes de todo o necessário para sobreviver e lutar.

Em um caso, o tenente Swayne – que havia destruído o décimo terceiro carro alemão – descobriu que o inimigo estava levando munição para a frente de combate em "ambulâncias" que tinham o símbolo da Cruz Vermelha. Isso ia contra todas as regras da guerra. Veículos marcados com esse símbolo universalmente respeitado tinham acesso livre ao campo de batalha, pois se presumia que fossem recolher feridos.

Swayne tinha três homens sob seu comando e dois não sabiam nadar. Era preciso descobrir uma ponte não vigiada para cruzar o Meurthe. Não havia nenhuma. Presos à margem errada do rio, teriam de esconder-se. Mas, depois de desmascarar a "farsa da ambulância" montada pelo inimigo, decidiram lançar um último ataque contra um daqueles veículos que transportavam munição. A enorme explosão destroçou outras duas "ambulâncias" que viajavam em comboio, cheias também de material bélico.

Os homens de Swayne se confrontaram igualmente com trinta tanques Tigre e Pantera que circulavam pela floresta, alguns marcados do mesmo modo com o símbolo da Cruz Vermelha. Dessa vez, nada podiam fazer para detê-los. Na verdade, só conseguiram prosseguir em segurança com a ajuda dos habitantes locais, que os vestiram de mulher e os maquiaram a fim de ludibriar as tropas inimigas sedentas de vingança.

Indo a extremos de brutalidade, o oficial SS da área ordenou a "evacuação" da aldeia onde os homens do tenente Swayne se escondiam. Quando os infelizes se agruparam na estrada, a SS metralhou-os. Montes de cadáveres cobriam as ruas.

O coronel Franks e seus seis camaradas chegaram àquele inferno de sangue. Alcançaram o Meurthe ao cair da noite – mas a ponte que tencionavam atravessar estava guardada por sentinelas supervigilantes. Franks, Hislop, Sykes, Power e seus dois companheiros foram repelidos por uma salva de granadas. No grupo de Franks também havia um homem que não sabia nadar: o sargento de esquadrão major White. Também com esse grupo houve problemas para encontrar uma ponte desguarnecida.

Por fim, o coronel Franks e o major Power decidiram tentar a travessia do Meurthe com White seguro entre eles. Na outra margem, descobriram que a floresta era visivelmente rala. Ao amanhecer, os seis homens tiveram de avançar quase sem cobertura: a mata não lembrava em nada as florestas densas a que se haviam habituado nos Vosges.

Agora precisavam se mover com extrema cautela, contornar posições inimigas e atirar-se ao chão quando algum veículo se aproximava. Ao crepúsculo, chegaram a um ponto onde supunham localizar-se a vanguarda das linhas alemãs. Pararam num bosque para examinar o mapa. Agrupados em redor de uma pequena tocha, tentaram descobrir onde estavam exatamente. De repente, um braço emergiu da escuridão e um dedo pousou sobre um ponto do mapa.

"*Du bist hier.*" Você está aqui.

Sem que ninguém percebesse, alguns soldados alemães haviam se aproximado para ajudar, pensando tratar-se de uma patrulha amiga insegura quanto à sua localização. Por uma fração de segundo Franks e seus homens ficaram paralisados. Depois, desataram a correr. Saíram do bosque para um campo arado. O major Power tropeçou num fio de telefone e caiu, mas, jogador veterano de rúgbi, levantou-se prontamente e voltou a correr.

Tiros partiram da escuridão, fazendo com que os homens se apressassem ainda mais. Quando já estavam a uns 500 metros do inimigo, pararam para respirar. Os tiros haviam cessado, mas por todos os lados eles detectavam a presença dos alemães, inclusive o que parecia ser um caminhão de transporte rondando.

Continuaram pela noite gelada, só se detendo antes do amanhecer para gozar algumas horas de repouso, do qual precisavam desesperadamente. O frio e a fome provocaram alucinações em Chris Sykes, e ele via alemães por toda parte. Às primeiras luzes do dia o grupo se pôs novamente a caminho, retirando a crosta de gelo que se acumulara sobre os uniformes rotos, manchados de lama e sangue.

Por volta do meio-dia, o coronel Franks, que ia na frente, olhou ao redor e voltou correndo, olhos esbugalhados, faces cadavéricas e ossos da mandíbula se projetando sob a pele.

O conhecido grito soava às suas costas: "*Achtung!*"

Foi seguido por uma saraivada de balas, uma das quais se alojou no cabo de madeira do fuzil M1 do major White. Os seis homens correram, perdendo-se uns dos outros em meio ao caos do tiroteio. Hislop, o major Power e o membro do SAS Joe Owens voaram numa direção, enquanto o coronel Franks liderava Chris Sykes e White em outra. Hislop, Power e Owens esconderam-se na mata, ouvindo o som das patrulhas que chegavam cada vez mais perto.

Ficaram deitados como mortos, pistolas apontadas como baionetas para os dois lados de seu esconderijo. E justamente quando parecia que o inimigo ia encontrá-los, uma tremenda barragem de fogo caiu sobre o que devia ser a primeira linha de trincheiras dos alemães. As forças americanas atacavam. A patrulha voltou às pressas para seus postos e o grupo de Hislop se salvou de uma desgraça.

A luta durou até o fim da tarde, o que deu aos três homens a oportunidade de fugir. A noite estava muito escura, mas o major Power, consultando a bússola, apontou para o lugar onde a seu ver se posicionavam as primeiras tropas americanas. Os três homens partiram, com Hislop agarrado ao cinto do major Power e Owens agarrado ao cinto de Hislop.

Graças aos conhecimentos de navegação do major do SAS, chegaram a uma estrada que, ele tinha certeza, estava em mãos amigas. Abrigaram-se então atrás de uns arbustos.

Ao nascer do dia, avistaram uma patrulha americana descendo a estrada. Os três homens saíram de trás dos arbustos e, acenando e gritando de alegria, anunciaram sua chegada e sua libertação de uma morte certa.

Era a manhã de 15 de outubro de 1944. Para o capitão John Hislop, um homem outrora classificado como possuidor de uma "lamentável falta de aptidão militar", a Operação Loyton havia sido uma provação de dois meses. O coronel Franks, o capitão Chris Sykes e o major White também chegaram logo depois, embora o coronel fosse ferido no braço quando os americanos o tomaram por inimigo.

Com maior ou menor dificuldade, outras equipes da Operação Loyton conseguiram alcançar as linhas americanas. Mas, após seus repetidos ataques contra os alemães – inclusive a incursão dramática em solo inimigo –, o tenente "Karl" Marx estava tão esgotado que praticamente teve de se arrastar até lá. Constatou-se que adoecera a tal ponto devido a seus trabalhos nos Vosges que acabou dispensado do exército.

Outros não tiveram tanta sorte. A unidade Fantasma do tenente Johnsen foi destroçada e só ele, muito ferido, conseguiu atravessar as linhas. Os demais ficaram onde caíram, fuzilados pelos alemães na terra de ninguém.

E na caverna dos bosques de Pierre-Percée, dois oficiais do SAS se preparavam para também alcançar as linhas aliadas. O major Dennis Reynolds já se recuperara bem de seus ferimentos e, como o capitão Whately-Smith, estava impaciente para voltar a lutar.

Mas seus esforços para isso terminariam em sangue e escuridão.

CAPÍTULO 16

———— ✳ ————

APENAS DUAS SEMANAS DEPOIS de ter sido alvejado e ferido enquanto cruzava as linhas, o infatigável coronel Franks emitiu um memorando "secreto" sobre o destino dos oitenta e dois homens que participaram da Operação Loyton – Fantasmas, Jedburghs e SAS. Só uns poucos foram considerados "mortos em ação", entre eles o sargento Lodge, os soldados Davis e Hall, e o cabo Kasperovitch.

Em contrapartida, trinta e um constavam como "desaparecidos, prováveis PGs (prisioneiros de guerra)" ou simplesmente "desaparecidos". Entre estes últimos, estavam o capitão Gough, o tenente Dill e seu grupo de "retaguarda", bem como o major Reynolds e o capitão Whately-Smith – os últimos da Operação Loyton a tentar a fuga. Nenhum chegou até as linhas aliadas.

Em suma, pouco ou nada se sabia sobre o destino de mais de um terço do efetivo do coronel Franks. O comandante do 2 SAS não havia conseguido levá-los para casa, mas esperava que pelo menos alguns deles tivessem sido tomados como prisioneiros de guerra. O que suscitava a pergunta: o que o futuro reservava para aqueles cativos?

Contra todas as probabilidades, a Operação Loyton obtivera sucesso: espalhara o caos e o terror nos Vosges. O diário de guerra registra o impacto causado pelas longas semanas de incursões nas principais rotas de suprimentos que atravessavam os vales: "Os ataques e as demolições do SAS reduziram em 50% ou mais o uso dessas rotas pelos alemães... Devido aos ataques e demolições do SAS, elas não estão mais disponíveis para o tráfego do inimigo..." Duas grandes ferrovias foram listadas como "postas fora de uso pelo SAS".

Como observou Hislop, somente após o final da missão é que o verdadeiro alcance do impacto da Loyton poderia ser avaliado, inclusive o grau de transtorno e alarme que a presença do SAS provocou entre os alemães. "As tropas, na área, foram mantidas num permanente estado de tensão, pois não sabiam nunca quando poderiam ser emboscadas ou voar pelos ares por causa de minas colocadas numa rodovia."

Nada assustava mais os soldados inimigos do que ver seus comandantes atacados e mortos. Na Operação Loyton, o plano do SAS de, principalmente, explodir carros de oficiais rendeu bons lucros. Com uma divisão inteira desviada para caçá-los, os homens da Loyton obtiveram uma grande vitória simplesmente por afastar milhares de alemães que poderiam ser mais úteis na linha de frente.

Desse ponto de vista, a Waldfest do *Standartenführer* Isselhorst fracassou. Nos Vosges, milhares de aldeões foram presos, espancados, torturados, mortos ou enviados para campos de concentração, mas isso não deteve a Operação Loyton. E, com a retirada da maioria dos homens de Franks, Isselhorst e seus esbirros ficaram com apenas um alvo para sua vingança: um punhado de prisioneiros das Forças Especiais.

O coronel Franks e outros comandantes suspeitavam que o futuro para esses homens seria lúgubre; mas, em relação aos "desaparecidos", ignoravam qual fosse o seu destino. As primeiras pistas do que o inimigo tencionava fazer com eles vieram de uma fonte das mais improváveis.

Nos últimos dias de outubro de 1944, os americanos iniciaram seu havia muito esperado avanço rumo aos Vosges, que aconteceu contrariando todas as expectativas. Nas terríveis condições daquele outono tempestuoso, o exército de Patton não podia confiar na supremacia aérea dos Aliados para lhe dar uma vantagem decisiva. Do mesmo modo, as forças blindadas do general estavam em grande parte impotentes por causa da neve e do gelo.

O 7º Exército de Patton avançou graças à coragem extrema de seus soldados. A infantaria americana travou uma série de combates selvagens montanha acima, irrompendo por florestas geladas e sombrias, onde às vezes entrava em luta corpo a corpo com o inimigo. De fato, a vitória do 7º Exército foi a primeira vez, na história, que um atacante conseguiu derrotar um defensor entrincheirado nos Vosges unicamente pela força das armas.

Um homem do 7º Exército tinha uma missão um tanto diferente, que não se restringia a lutar. O príncipe Yuri "Yurka" Galitzine, um russo de 21 anos, de berço nobre e mãe inglesa, servia no 7º Exército como membro da Political Warfare Executive, PWE, um braço da SOE encarregado de operações de propaganda. O objetivo da PWE era ganhar a guerra da informação divulgando na imprensa histórias positivas sobre os Aliados e negativas sobre o inimigo.

Dois meses antes, o capitão Galitzine desembarcara numa praia de Saint Tropez, então uma calma e pouco conhecida cidadezinha na costa mediterrânea da França. Galitzine era parte de um grupo de três homens da PWE, que contava também com um americano e um francês – encarregados de colher informações sobre quaisquer segredos que os alemães em retirada houvessem deixado para trás.

Nascido no Japão, Galitzine vivera na Áustria e na França, mudando-se depois para a Grã-Bretanha com a mãe. Teve uma juventude privilegiada, convivendo com a alta sociedade, e antes da guerra chegou a flertar com o Right Club – um grupo londrino de direita que acolhia simpatizantes nazistas. Mas o jovem, aristocrático e galante príncipe anglo-russo, que usava cabelos longos conforme a moda da época, logo iria se ver face a face com a realidade sombria do nazismo.

Em Nice, sua equipe foi uma das primeiras a entrar no quartel-general da Gestapo recém-evacuado. Observando a cena, os olhos castanho-escuros de Galitzine estavam banhados de uma honesta determinação e de uma simpatia instintiva. O que veria nas câmaras de tortura da Gestapo revoltaria e abalaria a natureza humana inata daquele jovem.

Havia onze corpos no calabouço, lembrou-se Galitzine. "Um deles era o da filha do prefeito, Eliane Valiano, e fiquei horrorizado." A moça estava grávida de seis meses e tinha sido estuprada após a morte. "Não consegui acreditar naquilo. Como criaturas humanas poderiam agir assim?"

Mas, pelos padrões nazistas da Alemanha, o príncipe Galitzine ainda não tinha visto nada. Quando o 7º Exército avançou para leste dos Vosges e tomou Estrasburgo, todos os arquivos da Gestapo local – o comando do *Standartenführer* Isselhorst – foram apreendidos. Eles levaram o príncipe para Schirmek, onde descobriu algo que mudaria sua vida para sempre: o campo de concentração de Natzweiler.

"Fui até o local", recordou-se Galitzine "porque me disseram que havia lá um 'campo de concentração'." Na época, pouca gente entre os Aliados tinha ideia do que fosse um campo de concentração, mas Galitzine, percorrendo as montanhas perto de Schirmek, logo iria descobrir o que era.

A princípio, ficou extasiado ante a beleza majestosa da cadeia dos Vosges no inverno, atapetada de florestas densas e luxuriantes que subiam até a linha da neve. Era uma subida longa e sinuosa, pois Natzweiler se situava a quase três mil metros de altitude. Aproximando-se, Galitzine ainda imaginava o campo de concentração como um acampamento comum.

"A primeira coisa que realmente impressionava era o cheiro; um cheiro adocicado, macabro", contou ele. E esse cheiro o alcançou de longe, bem antes da entrada do campo. Só soube do que se tratava quando viu a cena com os próprios olhos: era o cheiro de cadáveres, de carne humana carbonizada no crematório.

Em Natzweiler, havia por todo lado urnas contendo cinzas humanas, pilhas de caixões e montes de roupas imundas, fétidas. Galitzine viu "alguns indivíduos atordoados, vestindo molambos, vagando por ali – mas não muitos". Os prisioneiros mais saudáveis e ativos haviam ido para as aldeias próximas, em busca de ajuda.

Abatido e confuso – "Por Deus, o que aconteceu aqui?" –, o ex-*bon vivant* direitista não conseguia entender o que estava vendo. Galitzine encontrou alguns sobreviventes ainda lúcidos e capazes de falar. Eles lhe explicaram o que era um "campo de concentração"; as escamas caíram dos olhos do capitão da SOE e ele finalmente compreendeu.

Tomado de fúria, Galitzine resolveu documentar todos os horrores e desumanidades que presenciava. Começou a compilar um resumo sobre o campo intitulado "Relatório Especial sobre um Campo de Concentração (KZ NATZWEILER)". Dirigido a seu chefe na Liberated Areas Section, PWD SHAEF (Political Warfare Directorate of Supreme Headquarters Allied Expeditionary Force [Seção de Áreas Libertadas, Diretório Político de Guerra do Comando Supremo da Força Expedicionária Aliada], começa assim: "Este relatório se baseia em investigações e observações pessoais feitas durante operações."

Eis o que Galitzine descobriu. Em 1941, alguém – Hitler? Himmler? – decidiu que os edifícios do Partido Nazista em Nuremberg deviam ser revestidos com o melhor granito rosa alsaciano. A melhor fonte desse material era uma pedreira perto de Natzweiler; nela, os internos da antiga estação de esqui transformada em campo de trabalhos forçados labutariam até a morte.

"Esse campo se tornou um centro de distribuição e reabastecimento de mão de obra escrava", relatou Galitzine, "onde o lema era 'pôr o prisioneiro a trabalhar até morrer'."

Na primavera de 1943, havia quinze barracões dispostos em três fileiras, construídos num "terraço" cavado na encosta da montanha. Os habitantes da área circunvizinha foram expulsos e o local se transformou em zona proibida. O campo era fechado por uma cerca dupla de arame farpado, com postos de guarda a intervalos e eletrificada com uma corrente de alta voltagem. Para completar, construiu-se o crematório – os fornos nos quais os mortos e moribundos seriam queimados.

Uma fábrica de aviões Junkers também foi montada no "terraço" como local de trabalho alternativo para a mão de obra escrava. Depois que se extraiu a quantidade suficiente de granito rosa, Natzweiler passou a funcionar como um campo de prisioneiros. Dali, os "internos" eram mandados em grupos de trabalho para qualquer empreendimento que exigisse mão de obra escrava – inclusive diversas fábricas de armas subterrâneas e as instalações vizinhas da Mercedes-Benz, que produzia caminhões para a Wehrmacht. Quando um grupo ficava exausto ou doente demais para continuar servindo a "propósitos úteis", voltava para Natzweiler e era eliminado.

Os primeiros internos foram prisioneiros políticos alemães – principalmente comunistas e antinazistas. Depois vieram os poloneses, holandeses, noruegueses, tchecos, gregos, italianos e russos inimigos do Reich. Finalmente, pessoas suspeitas de pertencer à Resistência francesa cruzaram os portões sombrios de Natzweiler. Classificavam-se os prisioneiros de acordo com seus "crimes": adversários políticos, homossexuais, bandidos condenados a trabalhos forçados e judeus.

Mas a pior classificação estava reservada aos mais infelizes dos internos. "Os prisioneiros considerados de extrema periculosidade ou que tentavam escapar recebiam a designação 'N. N.' (*Nacht und Nebel*, noite e neblina)", escreveu Galitzine. "Esses ostentavam no peito um retalho amarelo com três círculos pretos. Podiam ser fuzilados ao mínimo deslize, não recebiam cartas e não se comunicavam com ninguém."

Os *maquis* capturados eram invariavelmente classificados como *Nacht und Nebel*.

Os prisioneiros trabalhavam onze horas por dia com uma dieta paupérrima de três pedaços de pão e uma caneca de "sopa" rala por dia. Começaram a comer grama, estrume e vermes catados no chão lamacento da pedreira. As doenças grassavam. Além do crematório, Natzweiler tinha um modelo altamente experimental de câmara de gás, talvez a mais assustadora descoberta de Galitzine.

Para cúmulo da ironia, a câmara havia sido instalada na antiga estação de esqui em "estilo alpino". Sua finalidade era testar gases paralisantes e outras armas químicas utilizando-se os prisioneiros como cobaias. Por um orifício na porta da câmara, que tinha 4×4 m, inseria-se um cartucho de gás contendo o agente a ser testado. Um painel corrediço de vidro permitia aos "cientistas" observarem os efeitos do envenenamento.

"Os prisioneiros eram bem alimentados uma semana antes da experiência", relatou Galitzine. "Alguns até saíam vivos quando o gás falhava, mas depois acabavam morrendo de uma maneira ou de outra. Os médicos tentavam 'ressuscitar' pacientes com injeções de antídotos. As mulheres eram as vítimas preferenciais da câmara..." Entravam nuas no cubículo abarrotado.

Inacreditavelmente, a casa do comandante de Natzweiler – mais parecida com a de Joãozinho e Maria em três andares – ficava a poucas dezenas de metros do perímetro do campo. Josef Kramer, que administrou também Auschwitz e Belsen, residia ali com sua família, substituindo o antigo morador, Heinrich Schwarz, outro ex-comandante de Auschwitz. A casa tinha uma piscina ao ar livre em um dos lados; do outro se podia ver, além da cerca de arame farpado, o aglomerado de barracões. Um caminho passava pela casa e a piscina: era por ali que os condenados passavam rumo à câmara de gás.

Natzweiler, conforme descobriu Galitzine, tinha sido um dos instrumentos daquilo que depois ficou conhecido como a "Solução Final" de Hitler. Faziam-se experiências médicas em internos judeus a fim de provar a "inferioridade" de sua raça – eles eram *Untermensch* (sub-humanos), no jargão nazista. "Não se hesitava em usar os prisioneiros como cobaias", escreveu Galitzine com repugnância mal disfarçada. "Vi cadáveres preservados em recipientes cheios de álcool, alguns mesmo esquartejados. Os números de registro de todos os corpos estão disponíveis e permitem a identificação."

Por acaso, quatro dos sobreviventes que Galitzine conseguiu entrevistar tinham sido membros da Resistência. Descreveram um incidente aterrador que revelaria o destino de alguns dos desaparecidos nos vales dos Vosges, quando o SAS atuou ali.

"Enforcados ou feridos a tiros na nuca, aproximadamente 300 homens e 92 mulheres morreram na noite de 1º para 2 de setembro de 1944", declarou Galitzine. "Os corpos foram empilhados num porão, onde o sangue chegou a 20 cm de altura. Seriam um grupo de guerrilheiros capturados nas vizinhanças."

Natzweiler fica aproximadamente 15 quilômetros a leste de Moussey. A época desse assassinato em massa, a geografia e os números coincidem com a primeira deportação realizada pela Waldfest, no vale de Rabodeau, de supostos *maquis* (*partisans*).

Entretanto, de maior relevância para a Operação Loyton foram as descobertas finais de Galitzine em Natzweiler. Chegaram-lhe aos ouvidos rumores de que camaradas seus – agentes de elite aliados, como ele próprio – haviam perdido a vida naquele inferno. Obteve a primeira evidência concreta graças a alguns desenhos a lápis feitos por um interno de Natzweiler que assinava "B. J. Stonehouse". Stonehouse era um oficial britânico mantido ali com outro suposto agente das forças de elite britânicas chamado Patrick O'Leary.

Galitzine presumiu que tanto Stonehouse quanto O'Leary haviam sido "eliminados" e consignou-os como mortos. Quanto mais fundo cavava, mais evidências descobria. Colheu indícios, por exemplo, de que aviadores americanos foram encarcerados em Natzweiler. Uma testemunha falou de quatro mulheres britânicas, provavelmente membros da SOE, executadas no campo. Um oficial do Serviço Aéreo Especial também teria sido mantido no campo: paradeiro desconhecido.

O relatório de Galitzine foi enviado diretamente ao SHAEF em Paris. No inverno de 1944, o mundo ainda estava longe de saber dos horrores dos campos de concentração. Belsen e Auschwitz só seriam libertados dali a cinco meses. As terríveis aberrações que o príncipe Galitzine tão sofridamente documentou em Natzweiler eram totalmente desconhecidas do resto do mundo.

Galitzine pensou que seu relatório provocaria no SHAEF uma onda de revolta. Previu a convocação de uma grande conferência de imprensa, na qual suas descobertas deixariam horrorizados os jornalistas internacionais. Em vez disso, o relatório foi silenciosa e imediatamente suprimido. A verdade sobre Natzweiler não veio à tona e o próprio Galitzine recebeu ordem de se calar quanto ao que havia descoberto ali.

Livre-pensador por natureza, Galitzine não pôde conter a ira. "O quartel-general me mandou uma mensagem peremptória dizendo que eu não poderia discutir o assunto com ninguém", lembra-se ele. Suas informações sobre Natzweiler deveriam ser sepultadas.

Galitzine estava perplexo e escandalizado. Aquele tinha sido o primeiro campo de concentração em que os Aliados penetraram. Seu relatório era o primeiro documento oficial a catalogar a existência de tais lugares e a detalhar seus inomináveis desmandos. Por que então o suprimiram? O príncipe Galitzine, como era de seu feitio, queria respostas.

A única explicação que recebeu foi: se os verdadeiros horrores dos campos de concentração viessem a público, "induziriam os alemães a resistir mais, pois saberiam que não haveria esperança para eles". Se os Aliados considerassem toda a nação alemã responsável por tamanha crueldade, ela jamais se renderia. Em suma, a revelação poderia prolongar a guerra.

Mas esses argumentos não faziam sentido para Galitzine. Hitler, de qualquer maneira, declarara que "não haveria rendição"; portanto, como a exposição de um lugar como Natzweiler pioraria as coisas? Galitzine ficou amargamente desapontado e confuso, tanto mais que alguns dos prisioneiros de Natzweiler pareciam ser soldados aliados, camaradas seus.

Acontece que Galitzine era amigo pessoal do capitão Henry Carey Druce, de quem havia sido colega no corpo de treinamento de oficiais. Também conhecia o major Dennis Reynolds e o capitão Whately-Smith, do SAS, dois dos "desaparecidos" da Operação Loyton. Era, pois, natural que levasse seu relatório – rejeitado e esquecido pelo Alto Comando Aliado – a um grupo de colegas inconformados do quartel-general do SAS.

Junto ao documento de Galitzine havia um apêndice contendo uma lista de vinte e dois "criminosos de guerra alemães no caso STRUTHOF" (Struthof era outro nome para Natzweiler). Descreviam-se ali as principais figuras do campo – predominantemente da SS – que haviam brutalizado e liquidado milhares de prisioneiros, inclusive, com muita probabilidade, alguns dos "desaparecidos" da Operação Loyton. Mencionavam-se também os assassinos em massa que torturaram e executaram inúmeros habitantes de Moussey e do resto do vale de Rabodeau suspeitos de serem maquis.

Galitzine listou os assassinos no Anexo A de seu relatório. As páginas seguintes – Anexo B – tinham por título "Testemunhas dos Crimes Cometidos no Campo de Struthof". Encabeçava a lista Ernst Krenzer, um engenheiro civil obrigado a trabalhar na mina e espião dos maquis. Vinha depois M. Nicole, um pedreiro e maquis também forçado a desempenhar o mesmo ofício. No final da página aparecia Pastor Herring, um padre local que ajudava a contrabandear comida para os prisioneiros esfomeados.

Havia, ao todo, dezoito testemunhas e suas declarações sobre os horrores de Natzweiler enchiam várias páginas. Sem dúvida, Galitzine esperava mais de seu relatório que uma cobertura estrondosa da mídia e um brado geral de indignação: ele esperava justiça. Infelizmente, parecia estar fadado a não obter nenhuma das três coisas.

Mas quando o coronel Franks passou os olhos pela lista de Galitzine, decidiu que, não importavam os obstáculos, os assassinos seriam punidos.

CAPÍTULO 17

———— ✳ ————

No FINAL DE NOVEMBRO DE 1944, o governo britânico se viu finalmente coagido a iniciar uma ação contra os crimes de guerra nazistas. O que motivou isso foi a horrível execução dos fugitivos de Stalag Luft – aqueles cuja história está imortalizada no filme *The Great Escape* (*Fugindo do Inferno*).

Na primavera de 1944, setenta e três prisioneiros de guerra do campo alemão de Stalag Luft III escaparam por um túnel sob a cerca de arame. Em poucos dias todos, menos três, foram recapturados. Dezenas deles acabaram mortos logo depois e, em consequência, o parlamento britânico condenou os assassinatos como "um crime odioso contra todas as leis e convenções de guerra".

A imprensa divulgou a história desses homicídios cometidos a sangue-frio e o público britânico, horrorizado, pressionou seu governo a agir. Tribunais militares foram criados para julgar os criminosos nazistas por "violações das normas e costumes de guerra perpetradas... desde 2 de setembro de 1939". Mas o Foreign Office – autores e executores da política externa britânica – interveio no mais alto nível para tentar pôr fim aos julgamentos antes mesmo que começassem.

Por quê? Em verdade, nas fases finais da Segunda Guerra Mundial a Alemanha nazista não era mais o grande inimigo do Ocidente. Este agora voltava os olhos para a Rússia de Stalin e o comunismo, naquilo que ficou conhecido como a Guerra Fria. Parece inacreditável: mas uma prova de quão seriamente essa mudança na política estava sendo encarada foi a Operação Unthinkable de Winston Churchill. Esboçada nos dias finais da guerra, era um plano para que as forças militares ocidentais ultrapassassem Berlim e invadissem a Rússia.

A Unthinkable (Impensável) começaria a 1º de julho de 1945. Nesse dia, tropas britânicas, polonesas, americanas, australianas, canadenses e outras, operando ombro a ombro com seus antigos inimigos, os soldados da Wehrmacht, atacariam os russos. Fazia "sentido" ter a Wehrmacht como aliada. Afinal, ela havia combatido o Exército Vermelho soviético e a inteligência alemã espionara os russos. Na Frente Oriental, os alemães adquiriram uma experiência inestimável que seria utilíssima para qualquer força empenhada em avançar sobre Moscou – e essa experiência de espionagem era a única disponível.

A Operação Unthinkable foi vetada pelo presidente americano Roosevelt, mas refletia a visão predominante nas altas esferas: os russos eram os novos inimigos. A essa luz, talvez se possa entender melhor por que a descoberta feita pelo príncipe Galitzine no mês de novembro de 1944 em Natzweiler foi tão rápida e completamente ignorada. Ela era inconveniente para a política de considerações práticas então em vigor, como o seria também a caça aos criminosos de guerra nazistas que haviam concebido e executado os assassinatos em massa.

Felizmente, porém, havia aqueles que se recusavam a permitir o triunfo do pragmatismo sobre a justiça e o direito. E, nesse grupo, quem mais se destacava era o coronel Brian Franks.

No início de dezembro de 1944, uma carta chegou à mesa do coronel Franks com notícias concretas sobre os desaparecidos. O comandante do 2 SAS, é claro, tinha então muita coisa em que pensar além do destino dos homens que haviam se desgarrado na Operação Loyton. Suas unidades agiam em todo o trajeto da Noruega à Itália. Mas a carta, ainda assim, chamou sua atenção.

Vinha da Cruz Vermelha Americana e enumerava os nomes de alguns prisioneiros de guerra britânicos e americanos que haviam sido levados para o *Sicherungslager* de Schirmek – o "campo de segurança" aonde iam parar os prisioneiros da Operação Waldfest. A lista incluía os seguintes nomes, com seus números de matrícula:

> Tenente Garis P. Jacoby, ASN 0556376 (americano)
> Sargento Michael Pipcock, ASN 16176838 (americano)
> Capitão Whately-Smith, SAS 113612 (britânico)
> Major Dennis B. Reynolds, 2 SAS Reg. 130856 (britânico)
>   Capitão Victor Gough, 148884, Somerset Light Infantry,
> adido ao Quartel-General das Forças Especiais (britânico)
> Tenente David Dill, 2 SAS 265704 (britânico)

O autor da carta, um certo Henry W. Dunning, concluía: "A 8 de novembro de 1944, esses soldados ainda estavam vivos. Falei com eles pessoalmente várias vezes e prometi avisar suas famílias…"

Em consequência das surpreendentes revelações de Dunning, o Departamento de Guerra escreveu aos parentes dos soldados britânicos nomeados. A família de Gough recebeu a seguinte mensagem: "Parece que esse oficial foi visto nas mãos da Gestapo a 8 de novembro de 1944… Não podemos aceitar a informação como um dado oficial sobre prisioneiros de guerra, mas achamos necessário transmitir a notícia aos parentes".

O coronel Franks via aí uma tentadora evidência de que pelo menos alguns dos desaparecidos da Operação Loyton pudessem estar vivos. Em janeiro de 1945, o capitão Gough, o tenente Dill, o major Reynolds e o capitão Whately-Smith foram considerados oficialmente "desaparecidos, prováveis prisioneiros de guerra". Mas então o coronel Franks tomara suas próprias medidas unilaterais para procurar aqueles agentes que perdera nos Vosges.

Os dois homens que escolheu para liderar a busca tinham muito a ver com a Operação Loyton. Um deles, Chris Sykes, tinha sido um dos últimos a cruzar as linhas alemãs ao final da sangrenta missão. O outro, major Bill Barkworth, chefe da célula de inteligência do 2 SAS, dera ao capitão Henry Carey Druce as instruções de última hora quando este assumira o comando da incursão inicial nos Vosges.

Em dezembro de 1944, Sykes e Barkworth voltaram ao vale de Rabodeau – o Vale das Lágrimas – encarregados de fazer o possível e o impossível para descobrir o paradeiro dos desaparecidos. Talvez sem saber, o coronel Franks mandava a campo um indivíduo que logo ganharia uma reputação temível como caçador de nazistas sem igual.

Em pouco tempo, os primeiros corpos apareceriam.

O major Eric "Bill" Barkworth era um individualista brilhante e de espírito aventureiro que não se prendia a regras nem a exigências burocráticas. Magro, rijo e com uns olhos negros que traíam um intelecto aguçado, além de uma incorruptibilidade serena e inabalável, Barkworth tinha como seu traço principal uma absoluta falta de respeito por patentes ou privilégios.

Um dos principais valores do SAS era "o mérito acima da patente": quem liderava o fazia em reconhecimento de sua habilidade inata, independentemente das insígnias. Do mesmo modo, para Barkworth, o respeito tinha de ser conquistado. Ele também desprezava regulamentos tolos ou tradições embebidas em preconceitos ou prerrogativas. Quebrava as regras quando as regras precisavam ser quebradas. Foi isso que fez dele um brilhante oficial do SAS e o tornaria um incomparável caçador de criminosos de guerra.

Outra grande qualidade de Barkworth como caçador de nazistas era o seu dom de línguas: falava alemão como um nativo e o francês quase com a mesma proficiência. Criado na cidade turística de Sidmouth, na costa de Devon, Barkworth serviu no Regimento de Infantaria Ligeira de Somerset antes de entrar para o SAS, tal como o desaparecido agente Jedburgh, Victor Gough.

Em companhia do major Barkworth, o capitão Sykes voltou aos Vosges. O lugar estava bem diferente do que ele deixara havia cerca de dois meses.

Quando o general Patton atravessou o Meurthe, os alemães foram expulsos dos vales. Por quatro longos anos os homens de uniformes cinzentos mantiveram a área sob o tacão férreo de suas botas. Agora os montes e os habitantes estavam livres novamente. Para Sykes, foi uma experiência emocionante.

"Era maravilhoso simplesmente andar por uma rua à luz do dia", escreveu Sykes na volta. "Foi, devo confessar, com uma certa apreensão que regressei à nossa cidade [Moussey], cujos sofrimentos se deveram em grande parte a nós. Sua lealdade, porém, continuava intacta. Aclamaram-me como se eu fosse o salvador do mundo. Nós nos tornamos ali uma lenda."

Retornando aos Vosges, Sykes se viu face a face com o que escapara aos olhos da Operação Loyton enquanto ela estava às voltas com a luta de suas vidas: o grau de sucesso da missão.

"Até o momento ignorávamos o motivo pelo qual os alemães não ficaram para resistir naqueles vales tão fáceis de defender. Será que *ainda* se sentiam inseguros de sua posição, *ainda* acreditavam numa hoste escondida que, ao primeiro sinal, se levantaria aos milhares?"

Com "hoste" Sykes se referia aos *maquis* dos Vosges, armados e conduzidos por algumas dezenas de membros da Operação Loyton. Nos Vosges, o SAS "provocou pânico entre os inimigos da França numa província inteira... deslocou dispositivos militares alemães em todo um setor da linha de frente... mobilizou um exército em defesa daquilo que torna a vida humana honrosa e duradoura... inspirando lealdade e amor".

Sykes revisitou os locais que desempenharam tamanho papel no destino do SAS, inclusive a indomável madame Rossi. Depois que a força da Operação Loyton se retirou, ela teve um último confronto com seus opressores.

"Os boches estavam sempre rondando a casa", contou ela a Sykes. "Mas não encontravam nada. Por isso, um dia gritei para seu sargento: 'Você aí! Está procurando abrigo para seus homens? Entre. Tenho muito espaço e muito feno!' E eles entraram."

Sykes bem podia imaginar em que espírito madame Rossi fez aquele convite. Ele trouxera consigo um formulário para preencher, de modo que a boa senhora se candidatasse à Medalha do Rei. Mas ela o interrompeu quando Sykes tentava convencê-la a fazer isso, colocando uma mão firme, mas carinhosa em seu ombro.

"Não, não", disse. "Olhe... isso não é para mim. Isso... é para os soldados, os militares."

Sykes se encontrou com muitas outras pessoas de quem se tornara amigo na adversidade. Albert Freine, o sofrido guarda-caça e chefe da inteligência dos *maquis*; Simone, a lendária sílfide e guia dos *maquis* que conduzira o major Power e seus homens pelas montanhas devastadas pela guerra; e o lenhador do vale de Celles que servira como mensageiro do coronel Franks.

Desses e de outros é que ele iria ouvir as primeiras notícias sobre os horrores enfrentados pelos desaparecidos. Mas o abade Gassman, pároco da aldeia de Moussey, foi quem conduziu Sykes e Barkworth à primeira evidência indiscutível: restos humanos.

O abade Gassman foi o único líder dos *maquis* de Moussey que escapou da deportação. Numa das últimas incursões do *Standartenführer* Isselhorst, o valente prefeito de Moussey se juntou às centenas de pessoas já encarceradas nos campos de concentração. Alegara que, se todos os homens de Moussey estavam indo para o cativeiro, então ele deveria ir com eles. Era sua responsabilidade como prefeito.

Guiados por Gassman, Sykes e Barkworth se dirigiram a uma fazenda chamada La Fosse, vários quilômetros a noroeste de Moussey. Prepararam-se bem para o que temiam encontrar lá.

"Fora da casa, que os alemães demoliram e incendiaram, achamos uma coluna vertebral completa", recordou Barkworth. "A destruição pelo fogo havia sido tão completa que pouquíssima coisa restava, mas mesmo assim conseguimos traçar em meio às cinzas a posição de pelo menos dois corpos.

Em cada caso os ossos dos joelhos e a massa pulverizada do crânio eram facilmente distinguíveis. Entre esses restos, achamos os seguintes artigos, que são parte da roupa e do equipamento de um paraquedista..." Barkworth fez a lista dos artefatos identificáveis encontrados nas cinzas.

Etiquetas de embalagem de paraquedas

Fivelas de cintos (gravadas com as palavras "Polícia e
Bombeiros")

Fecho de zíper

Metal de fecho de macacão de salto

Colchete de uniforme militar

Parte de suspensório

Duas fivelas de blusão de uniforme militar

Uma fivela de mochila

Nove partes de estrutura de paraquedas

Era tudo o que restava de três homens do SAS assassinados: sargento
Fitzpatrick e soldados John Conway e John Elliot, desaparecidos durante o
salto da primeira semana de setembro nas montanhas acima de Pierre-Percée. Os paraquedistas caíram sobre árvores ocultas pela neblina; um deles
quebrou a perna ao aterrissar e todos foram se esconder em uma fazenda
nas vizinhanças da aldeia de Pexonne.

Em seu memorando após a operação, o coronel Franks registrou os
três homens como "desaparecidos – talvez prisioneiros de guerra". Agora
a verdade havia sido revelada para além de qualquer dúvida.

Mostrando seu talento inato de detetive, Barkworth entrevistou várias testemunhas locais. Leon Muller era vizinho da fazenda La Fosse. Eis o
que contou a Barkworth: "A 19 de setembro de 1944, terça-feira, cerca de
10 horas, vi uma perua e um caminhão vindo de Pexonne. A perua era
azul-escura. O caminhão tinha as cores do exército. Perguntaram à minha
mulher o caminho para La Fosse... No caminhão, um homem estava sentado entre dois alemães".

Barkworth trouxera consigo fotos dos rostos dos trinta e um homens
desaparecidos. Mostrou ao senhor Muller a do sargento Fitzpatrick. E o
senhor Muller confirmou: era o homem que estava na cabine do caminhão. "Reconheci-o, pela fotografia, como o sargento Fitzpatrick. Ouvi

três rajadas de metralhadora leve disparadas em La Fosse, ao todo dez tiros, e depois avistei o incêndio no celeiro. O caminhão então foi embora."

Diante desse testemunho — corroborado por vários outros —, Barkworth pôde escrever sem mais nenhuma dúvida sobre Fitzpatrick, Conway e Elliot: "Assassinados por alemães numa fazenda, La Fosse, perto de Pexonne, a 17/9/44".

O pior estava por vir.

Em Le Harcholet, um povoado minúsculo a sudeste de Moussey, mais membros do SAS haviam perecido. Perderam a vida da maneira mais horrenda possível. Três homens em uniformes cáqui foram jogados num celeiro perto de uma casa chamada Maison Quiren. Testemunhas mencionaram dois "bonés vermelhos" esportivos e um chapéu pontudo de montanhês. Este último homem estava algemado e usava óculos com aros; os outros tinham as mãos amarradas.

Os alemães incendiaram o celeiro. "As vítimas tinham sido penduradas antes do incêndio, pois eu podia ver silhuetas humanas entre as chamas", contou madame Beneit, vizinha e testemunha dos assassinatos.

Victor Launay, outro vizinho de Le Harcholet que abrigou um dos homens do SAS vitimados, identificou-o como o tenente Silly. Antes de ir embora, os soldados alemães atiraram no celeiro e arremessaram granadas em seu interior. "Ao partir, estavam rindo", observou madame Beneit.

Pouca coisa sobreviveu ao incêndio, mas Barkworth e Sykes encontraram o que pareciam ser os óculos espatifados de Silly entre as ruínas queimadas do celeiro e uma placa de identificação britânica. Essa placa pertencera ao soldado Brown do SAS, que morreu carbonizado junto com o tenente Silly.

O tenente Silly tinha sido um dos elementos mais férteis em recursos do coronel Franks. Este o viu pela última vez quando ordenou a seus homens que se dividissem e rumassem para as linhas aliadas. Silly, num grupo de dez, tentara atravessar o Meurthe. Separaram-se então e Silly caiu prisioneiro a 10 de outubro. Não se sabe como, o tenente do SAS acabou morrendo queimado num celeiro em Le Harcholet, seis dias depois.

Conforme Barkworth e Sykes descobriram, Silly, Brown e um terceiro elemento ainda não identificado foram conduzidos pela Gestapo para serem mortos no lugar onde antes haviam buscado refúgio. Os homens do SAS tinham posto toda a sua confiança numa casa de Le Harcholet durante os dias terríveis em que quase morreram de fome. Na residência dos Feys, Madeleine Fey — então com apenas 17 anos — preparava diariamente uma panela de sopa para os soldados britânicos.

Os famintos homens do SAS chegavam ao crepúsculo, em grupos de três ou quatro. Aos fundos do jardim dos Feys, uma pequena ponte cruzava um regato e se prolongava numa trilha sinuosa que subia para terreno mais elevado, coberto de mato denso. Quando era perigoso demais para os soldados irem até a casa, Madeleine levava a panela de sopa até o acampamento oculto, onde lhes servia a comida.

Numa noite de outubro, os quatro homens do SAS estavam na cozinha dos Feys quando ouviram uma forte batida na porta. A jovem mandou-os sair pelos fundos e esconder-se no chiqueiro, uma cerca de madeira e pedra encostada a uma parede da casa. Enquanto isso seu pai, Auguste, abria de par em par, com gesto teatral, a janela da frente, como para ver quem os visitava em hora tão tardia.

Depois, encontrou "problemas" para girar a chave na fechadura, mas finalmente abriu a porta e deixou a Gestapo entrar, dizendo: "*Voilà! On ouvre!*" (Aí está! Aberta!). Nesse momento os soldados britânicos estavam escondidos num lugar onde jamais seriam descobertos, embora, no calor da fuga para o chiqueiro, um deles deixasse cair sua arma no poço dos Feys.

Os Feys não viram o tenente Silly e seus companheiros serem assassinados, mas uma vizinha, madame Renée Haouy, testemunhou tudo. O marido dela foi uma das vítimas da captura em massa de 24 de setembro em Moussey. Não voltaria dos campos de concentração. No dia em que o tenente Silly e seus companheiros foram mortos, madame Haouy recebeu ordem da Gestapo para permanecer dentro de casa e fechar todas as janelas.

Ela fingiu obedecer, mas deixou uma fresta aberta para espiar o que estava acontecendo. Viu os três homens serem jogados para dentro da construção em chamas e ouviu os tiros de misericórdia.

Agora, Barkworth e Sykes já haviam descoberto, sem nenhuma dúvida, o destino de cinco dos desaparecidos; porém, o que queriam saber mais que tudo eram os nomes de seus assassinos. Uma última testemunha lhes daria essa pista.

Um médico residente na aldeia vizinha de Senones havia visto três soldados britânicos – um deles, o tenente Silly – sendo levados para Le Harcholete. Como nenhum regressara, o médico perguntou a um oficial da Gestapo da guarnição local o que tinha acontecido com aqueles homens.

"Paraquedistas capturados em batalha são tratados normalmente", respondera o oficial. "Mas *Nachtschirmfalljäger* ('soldados paraquedistas noturnos') lançados atrás das linhas em pequenos grupos são fuzilados como espiões e sabotadores." E concluiu: "*Ils n'existent plus. Nous leur rendons la politesse* (Não existem mais. Nós lhes devolvemos a gentileza). Fazem o mesmo com os nossos paraquedistas."

Esse oficial foi identificado como o *Oberscharführer* (sargento-ajudante de companhia) Max Kessler.

Kessler acabava de saltar para o alto da lista dos mais procurados do major Bill Barkworth.

O relatório de Barkworth e Sykes foi entregue ao coronel Franks no início de janeiro de 1945. Marcado como "Ultrassecreto", continha algumas conclusões bem pertinentes. "Há uma política definida por trás do tratamento dado pelos alemães aos paraquedistas. Nenhuma das atrocidades descobertas indica assassinatos cometidos no calor do combate."

Sobre os grupos do sargento Fitzpatrick e do tenente Silly – cujos restos calcinados haviam sido descobertos, confirmando a identidade dos mortos –, eles escreveram: "Os alemães obedecem a uma técnica similar de assassinatos planejados, que perpetram vários dias após a captura".

Barkworth e Sykes haviam marcado outro tento nos Vosges. Todas as testemunhas falaram de cativos do SAS presos e interrogados pela Gestapo. Além disso, alguns papéis pertencentes ao tenente Black do SAS e seu grupo foram descobertos no antigo quartel-general da Gestapo. O que quer que estivesse acontecendo aos prisioneiros, a Gestapo era obviamente a responsável.

No relatório de Barkworth e Sykes, cada um dos vinte e quatro homens da Operação Loyton enumerados foi considerado "desaparecido", "prisioneiro de guerra" ou "provável prisioneiro de guerra". Se esses homens ainda estivessem vivos, talvez houvesse algum motivo real de esperança. Mas a dura conclusão de Barkworth e Sykes era que o destino de cada prisioneiro estava nas mãos da Gestapo.

"Todos os prisioneiros do SAS ficam sob a permanente custódia da Gestapo e não se pode ter nenhuma visão positiva de sua situação."

CAPÍTULO 18

———— ✳ ————

A 15 DE JANEIRO DE 1945, poucos dias depois de receber o relatório de Barkworth e Sykes, o coronel Franks escreveu uma carta ao brigadeiro-general Roderick McLeod, que logo deixaria o comando da brigada do SAS. Nela, afirmava que Sykes e Barkworth haviam provado "para além de qualquer dúvida que seis homens foram assassinados, dos quais cinco eles identificaram... A possibilidade de outros atos de barbárie não deve ser descartada".

Aludindo às palavras atribuídas ao oficial de inteligência Max Kessler, Franks concluía: "Alguma ordem, a certa altura, foi dada para que se eliminassem os homens do SAS, com ou sem uniforme. Isso contraria, creio eu, a declaração do oficial comandante alemão ora nosso prisioneiro; mas, em sua atual posição, ele dificilmente confessará que paraquedistas britânicos deveriam ser mortos".

Quem, exatamente, era esse oficial alemão capturado não se sabe. Mas por meses houve rumores persistentes sobre uma "ordem de execução" geral dos nazistas para todos os prisioneiros do SAS. Esses rumores começaram na primavera de 1944 após a fuga do tenente do SAS Quentin Hughes de um trem alemão na Itália: ele soubera que a Gestapo planejava executá-lo como "sabotador".

O relatório de Hughes foi a primeira evidência segura, obtida pelo SAS, de que essa ordem de execução realmente existia. Os seis assassinatos

213

descobertos por Sykes e Barkworth, mais o testemunho de Max Kessler, davam credibilidade à alegação de Hughes. E, por um golpe de sorte, logo uma prova incontestável da ordem de execução de Hitler cairia nas mãos dos Aliados.

A 25 de janeiro de 1945, quatro cópias daquela que seria conhecida como "Ordem de Comando" de Hitler chegaram ao quartel-general do 2 SAS com o título de "Ordem Alemã para Liquidar Comandos e Paraquedistas Aliados Feitos Prisioneiros". Duas cópias da ordem foram enviadas diretamente ao capitão Sykes, uma delas para ser entregue ao major Barkworth.

O documento, que logo ganharia notoriedade, tinha sido interceptado por agentes da inteligência francesa e esta o mandou para o quartel-general do Departamento de Serviços Estratégicos americano em Paris, de onde foi remetido ao SAS. A Ordem de Comando, expedida pelo próprio Hitler, era supostamente uma reação a uma das primeiras operações das Forças Especiais Britânicas.

A 3 de outubro de 1942, um pequeno grupo iniciara a Operação Basalto, comandada pelo capitão Brian Appleyard e pelo tenente Anders Lassen. Sua minúscula força atravessou o Canal numa lancha a motor conhecida como "Little Pisser" (Pequena Mijona), escalou as falésias da ilha Sark, na Mancha, e aprisionou alguns soldados da guarnição alemã.

Mas, na tentativa de levar os prisioneiros para o bote, todos, menos um, escaparam. Na confusão que se seguiu, alguns foram atingidos por tiros. Estavam com as mãos amarradas e a imprensa sensacionalista alemã bradou que os prisioneiros tinham sido imobilizados e executados: "Britânicos Atacam e Amarram Soldados Alemães em Sark. Represália Imediata a esse Infeliz Episódio".

Ao receber a notícia do ataque, Hitler ficou enfurecido. Duas semanas depois do acontecido, ele deu sua resposta: a Ordem de Comando. Assinando-a a 18 de outubro de 1942, Hitler devia saber que estava autorizando os crimes de guerra. Os esforços para esconder dos Aliados a existência da ordem foram extraordinários. Classificada como "Ultrassecreta" e para conhecimento apenas de oficiais de alta patente, estes deviam decorá-la e destruir suas cópias.

Tamanho sigilo parece ter tido êxito: só depois de dois anos uma cópia caiu nas mãos dos Aliados. As enviadas a Franks, Sykes e Barkworth incluíam um comentário do Departamento de Serviços Estratégicos: "A primeira das duas ordens seguintes foi expedida pelo quartel-general do Führer a 18 de outubro de 1942 e novamente, com uma ordem suplementar... depois da invasão da França [no Dia D]".

A ordem original, citando incursões anteriores de "comandos" britânicos, como a de Sark, para se justificar, estabelecia: "No futuro, a Alemanha recorrerá aos mesmos métodos no tratamento desses grupos de sabotadores britânicos e seus cúmplices, ou seja, os soldados alemães os exterminarão sem piedade onde quer que os encontrem.

Doravante, todos os inimigos surpreendidos por tropas alemãs durante as chamadas operações de comando... embora pareçam soldados de uniforme ou membros de grupos de demolição, armados ou desarmados, devem ser mortos até o último, em combate ou perseguição... Caso estejam na iminência de se render, não se deve, como princípio geral, dar quartel a eles".

A ordem de Hitler termina com uma fria advertência a todos quantos ousarem descumpri-la. "Enviarei ao tribunal de guerra todos os comandantes e oficiais que não cumprirem estas instruções – quer por não informarem seus homens ou por desobediência intencional."

A ordem suplementar, expedida após a invasão da Normandia, era ainda mais extrema: "Apesar dos desembarques anglo-americanos na França, a ordem do Führer de 18 de outubro de 1942 referente à eliminação de sabotadores e terroristas continua em pleno vigor... Todos os membros de bandos terroristas e sabotadores, inclusive (como princípio geral) paraquedistas encontrados fora da zona imediata de combate, devem ser executados".

Os comandantes alemães receberam ordem de: "Relatar diariamente o número de sabotadores assim liquidados... O número de execuções aparecerá no comunicado diário da Wehrmacht como advertência a potenciais terroristas". As medidas para manter a ordem em "segredo" foram discriminadas de maneira bem clara. "As cópias para os regimentos e o estado-maior serão destruídas por este depois que ele tomar conhecimento de seu conteúdo. Um atestado de destruição deverá ser encaminhado a este quartel-general."

Podemos imaginar a indignação de Franks, Sykes e Barkworth após lerem esses documentos interceptados. À luz da Ordem de Comando, os horríveis assassinatos que Barkworth e Sykes descobriram nos vales dos Vosges faziam todo sentido. Sem dúvida, os outros cativos da Operação Loyton tinham encontrado o mesmo destino: não parecia haver esperança para os vinte e quatro ainda considerados "desaparecidos" ou "prováveis prisioneiros de guerra". Homens de menor envergadura esqueceriam o assunto; mas aqueles, não.

As repercussões da descoberta da Ordem de Comando continuaram. Comunicados ultrassecretos iam e vinham entre o Corpo Aerotransportado Britânico – a unidade agora no comando do SAS – e o Departamento de Guerra, suscitando muita preocupação pelo destino dos agentes aprisionados das Forças Especiais. Aparentemente, o consenso geral era que a Gestapo os estava mantendo para interrogatório e depois os mataria.

Não foram poucos os problemas levantados; e o modo como o SAS agiria daí por diante considerando-se as consequências da ordem não era o menor deles. "Convém levar em conta que a política geral relativa ao emprego de tropas do SAS está sendo afetada pelo tratamento infligido ao pessoal capturado. O inimigo sabe disso e, obviamente, como parte de sua propaganda para barrar as atividades do SAS, deu ordens segundo as quais os paraquedistas serão considerados 'sabotadores' e eliminados."

Havia outra questão premente: os homens em ação deveriam ser informados do perigo que corriam? No final do inverno de 1944-45, dezenas de unidades do SAS atuavam como vanguarda das forças que irrompiam contra o próprio território alemão. Por exemplo, o capitão Henry Carey Druce se preparava para chefiar uma importante missão do SAS que, a partir da cidade holandesa de Arnhem, penetraria nas linhas inimigas. Essa tarefa, ele a completaria com "efeito devastador" – mas, e se algum de seus homens fosse capturado?

No final de fevereiro de 1945, chegou-se a uma decisão sobre esse ponto. Um memorando "secreto e confidencial" do alto comando do Quartel-General das Forças Especiais estabelecia o seguinte com respeito aos membros franceses do SAS: "Após o exame desse problema, resolveu-se não dizer nada aos soldados". As justificativas eram: "(a) Eles já esperam ser mortos. (b) Isso só daria uma desculpa a delinquentes que queiram fugir da luta".

Ainda havia uma guerra a terminar e, ao que parece, os homens do SAS deveriam ser mantidos na ignorância da terrível ordem de Hitler.

Um outro aspecto desse caso estava sendo tratado nos escalões mais altos: a caçada aos criminosos de guerra que executavam as ordens do Führer. Na primavera de 1945, o brigadeiro Mike Calvert, conhecido como "Louco", assumiu o comando do SAS até então exercido por MacLeod. Calvert insistiu em que "todos os esforços serão feitos para prender esses criminosos, encontrar provas e levá-los a julgamento".

O brigadeiro Calvert e o coronel Franks tinham mentalidade parecida. Graças a seus esforços, os amigos mais influentes do Regimento na esfera política foram sondados para dar apoio a essa ação. Mas Franks – o comandante de alto escalão mais interessado pessoalmente no problema – já podia sentir para onde os ventos estavam soprando, tal como Calvert.

"O SHAEF e várias outras organizações na Europa já têm muito o que fazer e não querem se ocupar de nada que lhes dê trabalho extra", escreveu o brigadeiro Calvert ao coronel Franks. "Como, além do mais, os britânicos não são de natureza vingativa, é difícil convencer... as pessoas de que este não é um caso de vingança e sim de justiça, para castigar os criminosos que cometeram delitos graves."

Outro membro desse grupo amorfo – o príncipe Yurka Galitzine – erguia a voz em apoio às investigações dos crimes de guerra. Tornou-se particularmente enfático após a "descoberta" pelos Aliados, em 15 de abril de 1945, dos campos de concentração. Galitzine havia sido coagido a se calar cinco meses antes, quando vistoriou Natzweiler e tentou, inutilmente, dar o alarme. Mas, com os documentários sobre os horrores de Belsen passando nos cinemas britânicos, o muro de silêncio finalmente desmoronou.

Galitzine ficara frustrado por causa de Natzweiler, mas sentia que agora era sua vez. Por experiência pessoal, tornara-se intensamente côncio do problema dos crimes de guerra, bem como da necessidade de perseguir e punir os criminosos nazistas. Mas uma coisa o preocupava: quanto, nesse sentido, seria realmente feito?

"Eu tinha a impressão de que, após o Dia da Vitória na Europa, o ímpeto começava a arrefecer e logo iria sumir", lembra-se Galitzine. "As altas patentes do Departamento de Guerra só queriam descansar, o mesmo acontecendo com os políticos."

A compreensão que Galitzine tinha dos horrores perpetrados pelos nazistas era extraordinariamente lúcida e estava muito além de seu tempo. Com a guerra chegando ao fim, ele esboçou uma proposta para o que chamava de International Bureau of Information (IBI) [Escritório Internacional de Informação], cujo objetivo seria combater o uso de propaganda e lavagem cerebral – que tanto efeito tiveram na Alemanha nazista – por déspotas, ditadores e assassinos em massa empenhados em obter o controle de nações inteiras.

"Poucas pessoas se dão conta do papel desempenhado pela propaganda nesta guerra", escreveu Galitzine. "Pode-se mesmo dizer que a Alemanha declarou guerra ao mundo em 1933, quando Hitler lançou sua ofensiva publicitária contra a civilização. E é certo que o sucesso obtido por ele se deveu em grande parte à influência exercida sobre a opinião pública, principalmente ao abalar a coesão das vítimas por meio da propaganda."

Sem que isso cause surpresa, o IBI de Galitzine não foi apoiado pelas potências mundiais. Na primavera de 1945, as prioridades delas eram outras. Entretanto, o príncipe iria marcar um tento que colocaria os criminosos de guerra nazistas mais firmemente ao seu alcance. O Departamento de Guerra – sob a pressão provocada pelas revelações de Belsen e Auschwitz – finalmente montou uma equipe para investigar esses crimes, instalando-a no escritório de Eaton Square, no distrito londrino exclusivo de Belgravia.

A poucos metros do palácio de Buckingham, o número 20 da Eaton Square, escolhido pelo Departamento de Guerra, era um prédio enorme, de seis andares, com fachada branca e em estilo georgiano. Nada o distinguia muito dos prédios da vizinhança, na maioria habitados por ricaços de Londres. Oficialmente, Galitzine agora estava trabalhando para o Setor 3 do Ajudante Geral – Violação das Leis e Usos de Guerra (AG3-VW).

E no AG3-VW ele acabaria por descobrir sua verdadeira vocação.

Mas, quando se tratou de encontrar os desaparecidos, as pistas pareciam não levar a lugar nenhum. Barkworth e Sykes fizeram tudo o que podiam nos Vosges. Os corpos – ou melhor, o que restava deles – de seis homens haviam sido descobertos e cinco foram identificados. Cinco famílias receberam cartas, com notícias do filho ou do marido, que de algum modo encerravam o caso. No entanto, para a maioria não se tinha coisa alguma; conforme Hitler decretara, seus entes queridos mergulharam na noite e neblina.

Pedidos de informações sobre os desaparecidos se avolumavam. Por exemplo, o major J. R. H. Pinckney escreveu ao quartel-general do SAS solicitando notícias sobre seu filho, Philip Pinckney: "Estamos muito ansiosos por qualquer dado ou objeto pessoal pertencente a ele que estejam disponíveis ou possam ser encontrados junto às Autoridades... Muito pouco foi dito a respeito do trabalho desses Regimentos do SAS e talvez algo possa ser entregue aos parentes no devido tempo".

O coronel Franks prometeu fazer o possível para descobrir o que acontecera, mas pedidos igualmente desesperados estavam chegando de todas as partes. O coronel Grandval, líder dos *Maquis* Alsacianos, escreveu dos Vosges solicitando informações em nome do sr. De Bouvier, cujo filho, Henry, lutara na Resistência. "Supõe-se que [Henry Bouvier] tenha empreendido a fuga, por volta de 15 de outubro, com o capitão V. A. Gough, da equipe JACOB dos Jedburghs", disse o coronel francês. No entanto, o sr. De Bouvier "está sem notícias do filho Henry desde meados de outubro".

Como o capitão Victor Gough era um dos "desaparecidos – prováveis prisioneiros de guerra", muito pouco o coronel Franks poderia dizer ao infortunado pai, que no entanto queria saber a verdade. O mesmo ocorria aos amigos, parentes, esposas e ex-camaradas dos outros "desaparecidos": tinham sido deixados num terrível limbo, perguntando-se o que tinha acontecido.

Mas tudo isso estava prestes a mudar graças a uma carta chegada da França.

A 8 de maio de 1945, Dia da Vitória na Europa, a guerra terminou. Mas nem Franks, Barkworth ou qualquer de seus homens tinham vontade de comemorar. A mente deles se ocupava de assuntos mais sombrios: o destino dos desaparecidos e a captura dos que os haviam torturado e assassinado.

Apenas uma semana depois do Dia da Vitória na Europa, Franks enviou instruções a Barkworth: ele chefiaria uma força para investigar "o assassinato de membros deste Regimento feitos prisioneiros no leste da França durante os meses de agosto, setembro e outubro de 1944".

A iniciativa do coronel Brian Franks se inspirava, em parte, nas notícias bombásticas sobre os desaparecidos da Operação Loyton que acabara de receber. Agora, a Alemanha derrotada estava sendo dividida em zonas de ocupação, cada qual supervisionada por uma das principais potências vencedoras. Eram quatro zonas: britânica, americana, russa e francesa. Esta, de longe a menor de todas, cobria no entanto as áreas da Alemanha imediatamente a leste dos Vosges.

Os franceses escreveram ao Departamento de Guerra mencionando diversos corpos que encontraram sepultados num bosque perto do campo de concentração de Gaggenau, localizado na zona ocupada por eles. Gaggenau era, na verdade, um subcampo de Natzweiler e fizera parte, portanto, da área de comando do *Standartenführer* Isselhorst. Um desses corpos havia sido provisoriamente identificado como de um ex-agente da Operação Loyton.

Assim, o coronel Franks teve sua atenção despertada para mais um local de busca dos desaparecidos. Ordenou a Barkworth que levasse uma equipe do SAS a Gaggenau. Além de Sykes, Barkworth escolheu o sargento Fred "Dusty" Rhodes, um de seus homens mais confiáveis. Rhodes havia sido um dos que deram instruções ao capitão Henry Carey Druce antes de sua partida apressada para os Vosges. Também decidira participar de várias missões de reabastecimento da Operação Loyton a fim de ajudar a lançar paraquedistas e despejar recipientes pelos alçapões de bombas.

Rhodes, um sujeito durão e tenaz de Yorkshire, sentia – como Barkworth, Sykes e Franks – uma forte ligação com a Operação Loyton e os desaparecidos. Dirigindo-se para Dover num dos jipes originais do SAS e acompanhados por um caminhão Bedford de 1.500 toneladas cheio de suprimentos, nem sequer imaginavam que sua busca lhes custaria quatro anos e os levaria a diversos países.

Três anos antes, Barkworth recrutara Rhodes para o SAS e os dois homens se tornaram íntimos. Rhodes serviu com os Coldstream Guards no norte da África. Retirado da frente de combate para um período de repouso, ele e um camarada ouviram falar de uma "unidade especial" que procurava voluntários. Sem ter a mínima ideia do que fosse o SAS, os dois compareceram a uma entrevista com o então capitão Barkworth.

"Após várias perguntas que procuravam esmiuçar a fundo nossas aptidões... tivemos vinte e quatro horas para arrumar nossas coisas", observou Rhodes a propósito de sua seleção por Barkworth. Os treinamentos começaram imediatamente. "Havia uma montanha que chamávamos de Jebel. Com a mochila às costas, para mostrar nossa capacidade física, nós a escalávamos cronometrando as diferentes etapas do trajeto de baixo para cima e de cima para baixo. Qualquer falha e adeus Regimento."

Rhodes foi integrado à recém-formada seção de inteligência de Barkworth. A princípio, ele se perguntou se aquilo era realmente fazer a guerra, sobretudo porque os homens da célula não podiam participar de certas operações para não serem capturados. "A unidade de inteligência guardava inúmeras informações. Quando se sabe que há sete ou oito operações em curso atrás das linhas inimigas..." Se um homem da inteligência fosse aprisionado, poderia ceder sob tortura e pôr a perder todas essas missões.

Mas, quando Rhodes viu como eram bem-sucedidas as missões de inteligência, reconheceu a importância de seu papel. Mais tarde, ele e seus camaradas receberam permissão de sair em missões rápidas, onde o perigo de captura era menor que em operações por trás das linhas inimigas.

"Embarcávamos num submarino ou contratorpedeiro para... atacar um edifício, uma ponte ou um aeródromo."

Rhodes, loiro e de olhos azuis, se parecia muito com Barkworth em vários aspectos – pois eram ambos inconformistas, pouco convencionais e sempre dispostos a assumir riscos. Uma história das etapas finais da guerra é um ótimo exemplo disso. A seção de inteligência de Barkworth penetrara na Alemanha para ajudar a obter a rendição de unidades inimigas. Um grupo de tropas de elite estava guarnecendo um castelo de grossas paredes. O major Barkworth se adiantou para negociar com seu comandante.

"Disseram que só se renderiam a um membro dos Brigadier Guards", contou Rhodes. (Brigadier Guards era outro nome para os Coldstream Guards.) A resposta de Barkworth ao oficial alemão foi: "Está bem, tenho um deles aqui para vocês". E, voltando-se para Rhodes: "Vamos, mostre a eles o que os Brigadier Guards podem fazer!"

"A turma toda se rendeu!", recorda Rhodes. "O oficial entregou sua guarnição a um ex-membro dos Brigadier Guards. Não se renderia a mais ninguém porque os Brigadier Guards gozavam de elevada estima... junto ao exército alemão, na época."

Rhodes descreveu Barkworth como "um sujeito muito excêntrico. Podia ser arrogante, podia ser divertido ou a criatura mais estranha que alguém esperaria encontrar. Mas era também extremamente leal para com as pessoas que trabalhavam com ele".

Rhodes e Barkworth formariam a pedra angular da unidade do SAS encarregada de caçar os assassinos nazistas.

"Pretendíamos estabelecer nosso quartel-general em Gaggenau", contou Rhodes, "possivelmente porque ninguém consideraria esse lugar o centro da área onde estávamos atuando. Tínhamos muito boas relações de trabalho com os franceses e os americanos, cuja zona não ficava a mais de 15 quilômetros dali. Podíamos recorrer a especialistas americanos – patologistas, etc. – para fazer autópsias nos corpos que encontrávamos."

Havia corpos nas florestas em torno de Gaggenau à espera de exumação para revelar seus sombrios segredos. Rhodes acreditava em olho por olho, dente por dente. Ele e seus camaradas do SAS tinham instruções de, caso fossem capturados e ameaçados de execução, declarar na cara dos captores que o mesmo os aguardava. Todo homem que executasse um agente do SAS ficaria sabendo assim que receberia idêntico tratamento.

"Já sabíamos o que acontecia aos prisioneiros", declarou Rhodes. "E deveríamos dizer às pessoas que o Regimento investigaria as causas da morte. Creio que essa fosse mesmo a intenção do Regimento e não apenas uma ideia... Tínhamos duas prioridades: encontrar todos os nossos camaradas do SAS e garantir que nenhum assassino de nossos homens escapasse à justiça."

O Regimento os perseguiria; esse sempre havia sido o plano. E, se dependesse daquela equipe, a promessa de dar o troco seria mantida.

O SAS embarca num avião Bristol Bombay.
Em agosto de 1944, cerca de sessenta homens saltariam 800 quilômetros atrás das linhas inimigas, nas montanhas dos Vosges, no nordeste da França. Era a Operação Loyton, que ficaria conhecida como a "Arnhem do SAS".

Membros do 2 SAS perfilados.
O censor cobriu a insígnia da boina do SAS nesta foto para evitar a identificação. O mau tempo de junho e julho de 1944 adiaria sua missão por semanas, com consequências fatais para muitos.

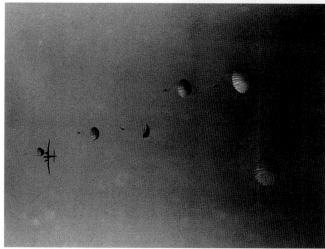

No verão de 1944, Winston Churchill e o presidente americano Roosevelt ordenaram uma série de operações de vulto para fortalecer a Resistência Francesa. Armas foram lançadas de paraquedas, juntamente com Forças Especiais para treiná-la e lutar a seu lado. Somente na Operação Cadillac, cerca de 300 bombardeiros americanos Liberator despejaram 400 toneladas de armas para as forças da Resistência que operavam na Dordonha.

Hauptsturmführer Karl Buck, comandante do campo de prisioneiros de Schirmek, onde os agentes do SAS e da SOE capturados durante a missão dos Vosges foram mantidos para posterior execução.

Josef Kramer, que trabalhou em Auschwitz e Belsen, passou a comandar o campo de concentração de Natzweiler, para onde os membros das Forças Especiais aprisionados nos Vosges eram transferidos para serem executados.

Reinhard von Gehlen, poderoso chefe de inteligência de Hitler na Frente Oriental, iria tornar-se importante colaborador da CIA, como muitos outros criminosos de guerra nazistas, inclusive alguns dos arquitetos principais das atrocidades dos Vosges.

Oberwachtmeister Heinrich Neuschwanger – apelidado de "Stuka" em alusão ao odiado bombardeiro de mergulho alemão. Sádico brutal, chefiou a tortura e o assassinato de membros das Forças Especiais capturados nos Vosges.

O capitão Victor Gough comandou uma unidade "Jedburgh" de três homens do SAS e da SOE encarregada de fazer ligação com a Resistência e promover uma insurreição violenta nos Vosges. Aprisionado, foi um dos que jamais voltaram.

Major Peter Lancelot John le Poer Power, ex-plantador de chá no Ceilão, revelou-se um agente por excelência do SAS, pondo fora de combate vários comandantes superiores do inimigo.

O capitão John Hislop (aqui, depois da guerra), campeão de turfe, demonstrava uma "lamentável falta de aptidão militar" segundo o exército regular. Suas ações com o SAS nos Vosges provariam o contrário.

Capitão Henry Carey Druce, do SAS e da SOE, era conhecido por entrar em batalha com uma cartola de seda preta. Escapou das garras da Gestapo e especializou-se em atravessar as linhas inimigas vestido de civil.

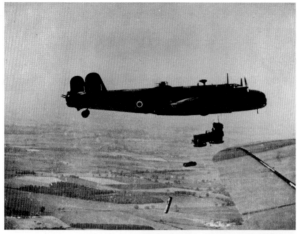

Ataques-surpresa com jipes eram uma das especialidades do SAS. A RAF conseguiu, surpreendentemente, lançar esses veículos nas inóspitas montanhas dos Vosges, permitindo ao SAS criar pânico nas linhas inimigas e facilitar a entrada das forças aliadas no território alemão.

Os jipes lançados de paraquedas nos Vosges às vezes tinham de ser resgatados do alto das árvores. "Mais difícil era esconder os paraquedas para que os alemães não soubessem da nossa presença", observou o piloto canadense e membro honorário do SAS, Lou Fiddick.

As metralhadoras Vickers, montadas nos jipes, eram perfeitas para alvejar automóveis de oficiais e aterrorizar os comandantes inimigos – um dos principais objetivos da força do coronel Brian Franks nos Vosges. Os homens do SAS espalhavam cargas explosivas com formato de pedras para deter veículos blindados como estes lançadores de foguetes providos de lagartas.

O inabalável espírito do oficial Victor Gough, da SOE. Capturado, espancado e torturado de maneira terrível, ele ainda achava forças para desenhar esses cartuns nas celas subterrâneas do *Sicherungslager* (campo de prisioneiros) de Schirmek. Os desenhos serviam para reerguer o ânimo de seus camaradas do SAS e da SOE cativos.

Os suspeitos de sempre. A *Lager Wache* – guarda do campo – do campo de concentração de Natzweiler, que supervisionava o assassinato de centenas de guerrilheiros da Resistência Francesa, bem como de membros do SAS e da SOE que lutavam ao lado dos franceses nos Vosges.

Último reduto. O tenente Black, do SAS, e sete camaradas foram cercados neste edifício e lutaram até o último cartucho. Foram capturados por aqueles que tinham ordens de Hitler para exterminar todos os membros das Forças Especiais aliadas aprisionados, "sem misericórdia e onde quer que fossem vistos".

Um guerrilheiro da Resistência Francesa, mais conhecida como os *maquis*. Nos Vosges, milhares deles juntaram forças com o SAS para se levantar contra o inimigo odiado. Mas a Gestapo e a SS cobravam terrível vingança.

Diana Rowden e Vera Leigh, agentes da SOE capturadas. Juntamente com Sonya Olschanezky e Andrée Borrel, foram mandadas para Natzweiler a fim de ser executadas. Seu caso se tornou uma prioridade para os caçadores de nazistas do SAS, que queriam pôr as mãos principalmente no médico SS do campo que teria injetado em todas uma toxina letal.

A fornalha de Natzweiler. Quando as quatro agentes da SOE foram jogadas nos fornos pelo principal algoz do campo, o *Hauptscharführer* Peter Straub, pelo menos uma ainda estava viva. Resistindo até o fim, ela se ergueu e arranhou a face dele com as unhas, deixando ali cicatrizes que ajudaram os caçadores de nazistas do SAS a rastreá-lo e identificá-lo.

O gerador de gás de Natzweiler. Os prisioneiros eram usados como cobaias humanas para testar as terríveis armas químicas dos nazistas e depois seus antídotos.

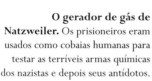

No verão de 1945, os caçadores de nazistas do major Bill
Barkworth do SAS abriram esta vala comum na floresta Erlich,
perto da cidade alemã de Gaggenau, exumando os corpos de
antigos camaradas do SAS e da SOE. Descobriram assim o destino de alguns dos trinta e um desaparecidos do SAS e da SOE
que haviam sido capturados nos Vosges.

O príncipe Yuri "Yurka" Galitzine, capitão da
SOE cuja descoberta dos horrores de Natzweiler
o transformaria num caçador de nazistas sem
igual. O capitão Galitzine era a força motriz por
trás das equipes secretas de caçadores do SAS.

Para não esquecer.
Sargento Fitzpatrick
e soldados Conway e
Elliott, três dos
dez agentes do SAS
sepultados no cemitério
de Moussey, uma aldeia
que se tornou parte da
lenda do grupo devido à
sua inabalável lealdade
durante a guerra.

CAPÍTULO 19

———— ✳ ————

Logo após a derrota, a Alemanha — onde Barkworth, Rhodes, Sykes e os outros iriam trabalhar — estava no mais completo caos. E tanto que no final de maio de 1945 os Aliados perceberam ter prioridades mais urgentes que caçar criminosos de guerra. O país inteiro corria o risco de morrer de fome. Em resposta, as potências aliadas lançaram a Operação Barleycorn, em que todo alemão apto — as centenas de milhares de prisioneiros de guerra primeiro — era enviado ao campo para semear e colher.

A nação inteira parecia estar em movimento perpétuo. Refugiados vinham do leste — da Rússia de Stalin — para as zonas de ocupação ocidentais. Civis haviam se escondido no campo para escapar aos bombardeios devastadores dos Aliados e agora tentavam voltar para suas casas, nas cidades em ruínas.

O que os Aliados mais temiam era a fome na Alemanha, pois com ela certamente viriam a doença e a peste. Por todo lado só havia escassez, sofrimento e miséria. Quando, a caminho, Barkworth e sua equipe pararam para comer suas rações, viram-se subitamente rodeados por uma multidão silenciosa de crianças. Elas ali ficaram, imóveis, de olhos anormalmente dilatados pelos efeitos da desnutrição, acompanhando cada bocado consumido.

É claro, as crianças alemãs não tinham nenhuma responsabilidade pelos horrores que o regime nazista desencadeara sobre o mundo. Também elas eram vítimas do mal tenebroso e da megalomania que dominaram aquela terra. Os homens do SAS pressentiam isso instintivamente; e acabaram por dar sua comida às crianças, antes de partir dali com pressa.

Para muitos, a busca de Barkworth podia talvez parecer obtusa e injustificável. O destino de uns poucos desaparecidos do SAS importava mais que o de uma nação inteira na iminência do colapso? Além disso, o que tornava os desaparecidos da Operação Loyton tão *especiais*? A cada passo, os Aliados se viam diante dos horrores que a Alemanha nazista perpetrara; só na zona britânica havia oitenta campos de concentração, centros de trabalhos forçados e instalações de extermínio.

O que, então, fazia dos assassinos da Operação Loyton – sem dúvida de menor envergadura perto dos que haviam exterminado centenas de milhares – tão merecedores de castigo? Não deveriam os arquitetos da eliminação em massa de milhões – em Belsen, Auschwitz, Buchenwald e Dachau, para citar apenas alguns campos – ser o alvo principal da caçada?

Deveriam e seriam. Os campos atrairiam o melhor dos esforços dos Aliados sedentos de justiça e punição. Por esse motivo, o coronel Franks decidira por conta própria enviar uma pequena força do SAS naquela missão. *Para que ninguém esquecesse.*

Gaggenau se localiza à margem do rio Murg, um afluente do Reno, poucos quilômetros a leste dos Vosges. Durante a guerra, o maior empregador da região havia sido a fábrica de veículos Mercedes-Benz, que inevitavelmente se tornara alvo dos bombardeios aliados. Em setembro e outubro de 1944, centenas de B-17s da Força Aérea Americana haviam despejado uma chuva de destruição sobre o complexo automobilístico e, em consequência, cerca de 70% da cidade foi arrasada.

No distrito de Bad Rotenfels, construiu-se um alojamento para 1.500 trabalhadores forçados da fábrica da Daimler-Benz. Atrás desta, estendia-se um bosque chamado floresta Erlich. Sem folhas no verão, na primavera de 1945 as árvores começavam a reverdecer. Mas essa exuberância de vida contrastava com o que estava enterrado ali.

Antes de se dirigir à floresta, Barkworth precisava montar uma base de operações. Optou por requisitar uma casa modernista em estilo Bauhaus dos anos 1930, toda angulosa, conhecida como Vila Degler, onde até havia pouco morava um proeminente nazista local. Quando assumiram o controle da cidade, os franceses prenderam Herr Degler e, numa surpreendente inversão de papéis, Barkworth instalou sua equipe na residência recém-desocupada.

A esposa e as duas filhas adolescentes de Herr Degler receberam ordem de Barkworth de cozinhar e lavar para sua equipe de caçadores de nazistas. Austera e sólida por fora, a Vila Degler era, por dentro, repleta de candelabros dourados, portas de madeira envernizadas e decoração de fino gosto. Mais importante, dispunha de um porão grande e seguro que funcionaria perfeitamente como cela para o que Barkworth pretendia encerrar ali: seus prisioneiros.

No teto da Vila Degler, Barkworth instalou as antenas para suas cruciais comunicações de rádio, a cargo de uma equipe Fantasma, para falar diretamente com o quartel-general do SAS. Era pequeno (ou nenhum) o efetivo britânico baseado na zona francesa de ocupação, de modo que todos os suprimentos – humanos e materiais – tinham de vir do Reino Unido ou da zona britânica, situada quase 100 quilômetros ao norte. Comunicações diretas e eficientes eram imprescindíveis.

As únicas outras forças de fala inglesa na vizinhança, uma equipe americana de investigação de crimes de guerra, vieram porque o túmulo coletivo que atraíra Barkworth também poderia conter corpos de americanos. Essa equipe, comandada pelo coronel David Chavez Jr., e seu grupo de especialistas seriam grandes aliados de Barkworth na busca dos desaparecidos e seus assassinos.

No início da manhã de 10 de junho, os homens de Barkworth e os do coronel Chavez se reuniram na floresta fantasmagoricamente silenciosa de Erlich. A tarefa que tinham pela frente consumiria todos os seus momentos de vigília pelos próximos dez dias. Não seria a primeira exumação; os franceses haviam feito um esforço – meio caótico – para desenterrar os corpos e identificá-los, o que dera origem à carta endereçada ao coronel Franks sobre a possibilidade de homens do SAS estarem sepultados ali.

Pouco depois de as tropas francesas tomarem Gaggenau, os moradores lhes falaram sobre um grande túmulo na floresta. Prisioneiros do campo de trabalhos forçados de Rotenfels haviam sido conduzidos para a sombra das árvores e fuzilados. Os cadáveres foram jogados em duas crateras de bombas adjacentes e cobertos de terra.

Os franceses quiseram investigar. Os vinte e sete corpos exumados estavam em perfeito estado de conservação. Tinham sido sepultados quase imediatamente depois da execução e mal começavam a se decompor. Mas infelizmente, depois de desenterrá-los, os franceses os deixaram expostos ao sol da primavera por oito dias.

Quando Barkworth, Sykes e Rhodes – além de Chavez e sua equipe americana – chegaram para fazer a segunda exumação, viram-se diante de uma série de circunstâncias bem menos palatáveis. A equipe de Chavez incluía dois patologistas experientes. Quando a escavação começou e o cheiro se espalhou pela atmosfera, eles explicaram ao major Barkworth e a seu coronel – um oficial britânico e um americano tentando identificar seus camaradas mortos – o que os aguardava.

Enterrados minutos depois da morte e sob uma espessa camada de terra, os corpos – embora jazendo ali havia seis meses quando de sua primeira exumação – tinham sido quase mumificados. A terra, embaixo, era seca e fria – a meio metro ou mais da superfície a temperatura praticamente não muda – e a pele sofrera um processo de "curtição", tornando-se escura e encorreada. Os tecidos se transformaram numa cera grossa chamada adipocera, com a consistência do barro.

Mas, quando os corpos foram atacados pelo calor e os insetos da primavera, a verdadeira decomposição começou. Moscas depositaram seus ovos, o que resultou em infestações de vermes. Tecidos macios perderam a cor, desintegraram-se e apodreceram, deixando apenas as partes sólidas – tendões e ligamentos – presas ao esqueleto. Era nesse estado de deterioração que os corpos agora seriam provavelmente encontrados.

Barkworth e seus homens reuniram alguns prisioneiros alemães para procederem à escavação. Eram os antigos administradores da vizinha fábrica da Mercedes-Benz, que usavam prisioneiros do campo de Rotenfels para produzir carros e caminhões entregues à Wehrmacht. Muitos dos trabalhadores forçados tinham passado por Natzweiler – Rotenfels era uma subestação do "campo-mãe" – e viveram ali nas mesmas condições terríveis das outras vítimas.

Mesmo protestando, os administradores precisavam saber da selvageria infligida a seus operários, que passavam fome, trabalhavam até o limite das forças ou eram separados para morrer.

"Achávamos que eles foram responsáveis pelas pessoas eliminadas", disse Rhodes sobre os gerentes da fábrica da Daimler-Benz. "E que não poderiam se eximir dessa culpa. Muitos alegaram não saber de nada. Não acredito nisso."

Com o rosto envolto em panos grossos para não sentir o mau cheiro, os ex-administradores da fábrica foram obrigados a cavar. Enjoados e aflitos, começaram a descobrir o primeiro cadáver. Os patologistas do coronel Chavez haviam instalado um "necrotério" provisório na capela de um cemitério na floresta. Os primeiros restos repugnantes foram levados para lá e os patologistas se puseram a trabalhar.

Semanas antes, Barkworth e Sykes haviam descoberto os restos queimados de seus seis camaradas nos Vosges. E isso já havia sido mau o bastante, embora se tratasse de fragmentos incinerados de esqueletos humanos. Mas a exumação na floresta Erlich seria bem pior.

Enquanto observavam os ex-administradores da fábrica removendo a terra, Barkworth, Sykes e Rhodes pressentiram que ali jaziam corpos de homens que eles conheceram pessoalmente, seus companheiros de luta nos mais difíceis teatros de guerra. Atuando nas condições extremas da Operação Loyton, a amizade era cultivada num nível mais profundo e mais sincero do que seria possível na vida normal.

A tensão e as emoções iam atingindo o ponto mais alto.

"Às vezes, havia apenas uma leve semelhança...", disse Rhodes sobre os corpos. "Podíamos perceber os traços de uma pessoa que havíamos conhecido bem e dizer: 'Sim, é o capitão Fulano'. Mas nem sempre; e essa identificação não bastava para as autoridades. A identificação tinha de ser formal."

Foi com a comparação dos dentes nos crânios das vítimas com sua ficha dentária que várias delas puderam ser reconhecidas. Alguns corpos estavam vestidos com trajes civis ainda reconhecíveis, mas um trazia camisa e calças do exército britânico. Seus dentes combinavam exatamente com a ficha dentária do soldado Griffin do SAS. O número seis da lista dos desaparecidos da Operação Loyton tinha sido encontrado e identificado.

Um corpo com o casaco do exército britânico vestia calção de banho azul. Os dentes pareciam corresponder à ficha dentária do paraquedista Ashe do SAS, outro desaparecido da Operação Loyton, mas a coincidência era apenas parcial. A prova definitiva foi o calção de banho azul.

Em seu relatório sobre a exumação, Barkworth anotou: "O exame pela equipe americana de crimes de guerra revelou que o calção tinha as seguintes marcas: 'Nicol Brown & Coyle Ltd. Halifax' e 'UMBRO' em etiquetas separadas." Um colega do SAS lembrou-se de que Ashe havia entrado para a Operação Loyton justamente com um calção daqueles.

O corpo de Victor Gough foi o próximo a ser identificado. Tudo o que restava de suas roupas era uma meia cinza do exército, mas os dentes coincidiam com a ficha dentária do capitão dos Jedburghs. A prova final foi o exame *post mortem* realizado pelos americanos: o corpo não tinha apêndice, o que combinava perfeitamente com o prontuário médico.

O capitão Victor Gough, líder da equipe Jacob dos Jedburghs – que, sozinha, lutara heroicamente ombro a ombro com os *Maquis* Alsacianos, tendo seus camaradas mortos ou capturados –, sobrevivera apenas para ser executado numa floresta perto de Gaggenau e jogado numa vala comum.

A quarta vítima da Operação Loyton causou grande comoção. Desenterrou-se um corpo vestido com o macacão de paraquedista do tipo preso entre as pernas para evitar que se arregace durante o salto. No "necrotério" da capela, os dentes foram examinados, mas não pareciam coincidir com nenhuma ficha dentária disponível. Outro meio de identificação teria de ser encontrado.

Barkworth observou no pulso esquerdo um relógio do exército. Esses relógios traziam um número e tinham de ser requisitados. Barkworth resolveu conferir. E descobriu que o número do relógio correspondia com o que tinha sido entregue ao tenente David Dill – o oficial do SAS com cara de menino que mostrara calma e firmeza impressionantes sob pressão durante a Operação Loyton.

O tenente Dill comandara a retaguarda deixada na última base do SAS em Moussey. Ele e seu grupo de seis foram cercados por uma poderosa tropa alemã e lutaram até o último cartucho. "Você é meu prisioneiro", dissera-lhe o oficial alemão. "É soldado como eu."

De um bosque devastado pela guerra o tenente Dill passara de alguma forma para outro, mas em circunstâncias bem mais sombrias. Sua identificação foi definitivamente confirmada quando os patologistas americanos descobriram uma fratura antiga no cotovelo direito, o que coincidia com o prontuário médico de Dill. Recuperaram-se também duas estrelas de metal – a insígnia de tenente – presas ao ombro de sua camisa e algumas barras de chocolate inglês em um de seus bolsos.

Outras identificações foram menos problemáticas; nos casos do major Dennis Reynolds e do capitão Andy Whately-Smith, os corpos parcialmente decompostos traziam ainda as placas de identificação. A certa altura, depois que a força do coronel Franks se dirigiu para as linhas aliadas, o major do SAS, recuperando-se do tiro no braço, e o capitão que permaneceu lealmente a seu lado devem ter saído de sua caverna em Pierre-Percée. Mas a jornada que empreenderam terminara ali naquela mata escura.

Dois outros corpos também foram identificados pelas placas. Eram de Curtis E. Hodges e Michael Pipcock, dois dos pilotos americanos que o coronel Chavez e sua equipe tinham vindo procurar.

Cinco desses homens – Dill, Gough, Reynolds, Whately-Smith e o americano Pipcock – estavam listados na carta que a Cruz Vermelha enviara ao coronel Franks em novembro de 1944. A 8 do mesmo mês, continuavam vivos e mantidos como prisioneiros no *Sicherungslager* de Schirmek. Não se sabe como, acabaram atirados naquela vala comum da floresta Erlich.

A 20 de junho de 1945, encerraram-se as exumações. Dois outros corpos foram provisoriamente identificados como de americanos. Os restantes estavam com roupas civis e pertenciam, em sua maioria, à Resistência Francesa. Os detalhes sobre estes, tais quais as equipes puderam estabelecer, foram passados às autoridades da França.

Após as exumações na floresta Erlich, mais seis desaparecidos da Operação Loyton tinham sido encontrados. A lista dos casos pendentes ia diminuindo: restavam dezoito. O desafio agora, para Barkworth, era descobrir como esses seis homens da Operação Loyton tinham sido mortos, identificar os responsáveis e persegui-los.

Concatenar a história dos assassinatos revelou-se menos problemático do que Barkworth imaginava. Testemunhas – principalmente ex-prisioneiros do campo de Rotenfels, mas também alguns ex-guardas – se prontificaram a narrar para Barkworth a história tenebrosa.

A 25 de novembro de 1944, o chefe do campo de Rotenfels, comandante Wunsch, recebeu ordens de executar todos os prisioneiros de guerra britânicos e americanos que estavam ali. As ordens vinham do *Standartenführer* Isselhort e essa foi a primeira vez que Barkworth soube de sua participação na organização dos assassinatos. O nome e o papel de Isselhorst foram devidamente anotados.

O abade Alphonse Hett, padre francês mantido em Rotenfels como suspeito de ser *maquis*, relatou a Barkworth o que tinha visto naquele dia fatídico. Catorze prisioneiros receberam ordem de se postar na frente de seus alojamentos: eram dez homens com uniformes militares britânicos ou americanos e quatro com trajes civis (inclusive dois outros padres, abade Roth e abade Claude).

O comandante dos guardas do campo, tenente Nussberger, ordenou que os catorze prisioneiros embarcassem em um caminhão fechado. Quando tentavam subir carregando seus poucos pertences, os homens de Nussberger – Ostertag, Ullrich, Zimmermann e Neuschwanger – arrancaram-nos de suas mãos. Tudo teria de ficar para trás. Vendo isso, o abade Hett soube instintivamente que aqueles infelizes estavam sendo levados embora para morrer.

O caminhão partiu. O abade Hett nunca mais viu aqueles prisioneiros. A história foi então retomada por Albert Arnold, um prisioneiro de guerra francês obrigado a trabalhar como motorista em Rotenfels. Ele estava ao volante do caminhão naquele dia. Ordenaram-lhe que se dirigisse à orla da floresta Erlich. Conforme as instruções, ele parou ali, e o primeiro grupo de três prisioneiros foi levado. Ouviu os tiros, como os demais dentro do veículo.

Os prisioneiros restantes saíram em grupos de três. Ficavam de pé na borda da cratera de bomba, de onde podiam ver claramente seus camaradas mortos. Os corpos eram parcialmente despidos; as roupas e botas ficavam com os carrascos ou eram empilhadas e incineradas, sem dúvida para ocultar a identidade dos prisioneiros. No último instante, um dos padres tentou escapar. Correu uns cem metros pela floresta antes de ser abatido a tiros.

Depois que os catorze estavam mortos, um grupo de prisioneiros de guerra russos entrou na floresta e cobriu os corpos com terra, enchendo até a borda a cratera de bombas. Um dos russos conseguiu tirar uma fotografia amassada do bolso de uma das vítimas: mostrava, decerto, sua família.

Após a libertação do campo de Rotenfels, essa foto foi entregue a um cônsul suíço que morava no local e depois enviada aos Aliados. Chegou finalmente às mãos de Barkworth e quem conhecia o soldado Griffin do SAS confirmou que era ele.

O abade Hett relatou a Barkworth o tipo de tratamento infligido aos homens capturados durante suas semanas sombrias de cativeiro. Eles foram mantidos por muito tempo no *Sicherungslager* de Schirmek, sendo transferidos para Gaggenau apenas quando as forças americanas dominaram os Vosges. Em Schirmek, um homem em especial, o *Oberwachtmeister* (tenente) Heinrich Neuschwanger, comportava-se de maneira selvagem para com os prisioneiros britânicos. Estes eram levados para o banheiro do campo de mãos amarradas e espancados com tamanha brutalidade que as pontas de seus ossos rasgavam a pele.

Neuschwanger, um indivíduo notoriamente sanguinário, nunca ficava mais feliz do que quando tinha espancamentos ou assassinatos para se "divertir". Segundo o que o padre contou a Barkworth, o major Reynolds dissera que "jamais julgara possível a um corpo humano suportar tanta dor sem morrer". Em outras palavras, não conseguia entender como ainda estava vivo.

Entre os prisioneiros, Neuschwanger ganhara o apelido de "Stuka" devido à sua predileção por cair aos pontapés sobre quem já estava inconsciente, como o bombardeiro de mergulho do mesmo nome. O major Reynolds, os capitães Whately-Smith, Gough e o tenente Dill foram espancados quase até a morte no cativeiro, motivo pelo qual nenhum tentara escapar quando levado para a morte na floresta Erlich.

Segundo testemunhas, o *Oberwachtmeister* Neuschwanger declarava que os prisioneiros de guerra britânicos e americanos deviam morrer porque, "quando os Aliados chegassem, todo o pessoal do campo seria fuzilado". Neuschwanger foi sem dúvida o principal carrasco que tinha atirado nos prisioneiros postados à beira de sua vala comum.

O *Oberwachtmeister* Heinrich Neuschwanger logo saltou para o alto da lista dos mais procurados por Barkworth, à frente até de Max Kessler, o oficial da Gestapo que supervisionara os assassinatos e a cremação dos corpos nos Vosges.

Após suas investigações em Gaggenau, Barkworth entendeu melhor o papel desempenhado pelo *Sicherungslager* de Schirmek e sua relação com Natzweiler. Sobre Natzweiler, ele anotou: "Aqui estava toda a maquinaria para a eliminação e a destruição de prisioneiros, vindos de Schirmek para ser executados". Geralmente, os prisioneiros eram mantidos, interrogados e torturados em Schirmek; mas iam para Natzweiler para serem mortos.

Nomes iam aumentando a lista dos mais procurados de Barkworth, inclusive os de outros figurões dos campos. No início do relatório de Barkworth com o título de "Criminosos de Guerra — Os Seguintes Indivíduos São Procurados" aparecia o *Hauptsturmführer* Karl Buck, o comandante perneta e viciado em morfina do campo de Schirmek. Barkworth considerou Buck responsável por "dar, transmitir ou executar ordens para a eliminação de dez vítimas britânicas e americanas".

Entre os enumerados como responsáveis por "incríveis atrocidades na área dos Vosges" estava o *Sturmbannführer* Hans Dietrich Ernst, o oficial da

SS que enviara oitocentos judeus franceses para a morte em Auschwitz e cujo *Einsatzkommando* Ernst perpetrara as piores violências da Waldfest. Havia também Julius Gehrum, ex-chefe da guarda de fronteira e um dos asseclas mais brutais de Isselhorst. E, é claro, o próprio *Standartenführer* dr. Erich Isselhorst, o grão-mestre de todos.

Em algum ponto do torvelinho caótico da Alemanha, esses homens – esses culpados – estavam escondidos. Mas a caçada de fato ia logo começar. "Todos os detalhes conhecidos, inclusive patente, nome e endereço acham-se disponíveis no Relatório dos Procurados", escreveu Barkworth. Relatórios desse tipo circulariam, via Londres, entre todas as autoridades aliadas.

O relatório completo de Barkworth sobre as atrocidades em Gaggenau ficou pronto em 15 de julho de 1945. Concluía: "Quem teve a paciência de ler isto... reconhecerá a urgência de levar os criminosos alemães à justiça".

Por um lance de sorte, Barkworth estava na iminência de apanhar o primeiro dos mais procurados.

CAPÍTULO 20

———— ✳ ————

No VERÃO DE 1945, os sobreviventes das deportações da Waldfest voltaram. Dos 231 levados de Moussey, 178 nunca mais foram vistos. E, dos que voltaram, alguns estavam tão fracos e doentes por causa do tratamento recebido que logo morreriam também. Em todo o vale de Rabodeau, cerca de mil aldeões haviam sido aprisionados e a maioria jamais regressou ao lar.

O vale de mil lágrimas se transformou no vale das viúvas.

Quando a sombria e amarga verdade sobre a Ordem de Comando de Hitler e seu impacto sobre as vítimas aliadas começou a emergir, as notícias inundaram a imprensa mundial. A 7 de junho, a Reuters publicou uma história em primeira página com o título de "Os 168 Degraus da Tortura". A reportagem informava que os restos de quarenta e oito paraquedistas assassinados pela SS haviam sido descobertos no campo de concentração de Mauthausen, na Áustria.

Eis um trecho do texto da Reuters: "Segundo prisioneiros libertados, eles eram coagidos a carregar pedras por 168 degraus até o alto de uma pedreira, onde guardas os vergastavam com chicote e ameaçavam fuzilá-los caso deixassem cair as pedras". Em seguida, tinham de largar a carga e repetir todo o processo. A tortura terminou a 6 de setembro de 1944, quando, "por ordem de Himmler, os moribundos foram derrubados a tiros ao subir os degraus".

Objetos pessoais de homens desaparecidos do 1 SAS foram recuperados em Belsen, deixando poucas dúvidas sobre seu destino. Mas a verdadeira escala das atrocidades e o número de nazistas envolvidos ainda eram desconhecidos. Foi como se uma avalanche de maldades varresse a Europa Ocidental, sepultando-a no horror; mas, a despeito dos relatórios de "procurados" de Barkworth, muitos criminosos de guerra continuavam escapando da perseguição dos Aliados.

A 12 de junho de 1945, quando Barkworth estava prestes a entregar seu relatório sobre as atrocidades de Gaggenau, o *Standartenführer* dr. Erich Isselhorst foi capturado – ou melhor, se entregou. Ironicamente, foi ao 7º Exército americano – em grande parte responsável pela derrota de suas forças nos Vosges – que ele se rendeu.

Junto com a esposa, Isselhorst passara semanas escondido numa remota cabana de lenhador em Sachenbach, uma área montanhosa ao sul da Alemanha, perto da fronteira austríaca. Continuou sendo um nazista empedernido e, aparentemente, nunca se arrependeu. Disse, em carta à esposa, que tinha orgulho de ser um discípulo autêntico do Führer, ao contrário daqueles que apenas o "bajulavam". Isselhorst falou de sua "fé inabalável na natureza boa e pura do Nacional-Socialismo [Nazismo], no espírito e no povo do Reich, e na invulnerabilidade de nosso líder".

Trajando roupas civis e com documentos falsos em nome de Georg Horst, a princípio Isselhorst tentou permanecer escondido até que a tempestade da chegada dos Aliados passasse. Mas em junho de 1945, ele concluiu que se sairia melhor caso alcançasse as boas graças da mais poderosa força de ocupação da Alemanha: os americanos.

Pelos registros de seus interrogatórios subsequentes, parece claro que os americanos estavam indecisos com respeito a Isselhorst. De um lado, o Departamento de Crimes de Guerra do 7º Exército suspeitava que o comandante da SS e da Gestapo praticara atrocidades; de outro, ele lutara na Frente Oriental e poderia ser útil.

"As seguintes informações sobre personalidades da Contrainteligência foram fornecidas pelo SS *Standartenführer* dr. Erich Isselhorst, ora em custódia", reza uma carta "confidencial" do Quartel-General das Forças Americanas, Frente Europeia. Essas informações se referiam a colegas de Isselhorst da SS e da Gestapo que haviam lutado contra o Exército Vermelho ou espionado o regime stalinista.

Isselhorst não tardou a deixar claras suas intenções aos americanos. "Isselhorst se dispõe a trabalhar como informante para nós", conclui um memorando datilografado. E uma nota manuscrita à margem diz: "IC ainda desconfiado dele" (IC era o Interrogation Centre [Centro de Interrogatórios] do 7º Exército). Eis os interesses do exército americano em Isselhorst: "A. Organização e personalidades da Amt IV RSHA. B. Sipo na Rússia".

"Amt IV" era a Gestapo e "Sipo", a polícia de segurança do Reich, mas o principal interesse americano residia claramente nas experiências e nos conhecimentos russos de Isselhorst. Comentando o tempo de serviço de Isselhorst na Frente Oriental, o relatório do interrogatório diz: "Polícia política; medidas contra os *maquis* em estreita colaboração com anticomunistas locais, valendo-se do velho ódio entre ucranianos e russos brancos".

Para os militares americanos, que esperavam uma nova guerra – a Guerra Fria –, essas experiências poderiam ser inestimáveis. Quanto à pessoa de Isselhorst, o oficial encarregado do interrogatório declarou que, embora ele "tentasse causar boa impressão... possui uma personalidade desagradável e um caráter aparentemente covarde. Preocupa-se com a esposa, a mãe e obviamente com seu próprio destino".

Ao mesmo tempo, os americanos mantinham contato com os britânicos sobre Isselhorst. Um telegrama "secreto" de julho de 1945, de Londres, recomendava-lhes cautela com aquele homem. "É ainda nazista convicto", dizia a advertência. Apesar disso, porém, os americanos se sentiam claramente tentados a trabalhar com ele.

"Cabelos grisalhos, olhos azul-claros... muito inteligente, trabalhador esforçado, boa aparência", resumia um documento do 7º Exército a propósito dos talentos profissionais de Isselhorst. "Sugerimos usar Isselhorst como colaborador", concluía um telegrama "secreto" do 7º Exército, recomendando que ele ajudasse a aliciar oficiais valiosos da Gestapo e a aumentar o alcance do serviço de inteligência daquela força tanto na zona soviética quanto na Rússia stalinista: o próximo inimigo.

Até então, a prisão de Isselhorst e seu comportamento insinuante junto aos americanos não haviam chegado aos ouvidos de Barkworth. Mas por sorte outro elemento dos mais procurados havia caído nas mãos do comandante do SAS: o *Hauptsturmführer* Karl Buck, ex-administrador de Schirmek, achava-se abrigado em segurança no calabouço da Vila Degler, cantando como um canário.

Nessa fase inicial dos procedimentos, ainda não se sabia ao certo que a caçada aos criminosos de guerra nazistas estava em curso. Inacreditavelmente, muitos dos "procurados" pareciam achar que não haviam cometido crime algum. Karl Buck era um deles. Voltando para a casa da família, planejou reingressar tranquilamente na vida que levara como civil antes da guerra. Isso até Barkworth bater à sua porta e o conduzir para a cela de interrogatório da Vila Degler.

Com seu olhar firme e seu alemão fluente, Barkworth se revelaria um interrogador sem igual, embora recorresse a métodos que surpreenderiam algumas pessoas. Já sublinhara a urgência de "levar os criminosos alemães à justiça". Essa urgência, ele a sentia pessoalmente. Motivado e incansável, usava como combustível para suas longas horas de trabalho uma combinação de bebida e drogas.

A equipe de Barkworth compunha-se agora de treze membros, para dar conta do pesado encargo de punir. Numa carta ao coronel Franks, um de seus homens explicou como era cansativa a agenda da equipe – em parte para justificar seus terríveis garranchos.

"São quase duas horas da manhã e venho trabalhando nos dois últimos dias conforme o sistema de Barkworth", escreveu o capitão Henry Parker do SAS, "mistura de uísque, Benzedrina e vigília – por isso não estou nas melhores condições para datilografar."

Velhos hábitos são difíceis de corrigir.

A rotina incansável de Barkworth e sua equipe, movidos a Benzedrina, significava que interrogatórios no porão da Vila Degler podiam acontecer a qualquer hora do dia ou da noite. Mas, afora isso, Barkworth tratava seus prisioneiros com notável polidez e decência, quase como se, agindo assim, tentasse convencê-los de que simpatizava com eles. Contudo, jamais lhes oferecia a não ser estas duas desagradáveis opções: ou confessavam e comprometiam seus superiores ou não haveria clemência alguma nos próximos julgamentos por crimes de guerra.

"Poucos alemães interrogados por ele, mesmo os que assinaram confissões de culpa ou os homens mais empedernidos da Gestapo, deixaram de citar sua cortesia e respeito", observou o capitão príncipe Galitzine num documento manuscrito sobre os métodos de interrogatório de Barkworth. "Alguns chegaram a confundi-lo com o ex-chefe da Gestapo na área, cujos traços e mesmo o sotaque alemão se pareciam tanto com os de Bill que os deixavam perplexos."

Um dos guardas de Rotenfels, Siegmund Weber, saíra havia pouco de um interrogatório com Barkworth. Weber desempenhara um papel menor em comparação com o "Stuka" Neuschwanger ou o comandante de campo Buck. Era o quartel-mestre em Rotenfels – uma espécie de intendente mais graduado. Seu valor residia em que testemunhara os espancamentos e a brutalidade de Neuschwanger.

Entretanto, pouco depois de ser interrogado por Barkworth, Weber tentou o suicídio – prova da firmeza com que o oficial do SAS fazia suas perguntas. Os métodos de Barkworth também operaram maravilhas com Karl Buck.

"No verão de 1944, foram construídos vários campos a leste do Reno que ficaram sob meu comando", contou Buck a Barkworth com respeito às atrocidades de Gaggenau. Um deles foi Rotenfels. "Esses campos tinham ligação com a empresa Daimler-Benz, pois forneciam mão de obra para suas fábricas."

Buck tentou se pintar mais puro do que um anjo e pôr toda a culpa em Isselhorst. "Quero deixar registrado que, durante todo o tempo de meu comando nesse campo, nenhum prisioneiro foi morto por ordem minha." Um dos subordinados de Isselhorst procurou-o naquele verão, explicou Buck, dizendo que "todo piloto abatido ou paraquedista capturado e trazido ao meu campo teria de ser morto. Sugeriu que isso fosse feito nos bosques vizinhos".

Buck alegou que se recusara a cumprir a ordem de Isselhorst. O máximo que concordou em fazer foi enviar os pilotos e paraquedistas para Natzweiler, onde o encarregado de execuções do campo, o *Hauptscharführer* Peter Straub, se ocuparia deles. Descreveu Straub como um sujeito "de olhos miúdos, rosto pálido, cabelos ruivos e um problema de fala que o fazia soerguer os cantos da boca".

Buck falou sobre uma das últimas execuções em massa de Straub. "A 18 de outubro [1944], um grupo que estimei em 125 pessoas chegou a Schirmek de Estrasburgo e foi mandado para Natzweiler." Esse grupo acabou executado sumariamente, confirmando o papel de Natzweiler como centro de extermínio de quem já não era "útil" ao Reich e a função de Straub como o encarregado dos assassinatos em massa.

Quando as forças americanas se aproximaram dos Vosges, Buck foi a Gaggenau e combinou com a Mercedes-Benz "o fornecimento de caminhões suficientes para levar os prisioneiros à outra margem do Reno. Isso estava de acordo com uma ordem secreta que recebi do dr. Isselhorst. A ordem viera acompanhada de instruções verbais para fuzilar alguns detentos, inclusive os prisioneiros de guerra britânicos e americanos".

Buck desobedecera às ordens: "Não achei prudente deixar para trás valas comuns recém-cobertas". Em vez disso, mandou todos os prisioneiros diretamente para o campo de Rotenfels. Mas Buck garantiu a Barkworth: "Fiquei com medo do dr. Isselhorst que, eu sabia muito bem, não apenas mandaria me executar como perseguiria minha família caso eu não cumprisse suas ordens".

Buck, então, transferiu sua responsabilidade: ordenou a Wunsch, o comandante de Rotenfels, que fuzilasse os prisioneiros britânicos e americanos, obedecendo assim a Isselhorst. "Recomendei-lhe que destruísse todas as evidências capazes de levar à descoberta desse crime e tomasse as precauções normais, como a queima de documentos, uniformes e outros itens de identificação que estivessem nos corpos."

Eis aí, por qualquer critério, uma confissão explosiva. Trazia a assinatura de "Karl Gustaf Wilhelm Buck" e uma nota datilografada embaixo, com a firma de Barkworth: "Certifico que a declaração acima foi lida à testemunha em sua própria língua, antes de sua assinatura".

Obtido o testemunho de Buck, o caso das atrocidades de Gaggenau estava em grande parte resolvido. Barkworth sabia agora como as Forças Especiais Britânicas e seus camaradas da força aérea americana haviam ido parar em Gaggenau e por quê. Sabia também em virtude de quais ordens aqueles homens foram executados e quem os executara. Com Buck sob rígida custódia, um dos principais arquitetos de sua eliminação estava pronto para enfrentar o julgamento.

Outros suspeitos seriam, é claro, perseguidos. Mas Barkworth insistia na necessidade de sigilo caso o grupo quisesse trazer os mais procurados para o porão da Vila Degler. Num telefonema a Londres, ele ressaltou: "Todo cuidado é pouco para garantir que não chegue aos ouvidos do [suspeito x] a notícia de que o SAS está à sua procura".

A carta seguinte do coronel Franks ao brigadeiro Calvert, o comandante supremo do SAS, deixava bem claro como Barkworth e sua equipe tinham agido. "Conversei bastante com o coronel Chavez [o investigador americano de crimes de guerra] e fiquei muito impressionado com sua disposição em nos ajudar. Ele achou curioso que a investigação britânica esteja nas mãos de um único oficial. E agradeceu efusivamente a assistência recebida de Barkworth..."

A surpresa de Chavez com o tamanho e a abrangência da equipe britânica se justifica diante do número e da variedade da sua. A unidade americana em Gaggenau incluía dois patologistas, vários interrogadores profissionais, dois consultores jurídicos, datilógrafos e fotógrafos sempre à mão para documentar as cenas dos crimes e tomar depoimentos de testemunhas. Ao contrário, a unidade de Barkworth não tinha especialistas de nenhum tipo; era a célula de inteligência do 2 SAS reconstituída como unidade improvisada de busca, o que tornava ainda mais impressionante o fato de estar obtendo tanto sucesso.

Depois de garantir o testemunho de Buck, Barkworth queria agora ampliar a busca dos suspeitos: o algoz "Stuka" Neuschwanger; o *Hauptscharführer* Peter Straub, encarregado das execuções em Natzweiler; Max Kessler, o oficial da Gestapo assassino dos Vosges; o *Sturmbannführer* Hans Dietrich Ernst, oficial da SS e comandante do esquadrão de assassinos dos Vosges; Julius Gehrum, o brutal cumpridor das ordens de Isselhorst; e principalmente, é claro, o próprio Isselhorst.

Barkworth teria de averiguar inúmeros endereços privados e percorrer campos de prisioneiros de guerra nas quatro zonas de ocupação, cada qual com seu conjunto de regras e exigências. Criminosos de guerra haviam tentado se esconder até entre as fileiras dos "exércitos libertadores", dizendo-se soldados franceses, tchecos ou poloneses. Quando necessário, seus números teriam de ser conferidos. Desafiando os burocratas, Barkworth obteve resultados rápidos, mas fez também muitos inimigos.

A próxima busca o levaria a alguns dos lugares mais horrendos da terra – lugares que muitas pessoas mal imaginariam possíveis. Um dos primeiros, e talvez o pior, foi um recinto embaixo da prisão perto de Estrasburgo. O local constava da lista de Barkworth, de modo que o sargento Dusty Rhodes foi encarregado de averiguar se nenhum membro da Operação Loyton estava lá.

"Vários experimentos haviam sido feitos em corpos humanos", recordou-se Rhodes. "Vi uma sala completamente lotada de pedaços de cadáveres, todos preservados em formol, dentro de tanques. Bem… era nosso dever examinar cada um… Cabeças, rostos, braços, pernas; se distinguíssemos uma tatuagem num braço, representando insígnias de regimento ou frases em inglês… talvez alguns de nossos homens estivessem ali."

Por sorte, até onde Rhodes pôde descobrir, nenhum desaparecido da Operação Loyton havia sido esquartejado pelos nazistas e preservado em tanques de formol.

Uma das excursões planejadas por Barkworth era uma visita a Moussey. Novas pistas obtidas pela investigação de Gaggenau precisavam ser averiguadas no vale de Rabodeau e imediações. Além disso, ele e Sykes desejavam entregar pessoalmente aos moradores uma carta formal de agradecimento do SAS. Intitulada "Carta aos cidadãos de Moussey como forma de gratidão por sua ajuda", a carta dizia:

> Desejo exprimir um pouco do reconhecimento que todos os oficiais e soldados da Brigada de Serviço Aéreo Especial sentem pela devoção, desprendimento e coragem memoráveis com que vocês os ajudaram no cumprimento de seu dever. O auxílio que prestaram contribuiu em muito para os êxitos obtidos e temos imensa admiração pela desconsideração ao perigo e a generosidade de espírito com que sua ajuda foi prestada.
>
> Todos os homens envolvidos no amargo conflito de 1939-1945 reconhecem a importância, para a vitória, da lealdade, constância e determinação dos civis. Sabemos que em nenhum país e em tempo algum a prática dessas virtudes exigiu tanta firmeza quanto na França sob ocupação alemã e que não há lugar onde essa firmeza tenha sido mais abundantemente demonstrada.

E por aí além, no mesmo espírito. Assinada pelo brigadeiro Calvert, a carta desejava "boa sorte" aos aldeões de Moussey e à França, reafirmando "a mais sincera gratidão" do Regimento. Era um tributo adequado aos aldeões, que Barkworth e Sykes queriam oferecer em pessoa a vários de seus mais prezados amigos de Moussey.

Mas, enquanto se preparavam para tomar rumo oeste até os Vosges, a obra dessa incipiente unidade de caça estava prestes a ter um fim prematuro e dramático.

Mais e mais, naquele verão, o Regimento do SAS se vira forçado a travar uma batalha imprevista – uma guerra por sua própria sobrevivência. Depois do fim da guerra, Winston Churchill perdeu o poder; o povo britânico, fatigado, queria esquecer os anos sombrios do conflito. Dois meses após o Dia da Vitória na Europa, ocorreram as primeiras eleições desde o começo da guerra, pois também a democracia tivera de ser posta de lado durante esse período. Resultaram numa chocante derrota para Churchill e numa vitória consagradora para Clement Attlee, do Partido Trabalhista.

Churchill tinha sido o primeiro e mais destacado defensor das operações das Forças Especiais e da guerra irregular. Nas fases iniciais do conflito, ele conclamara seus comandantes militares a pensar o impensável, a recorrer à guerrilha, à tática de ataques-surpresa e à sabotagem como meios de lutar contra o inimigo da forma mais inesperada. Recomendara aos militares que "preparassem tropas de assalto para um reinado sanguinário de terror" e que preenchessem suas fileiras com "voluntários para missões especiais".

Churchill não prometia muito a esses homens: apenas uma carreira curta, porém gloriosa, e uma morte quase certa. Mas apoiava ao máximo quem respondia a seu apelo. Certa vez, foi interpelado no Parlamento por Simon Wingfield-Digby, representante de West Dorset, sobre as Forças Especiais britânicas que lutavam no sul da Europa.

"É verdade, senhor primeiro-ministro, que há um grupo de homens nas ilhas do Egeu combatendo sob a bandeira do Reino Unido e que não passam de um bando de facínoras, renegados e degoladores?"

A resposta de Churchill foi das mais apropriadas: "Se você não se sentar e calar a boca, ordenarei que se junte a eles".

Mas no final do verão de 1945 Churchill não estava mais no poder e parecia que os dias daquele exército privado de aventureiros avessos a todas as regras chegavam ao fim. O SAS estava na iminência de ser extinto por uma estrutura militar que nunca realmente estimara os guerreiros cavalheirescos, excêntricos, malucos e piratas que compunham o Regimento. Os militares queriam se ver livres deles de uma vez por todas.

Sabendo muito bem disso, o coronel Franks escreveu ao comandante do SAS, brigadeiro Calvert, no final de julho de 1945, expressando sua frustração no caso dos crimes de guerra. "O senhor sem dúvida entenderá meus sentimentos nesse assunto. Presentemente, não creio que sequer uma parcela ínfima dos criminosos seja levada à justiça. Sinto-me responsável não apenas perante as famílias dos oficiais e soldados mortos, mas também perante eles próprios."

Franks concluiu a carta dizendo: "Não há lugar aonde eu não fosse para garantir o prosseguimento da ação".

Não há lugar aonde eu não fosse para garantir o prosseguimento da ação: aos ouvidos do homem que comandava agora o 2 SAS não podia haver palavras mais veementes.

CAPÍTULO 21

———— ✳ ————

A BUSCA DE JUSTIÇA PELO CORONEL FRANKS não era empreendida unicamente em prol de seus camaradas do SAS. No mesmo dia em que escreveu ao brigadeiro Calvert, garantindo-lhe não haver lugar *aonde não fosse para garantir o prosseguimento da ação*, enviou também uma carta ao quartel-general da SOE na Baker Street abordando a questão de seus homens desaparecidos.

"Anexo cópia do relatório do major Barkworth [Gaggenau], com muitas informações sobre o destino do capitão V. Gough, que esteve comigo nos Vosges e cuja morte foi comprovada... Infelizmente, não tenho o endereço de seus parentes e por isso não posso lhes escrever."

Para Franks, cada perda e cada crime de guerra eram assuntos pessoais. No entanto, como fazer justiça às vítimas e suas famílias se o SAS estava a ponto de ser extinto? Esse assunto perturbava-o muito, mas parecia haver pouca coisa que ele ou qualquer outro pudessem fazer para impedir o inevitável, não importava quanto o tentassem.

O coronel Franks, o brigadeiro Calvert e outros tinham muitas ideias sobre como o SAS deveria ser usado, agora que a guerra terminara. Franks adquirira a reputação de um dos homens mais criativos do Regimento. Mostrara ser um líder capaz de inspirar como ninguém seus comandados, corajoso, compreensivo e cheio de iniciativa. Era também intransigentemente leal, como sua busca incansável dos criminosos de guerra demonstrava. Conquistara imenso respeito nos círculos das forças de elite.

Franks e Calvert sustentaram que o papel das Forças Especiais no pós-guerra deveria incluir incursões atrás das linhas inimigas em caso de uma Terceira Guerra Mundial com a Rússia, a fim de debelar rebeliões nas diversas partes do império e continuar a caçada aos criminosos de guerra nazistas. Como o brigadeiro Calvert estivesse prestes a ocupar um posto no Exército da Índia, caberia ao coronel Franks tentar garantir que o SAS sobrevivesse de alguma forma. E ele estava absolutamente determinado a fazer com que isso acontecesse.

Mas os líderes militares britânicos também estavam absolutamente determinados a acabar com a unidade. Desde o começo, tinham mostrado reservas quanto à criação das Forças Especiais e alegavam que agora, em tempo de paz, não havia mais lugar para elas. Faziam-se ao SAS acusações de elitismo e ressaltavam-se desde os perigos de manter uma tropa irregular que ensinava "atitudes inaceitáveis" aos soldados até a impossibilidade de controlá-la ou adequá-la a planos operacionais. O fato de as fileiras do Regimento abrigarem tantos estrangeiros e mesmo civis de comportamento duvidoso era outro motivo de preocupação.

A alta cúpula afirmava que as Forças Especiais tomavam muito tempo do comando, que não conseguia inseri-las em seus planos operacionais nem impedir seu "comportamento indisciplinado" e suas "missões não autorizadas" – ou seja, os homens, no teatro de operações, faziam o que lhes dava na cabeça. Acusava-se também o SAS de "drenar" as tropas regulares de seus melhores oficiais e soldados, sugando, consequentemente, uma quantidade desproporcional de recursos.

Em suma, o SAS fizera poderosos inimigos que, no verão de 1945, estavam determinados a levar a melhor. O coronel Franks, porém, iria desafiá-los. Se, em público, o SAS devesse desaparecer, que fosse assim. Mas, às ocultas, Franks trabalhava em todos os níveis para garantir que o Regimento sobrevivesse, embora furtivamente e no mais absoluto segredo.

O coronel do SAS tinha várias cartas na manga. Primeiro, contava com todo o apoio de Winston Churchill. O ex-primeiro-ministro, ignorando a máquina militar, criara muitas de suas primeiras unidades irregulares inteiramente fora da estrutura convencional. A SOE pertencia ao Ministério da Economia de Guerra e com seus agentes é que Churchill organizara várias unidades especializadas em ataques-surpresa.

Em segundo lugar, o coronel Franks tinha o melhor aliado possível nas próprias fileiras do 2 SAS: Randolph Churchill. O filho do ex-primeiro-ministro, que servira com o SAS no norte da África e nos Bálcãs, era um entusiasta sem igual do Regimento. Com pai e filho tão intimamente envolvidos, o coronel Franks se preparou para a difícil aventura, aliciando políticos simpatizantes de sua causa e pressionando os altos escalões de Whitehall.

Enquanto isso, montava-se o cenário para que o SAS desempenhasse seu papel clandestino; e entre todas as unidades que atuariam na sombra, a principal era a dos caçadores de nazistas de Barkworth.

Enquanto Franks travava suas batalhas nos altos círculos de Londres, Barkworth, Sykes, Rhodes e outros agiam na linha de frente. Na ânsia apaixonada de vingança, nenhum deles esquecia o lugar que mais sofrera: a aldeia de Moussey.

No início de agosto de 1945, Barkworth reconduziu sua equipe ao vale de Rabodeau. Foram em busca de evidências, mas também atendendo ao chamado dos aldeões para homenagear as vítimas. Haveria uma cerimônia em honra de todos os que pereceram nos campos de concentração e seria consagrado um cemitério militar para os que tombaram em combate.

A cerimônia ocorreu no próprio lugar onde a SS reunira os homens da aldeia a 24 de setembro de 1944 e onde o capitão Druce metralhara a formação inimiga no mesmo dia. Enquanto Barkworth e seus homens observavam a solenidade, a verdadeira dimensão da tragédia que assolara o lugar se tornou clara. As últimas chamas de esperança se apagavam, com os moradores compreendendo que os desaparecidos jamais voltariam.

Nenhuma família tinha sido poupada e as aldeias vizinhas também estavam de luto. Viúvas e órfãos pululavam pelas ruas. Mas em nenhum outro lugar as pessoas sofreram tanto quanto em Moussey; e os moradores teriam sofrido menos duramente caso não houvessem protegido a força da Operação Loyton com tanto empenho e por tanto tempo.

No entanto, os homens do Regimento que haviam sido mortos em combate nos bosques ou assassinados ali mesmo pela Gestapo foram sepultados juntamente com as vítimas francesas no principal cemitério de Moussey. Não havia mágoas, ao contrário. Os aldeões pediram estandartes do SAS para dependurar em sua igreja e quiseram saber os nomes dos que haviam tombado a fim de inscrevê-los nos memoriais de guerra de Moussey, para lembrar-se deles para sempre.

Figuras encurvadas, de preto, arrastavam-se pelas ruas – mulheres e crianças abatidas pela tristeza e a perda. Havia, porém, uma nota colorida surpreendente. Para a solenidade, o pároco de Moussey, abade Gassman, ganhara uma boina vermelha do SAS, enviada pelo comandante da missão que custara tão caro a seu rebanho – o coronel Brian Franks.

O abade Gassman não ignorava que tinha muito trabalho pela frente. Segundo a tradição católica, uma missa de réquiem deveria ser rezada por cada família que tinha perdido um de seus membros. Ele calculou que levaria a maior parte do ano celebrando missas para as casas enlutadas de Moussey.

Os aldeões que voltaram de Rotenfels haviam convivido ali com o tenente David Dill. Barkworth levava sempre consigo as fotos dos "desaparecidos". Mostrou a do tenente ao aldeão que partilhara sua cela.

"Sim, é ele. Sem dúvida", confirmou o aldeão. "Em definitivo, é o belo sorriso dele."

Durante as longas e terríveis semanas do cativeiro – de 7 de outubro a 25 de novembro de 1944 –, o tenente Dill se recusara a saudar qualquer de seus carcereiros da Gestapo. E isso os enfureceu. Era a única forma de resistência possível para o tenente do SAS, mas custara-lhe espancamentos diários – que, porém, não conseguiram abater seu ânimo. Certa feita, Dill estava estirado num colchão de palha, após a agonia de uma sessão de tortura, quando uma prisioneira foi introduzida em sua cela. Dill se levantou e ofereceu-lhe a cama, contentando-se com o chão frio de pedra.

O aldeão viu o tenente Dill pela última vez pouco antes de ele ser levado para a floresta Erlich e ver-se face a face com o "Stuka" Neuschwanger. E mesmo então seu bonito sorriso não o abandonou.

Barkworth e sua equipe deixaram Moussey sobrecarregados ainda mais com o peso da responsabilidade e munidos de novas pistas para orientar suas buscas. No entanto, ao voltar para Gaggenau, a mitológica espada de Dâmocles ainda continuava suspensa sobre as atividades do grupo. A extinção da Brigada do SAS havia sido marcada para o final de setembro de 1945 – dali a menos de um mês.

Barkworth e seus homens tinham a amarga consciência de que a areia da ampulheta estava se esgotando, mas, afora dormir pouco, quase nada eles podiam fazer para apressar o ritmo das operações. Assim, foi uma sorte saber que seu único aliado de peso na luta pela sobrevivência logo chegaria ao quartel-general do grupo na Vila Degler.

O capitão príncipe Yuri "Yurka" Galitzine, investigador de crimes de guerra na seção do Departamento de Guerra da Eaton Square, 20, ocupava-se de Gaggenau. Carregava consigo duzentas cópias das listas de procurados de Barkworth para distribuir às autoridades aliadas. Como fora o primeiro a fazer um relatório sobre Natzweiler, gozava de muito respeito por parte dos anfitriões franceses de Barkworth.

Josef Kramer, que seria julgado pelas atrocidades de Belsen, era de grande interesse para os franceses. Como estes informaram a Galitzine, Kramer comandara Natzweiler por três anos e meio, morando na casinhola de Joãozinho e Maria junto à cerca do campo. Em contrapartida, ficara em Belsen apenas por alguns meses antes que o local fosse libertado – mas Belsen merecera todas as manchetes.

Compreensivelmente, os franceses queriam que Kramer respondesse pelos crimes cometidos em Natzweiler contra a Resistência. Insistiam em que, para o povo dos Vosges, era essencial ver aquele homem condenado

– para reerguer os ânimos e obter justiça. As autoridades francesas tentaram convencer o Exército Britânico do Reno (British Army of the Rhine, BAOR) a entregar-lhes Kramer antes dos julgamentos de Belsen, mas não tiveram sucesso.

Galitzine não estava nada surpreso. A equipe de Barkworth recebera ainda menos ajuda do BAOR – a força que guarnecia a zona britânica de ocupação. De fato, o BAOR se mostrara intransigentemente contrário aos métodos pouco ortodoxos que Barkworth empregava para caçar criminosos de guerra. Galitzine concordava plenamente com os anfitriões franceses: Kramer tinha de ser julgado por eles. Não importava muito quem o enforcasse, se franceses ou britânicos, desde que o sádico assassino em massa pagasse por seus desmandos.

Na Vila Degler, Galitzine se encontrou com Barkworth e depois com seus doze comandados. Ficou imediatamente claro que a equipe tinha pouco pessoal e pouco equipamento. Seu único transporte para cruzar a Alemanha e a França – e, possivelmente, outros países mais distantes – eram quatro jipes que haviam sido lançados em solo francês em diversas operações durante a guerra. Só não se desmantelavam graças a arames, remendos e algumas orações.

Apesar disso, Galitzine achou que o moral na Vila Degler estava alto e que Barkworth acreditava em suas chances de sucesso caso tivesse tempo e recursos para completar adequadamente o trabalho.

"Faltava-lhe deslindar o assassinato e a tortura de dezoito", disse Galitzine sobre os desaparecidos da Operação Loyton. Teceu elogios ao "ótimo trabalho que esta equipe está fazendo" e considerou "boas as chances de resolver os últimos casos rapidamente".

Galitzine observou também que, ao contrário das alegações de seus detratores, a equipe do SAS não buscava justiça apenas para si mesma. "O major Barkworth investigou todos os crimes de guerra descobertos na área, perpetrados contra outros britânicos e americanos, tinha em mãos cerca de catorze casos que não diziam respeito ao SAS."

Barkworth precisava agora de mais pessoal e mais tempo, não de enfrentar a ameaça de uma extinção iminente. Para fazer Galitzine entender como eram prementes suas necessidades, o major do SAS enumerou as prioridades para o prosseguimento de suas investigações.

Obter fotografias da Gestapo de Estrasburgo para possível identificação por testemunhas.

Procurar MALZOF, o americano desconhecido que estaria sepultado em Schutterwald.

Comprovar espancamentos antes da morte.

Corpos de pessoas de destaque ainda não encontrados e sem notícias ...

Dividem-se em

a) um grupo de 8 (de BLACK, provisoriamente rastreado de Schirmek até Estrasburgo).

b) um grupo de 8 (de DILL, provisoriamente rastreado até Schirmek)

As provas contra os responsáveis devem ser obtidas de membros da coluna da Gestapo que atuou na área de Moussey por volta de 20 de agosto de 1944 (pelo menos um prisioneiro por custódia).

E por aí além.

Uma coisa que, conforme Galitzine observou, Barkworth não estava usando (e, certamente, fugia à sua área de atuação) era a mídia. Contatou então a equipe de imprensa e rádio que chefiara quando adido ao 7º Exército americano. Essa equipe ainda existia e funcionava.

"Pedimos sua ajuda a fim de lançar uma campanha dirigida a testemunhas que pudessem ser de algum valor", escreveu Galitzine. E essa campanha começou antes mesmo que ele partisse dali para Londres.

Mas, antes da partida, havia um assunto urgente a tratar. Galitzine sabia que a equipe de Barkworth estava "cem por cento entusiasmada e fazendo um ótimo trabalho", mas também cônscia de que os dias de seu extraordinário empreendimento iam aparentemente chegando ao fim.

"Logo a equipe se defrontaria com inúmeras... dificuldades", anotou ele, "e precisaria de toda ajuda possível."

Na suntuosa sala de visitas da Vila Degler, diante de uma garrafa de bebida colocada sobre a mesa redonda, os homens ruminavam o futuro. Nessa mesa é que eles jogavam cartas em suas raras noites livres. Uma carabina de fabricação americana estava descuidadamente encostada a um dos lados do móvel, no meio do qual queimava uma vela que lançava sombras conspiratórias nas paredes.

Um dos homens de Barkworth cortava nacos de pão com sua faca Fairbairn-Sykes e levava-os à boca enquanto falava. Quase todos tinham acendido seus cigarros e uma fumaça reconfortante adensava aquela atmosfera pesada e febril.

Galitzine confirmou os piores medos dos homens ali reunidos: o 2 SAS seria desmobilizado no máximo até o final de setembro. O quartel--general do 2 SAS, na Glebe House, em Colchester, seria fechado logo depois. No momento, a Glebe House fornecia todo o apoio logístico e de comunicações para Barkworth e seus homens.

Conforme salientou Barkworth, perder a ajuda da Glebe House iria "deslocar seriamente" toda a sua operação – não que, estritamente falando, ainda pudessem estar atuando depois disso, pois o próprio SAS não existiria mais. Barkworth esboçou as exigências mínimas que lhe permitiriam prosseguir na missão atual, caso elas fossem atendidas.

Ele precisava conservar seus doze homens e, se possível, ampliar a equipe. Precisava de um quartel-general e de um grupo de ligação em algum lugar do Reino Unido – Londres seria o ideal –, pois sem isso pouca coisa poderia fazer em campo. E precisava, acima de tudo, de uma ligação direta por rádio com o quartel-general. Segundo Barkworth, não havia "outro meio de contato com o mundo exterior. Comunicação postal inexistente".

Durante o tempo que passaram juntos na Vila Degler, Galitzine e Barkworth se tornaram grandes amigos. Embora de formação um tanto diferente, partilhavam inúmeras qualidades: um senso rigoroso e inabalável do certo e do errado; uma atitude corajosa e otimista; um intelecto brilhante; um desprezo saudável pela burocracia e as regras desnecessárias. Disso brotaria uma solução ao problema que enfrentavam, uma solução tão surpreendente quanto pouco ortodoxa.

A unidade de Barkworth iria para a "clandestinidade", deslizaria abaixo do radar. Aqueles treze homens, que usavam a boina do SAS e o emblema da adaga alada na caça aos criminosos de guerra nazistas, deixariam oficialmente de existir. A base de Galitzine na Eaton Square, 20, passaria com efeito a controlar suas atividades, surrupiando orçamentos, equipamentos e pessoal do Departamento de Guerra, ainda mergulhado na confusão do pós-guerra.

Galitzine "esconderia" os caçadores do SAS no meio do caos e da bagunça que imperavam no sistema do Departamento de Guerra. Embora formalmente desmobilizada, a unidade de Barkworth se tornaria um setor oculto e inconfesso do AG3-VW. Na Alemanha, continuaria a operar como se tivesse todo o direito de fazê-lo – escondida, por assim dizer, em plena luz do dia.

A convicção de Barkworth e Galitzine de que deveriam prosseguir em sua obra crucial apesar dos obstáculos foi robustecida por suas experiências recentes. No início de agosto, uma equipe "oficial" de investigadores de crimes de guerra foi enviada pelo BAOR para "colaborar" com os esforços de Barkworth. Tendo completado seu trabalho em Belsen, essa equipe bem podia estar fazendo uma oferta sincera. Mas os resultados se revelaram decepcionantes.

Galitzine e Barkworth explicaram esse fracasso: "A investigação não era reconhecida como tarefa da equipe", concluíram. "Eles não procuravam corpos nem provas, apenas percorriam terreno já explorado ou iam atrás de testemunhas cuja existência já era conhecida."

O comandante da equipe do BAOR, tenente-coronel Genn, chegou a confidenciar a Barkworth: "As dificuldades de organização são tão grandes que estou apenas marcando passo".

Quando Genn sugeriu que seria melhor ele e sua equipe deixarem a Vila Degler, Barkworth concordou prontamente. Passaram ali menos de um mês. Para exemplo de como era precária sua abordagem, Barkworth citou o trabalho do chamado "patologista" da equipe. Ele era na verdade um oficial médico do exército, prisioneiro de guerra e que só depois do final do conflito fizera um breve curso de patologia.

Um dos casos levados a ele por Barkworth foi o de um corpo cuja identificação estava sendo difícil. O patologista do BAOR sugeriu que se deixasse o corpo "ao relento por um ano", pois então seria mais fácil descobrir de quem era. Barkworth submeteu o caso ao patologista do coronel Chavez, que em três dias identificou o cadáver. E explicou que a proposta do "patologista" britânico tornaria a tarefa praticamente impossível.

Mais importante que tudo, Barkworth não tinha um ano a perder.

O tenente-coronel Genn fizera um relatório sobre suas atividades em Gaggenau. Afirmava que os esforços de Barkworth para encontrar os dezoito desaparecidos "chegaram a um beco sem saída... Não há pistas dos membros desaparecidos do 2 SAS e, na opinião desta Equipe, não existe nenhum caminho proveitoso a seguir".

Inexplicavelmente, Genn concluiu sobre os prisioneiros de Natzweiler: "Convém reconhecer que deve ter ocorrido um extermínio de pessoal aliado. Mas considera-se o caso vago demais para ser levado adiante. Vale notar, o pessoal aliado que esteve [em Natzweiler] encontra-se, pelo que sabemos, em segurança e em boas condições na Inglaterra".

Em segurança e em boas condições na Inglaterra. Sem comentários.

Genn recomendou "o encerramento de todas as investigações" sobre os desaparecidos da Operação Loyton.

Barkworth rebateu secamente as críticas do coronel: "Não é verdade que faltem caminhos; mas é verdade que [a equipe de Genn] talvez fosse mais útil longe daqui".

No final de setembro de 1945, o BAOR subiu ainda mais o tom. Com relação aos dezoito desaparecidos, "só um milagre" ensejaria provas para resolver seus casos. E, ainda mais enfaticamente: "O material de Barkworth não se sujeita a nenhum padrão legal conhecido de comprovação e se baseia o mais das vezes em boatos, é de crer que não possa ser usado para nossos fins". Em outras palavras, as provas colhidas por Barkworth não teriam nenhum valor num tribunal.

Galitzine discordava, como discordavam os consultores jurídicos sob seu comando. As objeções do BAOR pareciam inspiradas pelo medo de que Barkworth estivesse não apenas ofendendo-o, mas, com seu trabalho, pondo a nu a incompetência (para não dizer o desinteresse) da corporação.

"Os homens do SAS são todos amigos dos desaparecidos cujos casos estão investigando, e também de suas famílias", observou Galitzine. "Além disso, são inspirados pelo *esprit de corps* [espírito de equipe] de seu Regimento." No entender do príncipe, esse era um de seus maiores trunfos, fonte de sua incansável motivação. Galitzine não permitiria que isso fosse anulado nem pela inveja do BAOR nem pela indiferença da alta cúpula do Departamento de Guerra.

Enquanto Barkworth e Galitzine discutiam planos para sua futura operação clandestina, uma nova expressão surgiu para descrever essa nova fase de seus trabalhos.

Barkworth e sua equipe se tornariam os "Caçadores Secretos".

CAPÍTULO 22

───────── ✳ ─────────

"Oficialmente", os Caçadores Secretos assumiram o nome de "Equipe do SAS de Investigação de Crimes de Guerra" (The SAS War Crimes Investigation Team, SAS WCIT). Não fica claro se o nome se referia ao fato de crimes de guerra terem sido perpetrados contra a unidade do SAS ou à circunstância de os investigadores pertencerem a essa unidade. Talvez a ambiguidade fosse intencional. De qualquer modo, sua identidade "oficial" – "SAS WCIT" – seria útil para ela se ocultar em plena luz do dia.

Na iminência da desmobilização do SAS, Barkworth precisou enfrentar ainda mais antagonismo por parte de seus principais detratores; tinha pouquíssimos amigos nas fileiras do BAOR.

"Eles o viam como muito pouco ortodoxo", ponderou Galitzine. "Despreparado para respeitar devidamente a hierarquia e o sistema, todos os obstáculos eram erguidos em seu caminho. Contava com imenso apoio nas zonas francesa e americana, mas na zona britânica só encontrava antipatias. A certa altura foi mesmo proibido de operar na zona britânica, o que tornou sua vida realmente difícil."

Boa parte dos problemas de Barkworth se devia à sua insistência em agir como homem do SAS, muito embora estivesse rodeado pela estrutura do exército britânico regular em tempo de paz. Depois de seu trabalho com a equipe da Vila Degler, Galitzine visitou uma das principais autoridades da zona britânica de ocupação. Esse homem estava ciente das qualidades especiais de Barkworth, mas lavou as mãos.

"Francamente, às vezes não posso ajudá-lo, pois ele é seu pior inimigo. Insulta generais ou brigadeiros e quer fazer coisas que, sabe muito bem, não se fazem no exército. Por exemplo, entra no rancho vestido impropriamente ou leva um sargento-ajudante para o rancho dos oficiais. Coisas assim."

Um sargento – como Dusty Rhodes – não podia entrar num rancho de oficiais do exército britânico uma vez que, por definição, o lugar era reservado apenas para oficiais. Raramente o SAS teve um rancho próprio. O mais das vezes, frequentavam bares ou bordéis nas áreas do norte da África, Itália ou França onde agiam. Iam a esses locais para beber e neles oficiais e soldados conviviam com pouca distinção entre patentes.

Na bíblia de Barkworth, homens como Rhodes eram seus iguais independentemente do posto e como tais deviam ser tratados. Com efeito, o sargento Fred "Dusty" Rhodes estava prestes a provar seu valor ao principal caçador de nazistas em mais de cem ocasiões.

A pista para o *Hauptscharführer* Straub – o principal carrasco de Natzweiler – havia sido longa e complicada, mesmo para os padrões de Barkworth. Começara em Londres, no escritório do príncipe Galitzine na Eaton Square. Embora houvesse recebido ordens de engavetá-lo, seu relatório de dezembro de 1944 sobre Natzweiler correra o mundo, parando, entre outras, na mesa de Vera Atkins, uma das principais autoridades da inteligência da SOE.

Com a queda de Churchill do poder, a SOE também deveria ser extinta. Mas, tal como o coronel Franks e o major Barkworth, Vera Atkins – que trabalhara na Seção "F" Francesa da SOE, recrutando e enviando agentes femininas à França – sentia-se fortemente responsável por "seu pessoal", que ela envolvera em missões perigosas.

Dos mais ou menos cem agentes da Seção F feitos prisioneiros pelo inimigo, somente vinte e seis voltaram. Para um agente da SOE enviado de paraquedas e em trajes civis na França ocupada, captura significava quase certamente tortura e morte.

"Afinal, devemos alguma coisa às pessoas que lutaram e arriscaram a vida por nós", confessava Atkins. Como Barkworth, ela pensava que era impositivo procurar os desaparecidos e punir seus algozes.

Naquele verão, Atkins lera, no relatório de Galitzine sobre Natzweiler, a respeito de um prisioneiro britânico chamado Brian Stonehouse – o homem que fizera desenhos a lápis de seus colegas de prisão. Atkins reconheceu Stonehouse como um agente da SOE pertencente à sua Seção F. E, mais importante ainda, sabia que ele estava vivo. Galitzine escrevera também sobre um grupo de mulheres britânicas que teriam sido executadas em Natzweiler e talvez pertencessem à SOE.

Atkins, obedecendo a uma intuição, mostrou a Stonehouse, quando este voltou, fotos de quatro de suas agentes desaparecidas: Andrée Borrel, Diana Rowden, Sonya Olschanezky e Vera Leigh. Pelo que Stonehouse se lembrava, no verão de 1944 essas mulheres haviam sido trazidas a Natzweiler por seus captores SS e pouco depois levadas ao crematório para morrer.

Atkins sentia profundamente a perda das quatro mulheres, tanto mais que Andrée Borrel tinha sido a primeira agente feminina da SOE a saltar de paraquedas na França ocupada. Compareceu ao escritório de Galitzine na Eaton Square para se informar sobre o caso. Galitzine revelou-lhe então quem era agora o verdadeiro especialista em Natzweiler e suas vítimas: o major Barkworth, do SAS.

Eis a surpreendente opinião de Galitzine sobre Barkworth: "Esse oficial, conhecido como 'Bill' pelos amigos, era empreendedor e fértil em recursos. Sabia bem o alemão, que falava como um nativo, e não tinha respeito algum pela autoridade. Começava com uma pista frágil, teimava quando outros desistiriam e obtinha êxito de um modo tão inesperado que britânicos, franceses e americanos apelidaram-no de 'Lawrence da Alemanha Ocupada'".

Informada sobre Barkworth e seu trabalho, Atkins decidiu ir a Gaggenau para encontrá-lo. Os dois caçadores de nazistas logo se entenderam. Barkworth deu-lhe aquilo de que ela precisava: o endereço dos sobreviventes de Natzweiler que poderiam informá-la sobre o que acontecera às suas quatro colaboradoras desaparecidas.

A história que veio à tona foi das mais horripilantes. Inoculadas com o que pensavam ser vacina contra o tifo, as quatro mulheres receberam na verdade doses de alguma substância letal – talvez ácido carbólico (fenol), uma das drogas mortíferas preferidas pelos nazistas. O médico do campo que aplicou as injeções era um membro da SS chamado Werner Rohde. As mulheres foram levadas uma a uma para os crematórios de Natzweiler – os fornos onde os carrascos incineravam os corpos dos mortos.

Mas o dr. Rohde deve ter errado nas doses. Uma das mulheres recobrou a consciência justamente quando a atiravam às chamas e conseguiu arranhar o rosto do assassino com suas unhas compridas. O homem que não hesitou em jogá-la na fornalha e queimá-la viva era ninguém menos que o principal executor de Natzweiler, o *Hauptscharführer* Peter Straub.

Por sorte, Barkworth reunira havia pouco alguns detalhes sobre o possível endereço de Straub. Após o encontro com Atkins, a prisão do algoz de Natzweiler se tornara uma alta prioridade, por motivos óbvios. Não era certo que Straub seria encontrado "em casa", mas Barckworth achou que valia a pena enviar um grupo ao endereço obtido, pelo menos para se certificar.

O grupo era chefiado por seu temível braço direito e colaborador de longa data na Vila Degler, o sargento Dusty Rhodes. Viajando nos jipes velhos usados na guerra, Rhodes e companhia rumaram para nordeste, em direção ao ponto onde terminava a zona de ocupação francesa. O endereço de Straub que Barkworth conseguira era na cidade de Mannheim, do outro lado da divisa, na zona americana.

Uma das principais críticas dirigidas a Barkworth pelo BAOR e outros detratores era que ele e seus homens vagueavam de jipe por toda parte sem apresentar os documentos necessários para cruzar as várias zonas de ocupação. Estavam certos. Mas Barkworth não merecia censuras. Não tinha tempo para arranjar papéis. E, acima de tudo, não achava conveniente dizer a ninguém, fora da Vila Degler, aonde ia e por quê.

Todos os sistemas eram precários. Se o homem procurado soubesse que estava sendo perseguido pela equipe de Barkworth, não tardaria a sumir. Melhor seria aparecer de surpresa, após evitar ou enganar o pessoal dos incômodos postos de guarda. O BAOR, porém, odiava isso. Nunca sabia onde Barkworth iria dar o ar de sua graça e por isso o havia proibido de operar na zona britânica.

Rhodes teria, pois, de recorrer à astúcia para chegar a Mannheim.

Durante a guerra, cerca de dois mil judeus da cidade haviam sido enviados para os campos de extermínio. E as indústrias pesadas locais atraíram os bombardeiros aliados, que após vários ataques noturnos reduziram seu centro a ruínas. Foi pelo meio desse cenário de devastação que Rhodes se viu dirigindo, desviando-se de pilhas de entulho e crateras de bombas – para não mencionar alguns demorados postos de guarda franceses e americanos – a caminho da residência do carrasco de Natzweiler.

Enquanto subia os degraus para o que esperava ser a porta de Straub, Rhodes se lembrou de que os nazistas entregaram a vários de seus comparsas documentos falsos ao final da guerra, na intenção de continuar a luta, após a ocupação da Alemanha pelos Aliados, com um exército secreto chamado "Os Lobisomens". Straub poderia muito bem ter esses documentos falsos. Também existia um florescente mercado negro na Alemanha ocupada, onde ele poderia ter adquirido uma identidade nova.

À uma hora da madrugada, um Rhodes pesadamente armado bateu à porta. Uma mulher jovem atendeu. Mostrou-se assustada com o aparecimento repentino da equipe do SAS. Atrás dela, via-se um homem sentado na sala, fumando um cigarro. Não parecia de modo algum perturbado. Negou que fosse Peter Straub. Mas, estudando bem suas feições, Rhodes concluiu que acertara na mosca.

Rhodes conhecia a história horrenda de como as quatro agentes da SOE haviam perecido. "Straub estava jogando as mulheres no crematório depois que elas haviam tomado as injeções e supostamente morrido", recordou Rhodes. "Uma delas, ao ser empurrada para a fornalha, recuperou a consciência e arranhou-o em um dos lados do rosto. O homem ainda tinha as marcas das unhas daquela mulher..."

Fossem os documentos falsos ou não, Rhodes tinha certeza de que aquele era o homem que estavam procurando. Straub foi preso e levado sob a mira das armas para a Vila Degler, onde seus interrogadores – Barkworth e Vera Atkins – esperavam. Pode-se avaliar o significado de sua prisão pelo fato de um terceiro interrogador, o tenente-coronel Gerald Draper, especialista em direito com vasta experiência em crimes de guerra, também estar presente.

A princípio, Straub tentou negar tudo. Alegou que estava de licença quando as quatro agentes da SOE foram mortas. Pôs toda a culpa no médico do campo e oficial da SS dr. Rohde, que aplicara as injeções. "Nunca levantei um dedo contra os prisioneiros e nunca vi nenhum uniformizado", tentou argumentar Straub. Mas nada disso explicava as cicatrizes lívidas em seu rosto.

Com o tempo, os interrogadores conseguiram dobrá-lo. E ele começou a falar. Aos poucos, foi revelando a verdade do que acontecera, mas sempre procurando justificar tudo com a alegação de que "apenas cumpria ordens". Depois que a história das quatro agentes foi esclarecida – acontecera mesmo da maneira pavorosa que Atkins ouvira –, os interrogadores passaram a examinar outros crimes cometidos em Natzweiler.

Straub contou qual era o principal meio de execução: o enforcamento. Os interrogadores queriam por todos os modos saber a altura do banco sobre o qual as vítimas ficavam de pé, antes de o banco ser chutado. Straub não se mostrou esperto o bastante – ou então aquilo pouco lhe importava – para perceber qual era a intenção das perguntas. E no fim os interrogadores concluíram que o banco não era alto o suficiente para permitir um enforcamento "adequado".

As vítimas de Straub pereceram por estrangulamento lento e não pela queda de uma altura capaz de quebrar o pescoço, o que causaria morte quase instantânea. Strauber nem sequer tinha sido um bom carrasco. Ou talvez agisse assim deliberadamente. Era bem possível que as vítimas, se debatendo e se contorcendo na ponta da corda, servissem como uma terrível advertência.

Ao final do interrogatório, Straub mencionou, quase com orgulho, o número de "peças" que havia matado em um dia. Então, o ex-carrasco de Natzweiler ouviu o seguinte: "Você vai sair desta sala de quatro, como um animal. Não tem o direito de ficar de pé e falar com seres humanos".

As quatro agentes femininas da SOE foram executadas por ordem direta de Berlim. Haviam sido classificadas como *Nacht und Nebel* – noite e neblina – e, por isso, enviadas a Natzweiler. Sendo *Nacht und Nebel*, elas deviam, segundo as instruções de Berlim, ser "exterminadas sem deixar rastros". De fato, seus restos físicos foram reduzidos a um monte de cinzas; mas, contrariamente a todas as expectativas, a verdade sobre seu assassinato e quem as matou acabou sendo descoberta pelos caçadores de nazistas.

Tanto mais preocupante que a unidade de Barkworth estivesse também prestes a ser "enforcada".

No final de setembro de 1945, o SAS já começara a destruir arquivos de assuntos delicados, preparando-se para sua extinção. Ao mesmo tempo, multiplicavam-se perguntas sobre a legitimidade das operações na Vila Degler de Barkworth.

"Levantou-se o problema da autorização e credenciamento de vários oficiais ou equipes de investigadores que operam na França", dizia uma carta do Departamento de Guerra datada de 29 de setembro. "Insistimos em que nenhum equívoco subsista com relação a oficiais e suas equipes. Queira por favor informar, no caso do major Barkworth e seu grupo, qual autoridade emitiu a autorização para que operem e junto a que quartel-general ou unidade estão credenciados."

É de se perguntar quem deveria responder a essas perguntas quando o próprio SAS estava em vias de extinção.

A 4 de outubro de 1945, deram-se ordens formais para a dissolução do SAS. O "Memorando Urgente" dizia: "Foi decidido extinguir o Regimento de Serviços Aéreos Especiais. A desmobilização começará a 5 de outubro de 1945 e se completará a 16 de novembro de 1945. Atente-se para as instruções contidas no folheto 'Desmobilização de Unidades 1945', do qual cópias estão sendo distribuídas. A desmobilização completa será comunicada ao Departamento de Guerra..."

No dia 5 de outubro, era grande a movimentação nos quartéis-gerais dos SAS 1 e 2, com os homens se preparando para voltar a seus regimentos de origem, apresentar-se a outras unidades aerotransportadas ou dar baixa. Os oficiais ficariam para resolver o problema da papelada, dos estoques remanescentes etc. – antes do fechamento das portas.

Com isso, a unidade de Barkworth na Vila Degler era o único grupo de porte do SAS ainda "operacional" no mundo inteiro. O coronel Franks estava determinado a preservá-la, a qualquer preço.

Dias antes da desmobilização formal, Franks inaugurara a primeira fase de seu "plano de sobrevivência do SAS". Fundou-se a Associação Regimental do Serviço Aéreo Especial (Special Air Service Regimental Association), que se reuniu pela primeira vez a 12 de outubro no quartel-general do coronel Franks em Wyvenhoe Park. Franks foi eleito diretor e o tenente-coronel David Stirling, o fundador do SAS, presidente.

Face à apatia e à omissão do Departamento de Guerra, Franks resolveu agir de maneira decisiva. Convidou para patrono da associação que fundara Winston Churchill – um dos mais lúcidos políticos da época, plenamente cônscio da ameaça soviética à Europa. Churchill popularizaria, em 1946, a expressão "Cortina de Ferro". Percebia que manter viva uma força como o SAS – uma das poucas capazes de provocar o caos atrás das linhas inimigas – era vital para a capacidade britânica de enfrentar essa ameaça.

Trabalhando em estreita colaboração com o ex-primeiro-ministro e seu filho, Randolph Churchill, Franks passou à segunda fase do plano de sobrevivência do SAS – a instalação de um "quartel-general clandestino". Havia pouca dúvida de que o coronel Franks fosse o grande responsável pela preservação do SAS. O Regimento respirava com aparelhos, mas, graças aos esforços de Franks, pelo menos ainda estava respirando.

Até David Stirling confessou: "Sem Brian Franks, mergulharíamos no esquecimento".

Durante os anos da guerra, a determinação de Stirling de fazer o certo, não importava o que o "monte de idiotas fossilizados" do alto comando exigisse, tinha sido um dos traços marcantes do SAS. Ele organizara vários "empreendimentos particulares" em desafio a seus superiores, o que provocou a acusação de "exército privado" contra o SAS.

Agora o coronel Franks, com a ajuda de Stirling, estava prestes a encetar o maior "empreendimento particular" de todos. Antes da guerra, Franks trabalhara na administração do luxuoso Hotel Hyde Park em Kensington, oeste de Londres. E foi ali que estabeleceu o quartel-general clandestino do SAS, após "requisitar" dois quartos para o controle de suas operações. O bar do hotel tornou-se a sala de reuniões não oficial do SAS, o lugar onde o coronel Franks se encontrava com o comandante da Vila Degler, nas raras visitas de Barkworth a Londres.

Em um ponto Franks se mostrava intransigente. Apesar de não existir mais em caráter oficial, a equipe de Barkworth continuaria usando as insígnias do Regimento que tão bem definiam a unidade. Os homens não abandonariam a característica boina vermelha e o símbolo da adaga alada com o lema "Quem ousa vence", que exibiam com tanto orgulho.

Determinados a ver os criminosos de guerra da Operação Loyton na barra da justiça, os homens de Barkworth desempenhariam outro papel muito importante: manteriam o SAS funcionando na sombra até que os ventos da fortuna soprassem mais favoravelmente e o Regimento fosse reformulado, conforme esperava Franks. É claro, algumas pessoas dentro da burocracia do Departamento de Guerra já se dispunham, secretamente, a colaborar com essas operações clandestinas.

Quando saiu a ordem de desmobilização do SAS, o coronel Franks foi conversar com o príncipe Galitzine. "Venho lhe pedir um grande favor", disse ele. "Há alguma maneira de você manter esta equipe em funcionamento?" Por "esta equipe" Franks se referia à importantíssima operação da Vila Degler. Galitzine respondeu que veria o que poderia fazer.

Sem permissão formal nem anuência, Galitzine procurou tirar vantagem da confusão que reinava no Departamento de Guerra após o fim do conflito, conseguindo assim arrancar orçamento, rações, suprimentos e muito mais daquele caos. Conseguiu até que os soldos continuassem a ser pagos a Barkworth e seus homens.

* * *

"Eles não eram mercenários", observou Galitzine. "Recebiam do Departamento de Guerra, legalmente..."

Nos documentos oficiais, Barkworth, Rhodes e todos os que participavam da operação da Vila Degler haviam retornado a seus regimentos de origem. Isso serviria de disfarce caso os mandarins curiosos de Whitehall, os políticos ou a imprensa fizessem perguntas difíceis. A equipe de Barkworth na Vila Degler sempre havia sido semioficial.

Agora, haviam deslizado completamente para a sombra.

CAPÍTULO 23

———— ✳ ————

EM OUTUBRO DE 1945, pouco depois de a equipe de Barkworth se tornar "clandestina", Galitzine escreveu um artigo intitulado "Equipes de Caçadores de Criminosos de Guerra". Sua intenção parece ter sido apregoar em altas vozes os êxitos da unidade de Barkworth, sem revelar que ela continuava agindo a pleno vapor como antes.

No artigo, Galitzine defendia a ampliação desses esforços com base no modelo do SAS. "Na questão da caçada aos criminosos... eles se mostraram particularmente bem-sucedidos", declarou. Sugeriu a criação de várias equipes de "Caça", cada qual com cem ou mais agentes. Essas equipes deveriam conter "uma elevada porcentagem de oficiais treinados no setor de inteligência e comunicações". Deveriam possuir "grande mobilidade" e "bons serviços de sinalização em longas distâncias". Quanto a seus esforços, deveriam ser considerados "Operação de Guerra".

Em suma, o que Galitzine descrevia era a unidade da Vila Degler. Seu artigo parece ter sido uma tentativa de resgatar a equipe de Barkworth do limbo em que se achava. Basicamente, ele dizia: *precisamos desse tipo de unidades – ah, e eis uma que já formei, pela qual se pode começar. Sigamos esse modelo e ampliemo-lo ao máximo.*

O artigo de Galitzine chamou a atenção, é claro. O BAOR, em particular, ficou furioso. Numa carta "confidencial" de 24 de novembro, um tal

A. G. Somerhough, do departamento jurídico do BAOR, escreveu: "Inútil criticar esse artigo, pois ele se fundamenta obviamente num equívoco completo". Sobre o trabalho da equipe da Vila Degler, Somerhough comentou: "Se essa é a unidade do major Barkworth, entendo que seu propósito era descobrir os corpos de membros do SAS assassinados, não rastrear criminosos. Eles estão lá há meses e ainda não prenderam ninguém".

Somerhough era um adversário poderoso. Oficial profundamente versado em leis, recebera três Menções Honrosas durante a guerra. Seus comentários cada vez mais negativos tinham peso. Portanto, suas críticas veladas ao artigo de Galitzine – de que as equipes existentes não estavam fazendo muita coisa – parecem ter acertado o alvo. Ao final de novembro, o primeiro-ministro Clement Attlee endereçou uma nota pessoal ao secretário de Estado para a Guerra.

"Preocupam-me os atrasos que ocorreram nessa área... É essencial que os responsáveis por investigar crimes de guerra e levar seus autores à justiça sejam oficiais com disposição e energia, e que a alta prioridade dada aos crimes de guerra seja plenamente entendida."

No inverno de 1945, parece ter havido uma divisão no seio do governo: por um lado, os pombos queriam desmontar a máquina militar o mais depressa possível para conceder ao público britânico fatigado o havia muito prometido dividendo de paz; por outro, os falcões exigiam uma robusta e resoluta estrutura de combate aos crimes de guerra a fim de garantir que a justiça fosse feita.

Como não houve nenhuma resposta ao artigo de Galitzine, é de crer que os pombos tenham levado a melhor. Ou antes, o pragmatismo intransigente deve ter vencido. A Grã-Bretanha, no pós-guerra imediato, estava à beira da ruína. O custo da luta havia sangrado o país, o Tesouro enfrentava a ameaça de bancarrota e, para muitos, valia mais restaurar a economia em frangalhos da nação do que perseguir criminosos, por maiores que fossem seus crimes.

De qualquer maneira, a unidade de caça de Barkworth estava marginalizada.

* * *

Simplesmente porque sua localização era a melhor e a mais discreta, o escritório de Galitzine na Eaton Square se tornou o centro de reabastecimento e comunicações clandestino da equipe de Barkworth. Dali, contatos diretos por rádio seriam mantidos entre Londres e Gaggenau. A 30 de novembro, um memorando intitulado "Investigação de Crimes de Guerra, SAS" – redigido quase dois meses *depois* da desmobilização oficial do Regimento – enumerou os meios de preservar essas comunicações.

"Dois ORs [*other ranks*, homens que não eram oficiais] estão acomodados para trabalhar na Sala 404 como operadores de rádio do Elo de Sinalização de Retaguarda para o SAS... Isso exigirá um pequeno aparelho transmissor e receptor no teto de Eaton Square. O transmissor será de bateria e o receptor funcionará fora do circuito da casa."

Os dois homens encarregados do rádio "de retaguarda" eram os agentes do SAS Freddie Oakes e John Sumnall, veteranos da unidade de caça da Vila Degler.

No nível mais alto, cordões eram manipulados para manter os Caçadores Secretos em ação. "O coronel Franks tinha excelentes contatos e conhecia inúmeras pessoas...", observou Galitzine. Ele recorria a esses contatos para manter a unidade da Vila Degler em funcionamento. Galitzine evitou perguntar-lhe quem eram exatamente seus patrocinadores de alto nível "porque, sendo tudo feito às ocultas, quanto menos se falasse no assunto, melhor".

No final do outono de 1945, a equipe da Vila Degler ainda trabalhava com afinco, mas também com dificuldade. Barkworth não tinha autorização para operar; não dispunha de formação nem de especialização naquela tarefa; não contava com orçamento oficial; e o Regimento do SAS havia sido extinto, ou seja, teoricamente sua unidade nem existia. Reportava-se apenas ao escritório de Galitzine na Eaton Square e ao quartel-general secreto do coronel Franks no Hotel Hyde Park. Em outras palavras, não estava sob o comando de ninguém.

Um homem de menor envergadura se sentiria inseguro com isso, mas Barkworth gostava de fazer o que lhe dava na cabeça. Para Barkworth, livre pelo menos dos empecilhos que o atrapalhavam – regras e burocracia são difíceis de aplicar a uma unidade fora dos padrões e que nem mesmo existe –, tudo era possível.

Barkworth era um homem realmente notável, segundo Galitzine. "Um místico... um pensador; dedicado de corpo e alma à missão de encontrar seus camaradas desaparecidos." Nada era complicado para Barkworth, desde que facilitasse sua busca.

Agora, o caso dos assassinos das quatro mulheres da SOE queimadas nos fornos de Natzweiler estava totalmente resolvido. Depois de agarrar Straub, a equipe de Barkworth se pôs na pista dos principais arquitetos das atrocidades. A equipe médica tinha sido encontrada escondida no sul da França. E o médico do campo – Werner Rohde – se instalara na zona de ocupação americana, como fizera Straub.

Mas onde Barkworth e sua equipe pareciam ter entrado num beco sem saída era no caso dos dezoito "desaparecidos" da Operação Loyton ainda não encontrados. Galitzine recebeu uma mensagem por rádio em seu escritório da Eaton Square queixando-se de que, aparentemente, todas as pistas davam em nada. O príncipe fez suas malas, partiu para Gaggenau e desembarcou em Frankfurt, onde Barkworth o recebeu com um forte aperto de mão e um jipe.

Rumaram para a Vila Degler. No caminho, Barkworth fez uma observação de passagem que chocou o absolutamente imperturbável Galitzine. "Ontem à noite tentamos uma experiência com a prancheta – o tabuleiro Ouija, você sabe."

Por um instante, Galitzine se transformou no rígido oficial do Departamento de Guerra que certamente não era. "Não, você não fez isso! Quero dizer, é ridículo..."

"Por que não?", atalhou Barkworth. Se pessoas haviam sido mortas durante a guerra, sem dúvida gostariam de comunicar o que lhes acontecera por quaisquer meios possíveis.

Galitzine mergulhou no silêncio.

A lógica de Barkworth era irrefutável.

Naquela noite, ele juntou-se a Barkworth e sete outros membros da equipe em volta da mesa de madeira redonda na sala da Vila Degler. Uma vela queimava frouxamente; havia pouca eletricidade ainda na Gaggenau arrasada pelas bombas. Galitzine percebeu que o recinto não era mais, simplesmente, um local de conspiração; havia algo... de sobrenatural, invisível, pairando entre as sombras. Sentiu o coração bater mais forte quando Barkworth dispôs as "ferramentas" do tabuleiro Ouija e todos se prepararam para conversar com os mortos.

Cartas numeradas foram dispostas sobre a mesa, mais as letras do alfabeto e as palavras "sim" e "não". Colocou-se um copo emborcado no meio. De repente, um nome inglês surgiu: "O copo soletrou 'F-o-r-d-h-a-m, sargento-aviador, RCAF'", contou Galitzine. "Depois, 'morto em Cirey, nos Vosges'."

O copo revelou que a tripulação estivera num bombardeiro Lancaster.

O tabuleiro Ouija continuou "conversando" com o pessoal da mesa durante boa parte da noite. Todos estavam exaustos, mas tão excitados que não conseguiam parar.

O tabuleiro Ouija revelou que três tripulantes do Lancaster haviam morrido na queda do aparelho e dois sobreviveram. Aparentemente, Fordham e um camarada foram levados para um laranjal perto da aldeia de Cirey, onde tiveram de cavar suas próprias covas antes de ser alvejados na nuca.

Já perto do amanhecer, os homens da Vila Degler fizeram uma última pergunta ao tabuleiro Ouija: "Sabe os nomes dos alemães envolvidos?" O copo soletrou um nome.

A reunião se desfez. Alguns correram a preparar os jipes para a jornada a Cirey, uma aldeia 15 quilômetros ao norte de Moussey. Outros ligaram o rádio e enviaram uma mensagem urgente a Eaton Square, perguntando se a seção de desaparecidos da RAF poderia rastrear o bombardeiro Lancaster supostamente derrubado.

Queriam saber: "Detalhes de todas as aeronaves e tripulações supostamente perdidas na (a) área dos Vosges, (b) indo ou voltando de incursões que as tenham levado a sobrevoar a área dos Vosges e que, segundo se sabe, não caíram em outra parte. Os ataques a Stuttgart são os mais prováveis. Período a examinar, 20 de julho a 31 de agosto de 1944. Esses detalhes foram considerados muito importantes, de sorte que achamos possível serem fornecidos".

Uma segunda mensagem foi enviada ao CROWCASS, o Central Registry of War Crimes and Security Suspects (Registro Central de Suspeitos de Crimes de Guerra e Segurança), baseado em Paris, perguntando se eles tinham um prisioneiro de guerra alemão com o nome obtido do tabuleiro Ouija. Feito isso, Barkworth, Galitzine e os demais tomaram uma dose de Benzedrina e embarcaram nos jipes, partindo com o sol nascente às suas costas.

"Fomos para Cirey num estado verdadeiramente febril", lembrou-se Galitzine. Cirey, a 15 quilômetros dali, localizava-se do outro lado do Reno – na França. Bem cedo, naquela manhã de inverno, os Caçadores Secretos chegaram à aldeia, quando os moradores saíam para trabalhar no campo.

Um par de botas de aviador foi encontrado na casa de um dos aldeões. Descobriram-se três túmulos anônimos – dos membros da tripulação do Lancaster que morreram na queda do aparelho – no pátio da igreja. Finalmente, a equipe conheceu alguns moradores que sabiam do fuzilamento. O grupo se dirigiu para uma plantação de laranjas, onde os aldeões mostraram o local dos assassinatos. E, depois de cavar, exumaram dois corpos.

Em Gaggenau, uma mensagem os esperava. O CROWCASS descobrira que os franceses mantinham prisioneiro um alemão com o nome obtido do tabuleiro Ouija. Ele disse ser soldado da Wehrmacht, mas, quando Barkworth o apertou, o homem cedeu. Na verdade, servira na Gestapo e tornou-se o principal suspeito dos assassinatos de Cirey.

Quando Galitzine voltou a Londres, passou as anotações que colhera durante a sessão de perguntas e respostas com o tabuleiro Ouija à sua secretária mais velha do Departamento de Guerra. Ela estava acostumada a registrar depoimentos e pôs-se a datilografar. Mas, de repente, essa séria e empertigada senhora se deparou com a frase soletrada pelo tabuleiro Ouija: "Fui morto em Cirey, nos Vosges".

A secretária de Galitzine deu um grito e saiu correndo da sala. Minutos depois, Galitzine foi chamado para se explicar a três oficiais graduados do Departamento de Guerra.

"Como ousa fazer tais coisas?", perguntaram eles. Galitzine viu-se acusado de conduta incompatível para um oficial e cavalheiro, que "não mexe com tabuleiros Ouija".

Galitzine não se abalou. Disse que, a despeito dos meios pouco ortodoxos, haviam descoberto dois corpos nos bosques e prendido um suspeito alemão.

Os chefões do Departamento de Guerra se entreolharam e franziram o cenho. "Bem, se você *não* tivesse descoberto os dois corpos e um prisioneiro, seria levado à corte marcial."

Os dois homens mortos em Cirey não tinham nada a ver com o SAS. Pertenciam à Real Força Aérea Canadense. No entanto, Barkworth perseguira seus assassinos com tanta avidez quanto se eles fossem dois dos desaparecidos remanescentes da Operação Loyton.

Quanto ao destino *deles* e sua localização, todas as pistas pareciam não levar a lugar nenhum. Barkworth consultou novamente os documentos importantes recolhidos nos primeiros dias de suas operações – documentos que encontrara no quartel-general de Isselhorst em Estrasburgo, detalhando nomes e funções de suas unidades e subordinados.

Um dos nomes chamou sua atenção: Georg Zahringer. Zahringer servira no *Einsatzkommando* Ernst – a unidade comandada pelo *Sturmbannführer* Hans Dietrich Ernst. Barkworth conhecia a péssima reputação do *Einsatzkommando*. Certo de que um leopardo nunca perde as manchas – um esquadrão da morte é um esquadrão da morte, não importa onde esteja –, Barkworth concluiu que valeria bem a pena conversar com Zahringer.

Ora, um alemão com esse nome acabara justamente de ser preso. Quando Barkworth apareceu para interrogá-lo, descobriu que ali estava o que vinha procurando havia tempos. Era o inverno de 1945 e o testemunho de Zahringer mudaria tudo. O que o alemão descreveu a Barkworth forneceria a última peça do quebra-cabeça.

277

O caso do tenente David Dill estava resolvido; ele tinha sido morto com outros oficiais das Forças Especiais no massacre da floresta Erlich. Mas o destino do resto do grupo que ficara para trás a fim de guarnecer a última base do SAS em Basse de Lieumont continuava sendo um mistério. Agora, Zahringer resolveria esse mistério, pintando um quadro horripilante das horas finais do comando de Dill.

Depois que o tenente e seus homens haviam sido presos, seus captores da divisão Panzer mantiveram-nos por quarenta e oito horas. Mas depois foram entregues às mãos assassinas do *Sturmbannführer* Hans Dietrich Ernst. Em seu quartel-general de Saales, situado cerca de 10 quilômetros a sudeste de Moussey, Ernst separou o oficial do SAS de seus homens. Dill foi para Schirmek e os outros oito, para um destino mais imediato e terrível.

A 15 de outubro – nove dias após sua captura –, embarcaram num caminhão que Zahringer dirigia. Tinha ordens de ir para La Grande Fosse, uma fazenda a oeste de Saales.

"Chegamos a um local onde havia uma densa floresta de pinheiros do lado esquerdo", contou Zahringer a Barkworth. "Eu não tinha visto ninguém ainda, até que apareceu Opelt na curva de uma trilha à esquerda... Acenou para que eu levasse o caminhão até a trilha, e eu o fiz...

Opelt pediu que eu abrisse a traseira do caminhão e tirasse o primeiro prisioneiro. Estavam todos algemados... Schossig, que falava inglês, ordenou-lhe que se despisse e o prisioneiro obedeceu. Foi então levado, seguro pelos braços por Wuttke e Gaede, para o bosque... Wuttke carregava uma pistola, como também Gaede. Quase imediatamente ouvi um tiro.

Os outros prisioneiros ingleses, no caminhão, não disseram nada, ficaram em silêncio." Um dos dois padres deve ter pedido aos homens que se ajoelhassem e começou a administrar-lhes a extrema-unção. Zahringer ouviu-os rezar numa língua que, a seu ver, era o inglês. Um por um foram levados e de cada vez se ouvia um tiro entre as árvores.

Restava um. "Pouco antes de ser levado, ele disse alguma coisa a Schossig em inglês", contou Zahringer a Barkworth. "Perguntei a Schossig o que o prisioneiro tinha dito e ele respondeu 'Fomos bons homens'.

Segui aquele prisioneiro e o vi postado à beira de uma vala aberta que continha os corpos nus de seus camaradas... Ele não tremia."

O último homem foi morto e jogado no buraco. Os soldados fizeram um monte com as roupas e queimaram-nas.

Depois de confessar tudo isso, Zahringer pareceu ficar receoso ao saber que deveria conduzir Barkworth e seus homens ao local da vala comum. Talvez temesse ir fazer companhia àqueles cadáveres. Fingiu que não se lembrava. Aquele dia estivera úmido e nevoento, argumentou ele, e não poderia recordar o caminho que fizera até a floresta. Barkworth e seus homens conheciam a localização por alto, mas isso não bastava.

Barkworth enviou Dusty Rhodes a Saales incumbido da tarefa aparentemente impossível de vistoriar vários quilômetros quadrados de mata. Era a primeira semana de novembro de 1945, mais de um ano após os assassinatos. A clareira aberta para o túmulo, por maior que fosse, já devia ter sido retomada pela floresta.

Numa fria manhã de novembro, Rhodes e três companheiros partiram de Saales. Ele tinha uma vaga ideia do tipo de local que estava procurando, com base no testemunho de Zahringer.

"Os alemães atravessaram a floresta por uma trilha até um pequeno barranco", lembrava-se Rhodes. "Uma cova bem rasa foi aberta... Um a um os prisioneiros saíram do veículo, subiram o barranco e receberam um tiro na nuca."

Rhodes precisava encontrar uma trilha larga o suficiente para que um caminhão do exército alemão atravessasse a floresta, com um barranco a um dos lados. Mas, ali, o terreno era extremamente difícil. A estrada subia cada vez mais à medida que se aproximava de La Grande Fosse, ladeando precipícios e serpenteando pelo bosque de pinheiros. O terreno ainda conservava restos dos sistemas de trincheiras da Primeira Guerra Mundial – os Vosges tinham sido também a linha de frente naquele conflito –, o que tornava a descoberta do túmulo problemática.

Mas havia, aparentemente, uma pista. A floresta, dividida pela estrada, avançava por uns 400 metros, não mais. Embora muito densa, era ali naquela área relativamente pequena que os corpos deviam estar. Em alguns pontos, de cada lado, trilhas esburacadas se perdiam nas sombras. Zahring havia sido categórico em uma coisa, durante o interrogatório: virara à esquerda, na estrada.

Rhodes e seus companheiros observavam atentamente enquanto percorriam o caminho. Ao avistar uma trilha, paravam o jipe, mas a busca daquele dia e do dia seguinte não deu resultados. Felizmente, Rhodes era tão determinado quanto seu chefe. "Suspeitávamos que aquela fosse uma tarefa impossível, mas ainda assim, ao final do dia, resolvemos: esmiuçaríamos cada polegada de terreno, se necessário."

Rhodes voltou para mais uma tentativa. Sabia cuidar de hortas e trabalhara como jardineiro de parques municipais antes da guerra. Conhecia bem a vegetação. De repente, parou: um pedaço do chão estava coberto por mato mais novo que o das vizinhanças. Ele pegou uma enxada no jipe e começou a cavar. Mal arranhara a superfície e descobriu o dedo de um pé.

"Soube então que encontrara os oito homens desaparecidos do SAS", contou Rhodes. "Coloquei o dedo exumado numa caixa de fósforos e voltei para Gaggenau." Mostrou-o a Barkworth. "Entreguei-o ao chefe, com meus cumprimentos, pois ele já estava apreensivo com a morosidade daquela missão."

A 6 de novembro de 1945, Rhodes voltou ao local acompanhado de um patologista americano e de um grupo de trabalho constituído por prisioneiros alemães. Estes tiveram de exumar os corpos das vítimas de seus compatriotas. Devido ao sepultamento rápido, os corpos surgiram notavelmente bem preservados. Para quem servira com eles, a maioria pôde ser reconhecida ao primeiro olhar.

Eram os sargentos Hay e Neville, os cabos Robinson e Austin, e os soldados Bennet, Weaver, Church e McGovern. O sargento "Jock" Hay era, é óbvio, o temível auxiliar de Henry Druce, o homem que este insistira em levar consigo quando, à última hora, recebera instruções para comandar a vanguarda da Operação Loyton.

Um projétil de 7,65 mm – o mesmo da pistola alemã Luger – estava alojado no crânio de Church, o primeiro a tombar na vala comum. Havia cápsulas de balas de fuzil espalhadas por entre os corpos, a sugerir que mais de um "atirador" participara do morticínio.

Um mês antes o investigador de crimes de guerra do BAOR, tenente--coronel Genn, declarara que "só por milagre" se achariam provas para resolver o caso dos dezoito desaparecidos da Operação Loyton. Bem, Barkworth realizara (em parte) esse milagre. Mais oito haviam sido encontrados e os dezoito eram agora dez.

Um aspecto crucial desses assassinatos foi percebido por Barkworth. Ernst enviara uma mensagem a seu superior, Isselhorst, assegurando que os oito "paraquedistas" tinham sido alvejados "ao tentar fugir". Não era, obviamente, verdade; tinham sido mortos a sangue-frio. Ao que parece, Ernst tentava assim disfarçar sua própria iniciativa de eliminar aqueles homens, pois Isselhorst os queria em Schirmek para "processá-los".

Após a descoberta do morticínio de La Grande Fosse, o *Standarten-führer* Isselhorst continuou no alto da lista dos procurados de Barkworth. Mas um novo nome agora disputava com ele esse lugar: o *Sturmbannführer* Hans Dietrich Ernst, o esbirro que desobedecera às ordens de um superior e chacinara oito elementos do SAS nos bosques dos Vosges.

O ano de 1945 chegava ao fim e, quanto mais horrores Backworth descobria, mais faminto de justiça se mostrava. E, em 1946, sua fome seria finalmente saciada.

CAPÍTULO 24

———— ✳ ————

A DESPEITO DOS IMPRESSIONANTES resultados obtidos por Barkworth e sua equipe, agir na "clandestinidade" tinha seus problemas. Mal conseguiam esconder de um de seus principais detratores – o BAOR – o que faziam. No inverno de 1945, o BAOR sabia muito bem que a unidade de Barkworth continuava operando.

A reação do BAOR foi tentar desacreditar os agentes da Vila Degler. Se não conseguisse desacreditá-los nem calá-los, assumiria o controle da equipe. Uma mensagem de rádio do setor jurídico do BAOR resume o tipo de pressão a que estavam sujeitos os homens da Vila Degler.

"Mensagem a Barkworth. Um. Sua equipe, para a ADM, é parte desta unidade. Sua ADM é controlada apenas por esta unidade e não, repetimos, por Londres. Dois. Enviar pedidos, queixas ou ADM a esta unidade, conforme instruções. Três. Enviar imediatamente a lista para este quartel-general. Fim."

"ADM" significava "administração". A "lista" era a dos nomes dos agentes da Vila Degler.

O setor jurídico do BAOR estava fazendo de tudo para tirar o grupo de Barkworth das sombras. Com isso, o grupo ficaria sepultado sob uma avalanche de procedimentos burocráticos e protocolos enfadonhos. Mais importante ainda, romperia o comando e o controle diretos de Barkworth via Londres, o que por seu turno escancararia o sigilo dos Caçadores Secretos.

Na ocasião – apesar de o Regimento do SAS "não existir" –, Barkworth tinha sob seu comando três oficiais e vinte e um homens. Na busca dos procurados, seu "SAS" vasculhara campos de prisioneiros, onde já havia descoberto suspeitos de crimes de guerra escondidos entre os demais. Mas visitar dezenas de campos separados por centenas de quilômetros era uma verdadeira façanha.

Galitzine resumiu assim as dificuldades da tarefa: "Todos os veículos da unidade conseguem rodar uma média de 300 quilômetros por dia na estrada. Viagens são feitas o tempo todo pelas zonas francesa e americana, da fronteira tcheca ao Saar, de Hanover ao lago Constança. E também para a Holanda, o Schleswig-Holstein e o Ruhr... No próximo mês, estão marcadas viagens para o sudoeste da França, Paris e Áustria. Essas jornadas resultaram na captura de pelo menos um acusado e o total dos 'prisioneiros' chega agora a 51".

Ao mesmo tempo, Barkworth supervisionava uma investigação separada no extremo sul, na Itália. O capitão Henry Parker – o fã do uísque, da Benzedrina e das vigílias do sistema de Barkworth – tinha sido mandado para lá a fim de investigar o desaparecimento de vários agentes das Forças Especiais capturados durante uma missão de sabotagem atrás das linhas inimigas. Os tentáculos de Barkworth chegavam, ao norte, até a Noruega, onde ele tentava prender todo o pessoal do *Einsatzkommando* Tanzmann, uma unidade que seguramente desempenhara um papel-chave na Operação Waldfest.

Permitir que tudo isso enveredasse pelo labirinto da oficialidade do BAOR tornaria tais operações quase impossíveis. Não há a mínima evidência de que Barkworth tenha respondido aos comunicados do BAOR que tentavam obstruí-lo – pelo menos não por escrito.

Ao contrário, a 6 de dezembro de 1945, uma carta foi enviada pelo escritório AG3-VW da Eaton Square informando que "o major Barkworth encerrará sua investigação no mês de dezembro [1945]". Essa informação – que deve ter sido apenas uma cortina de fumaça – parecia dizer que o grupo da Vila Degler estava sendo desmobilizado. Mas não: estava sendo fortalecido.

A 8 de dezembro, por ordem da Eaton Square, o soldado Ratcliffe do SAS – membro de uma unidade não existente – partiu do porto londrino de Tilbury, de balsa, para se encontrar em Antuérpia com Barkworth. Levava um caminhão com os seguintes suprimentos destinados à operação da Vila Degler:

  2 carregadores para os rádios
  1 amplificador
  9 microfones Tannoy para amplificador
  1 coberta para jipe
  1 motor Gasket Kit (Ford)
  34 galões de gasolina

E assim por diante.

O caminhão dirigido pelo soldado Ratcliffe levava ainda: "1 caixa de metal contendo documentos secretos, papéis... vários rolos de mapas" à atenção do major Barkworth.

Por um lado, o AG3-VW enviava mensagens de rádio e telegramas sugerindo que a operação da Vila Degler estava sendo encerrada: "Confirmamos desmobilização equipe major Barkworth...", "Confirmado transporte para o Reino Unido do pessoal, veículos e equipamentos da equipe do major Barkworth".

Mas, ao mesmo tempo, Galitzine escrevia aos amigos mais íntimos e influentes na tentativa de apoiar a operação ao estilo capa e espada de Barkworth. "Eles são um pequeno grupo isolado e precisam de qualquer ajuda que vocês possam lhes prestar."

Nos últimos dias de 1945, havia muita pressa na Vila Degler, estimulada por uma extraordinária dose de energia garantida pela Benzedrina. Enquanto Galitzine, Franks e os outros lutavam para ganhar tempo e completar suas operações de caça clandestinas, Barkworth estava prestes a desferir seu grande ataque.

O major do "SAS", esforçando-se como nunca, preparava um alentado relatório de 90 páginas onde mostrava ao coronel Franks que sua missão estava quase terminada. Em maio de 1945, Franks o encarregara de resolver o caso dos desaparecidos da Operação Loyton. O relatório de final de ano de Barkworth, "Paraquedistas Desaparecidos", provaria que esse caso – e muitos mais – estavam solucionados.

O documento seria impresso no papel "oficial" do 2º Serviço Aéreo Especial, com o emblema da adaga alada no frontispício – cerca de três meses após o Regimento ter sido extinto – e endereçado ao "Oficial Comandante, Regimento do Serviço Aéreo Especial", um cargo que já não existia. Barkworth incluiu uma oportuna citação de Shakespeare na primeira página:

> Mas, em casos assim,
> Ainda temos justiça aqui. Dando-se instruções sanguinárias,
> Elas voltarão para atormentar o instrutor.
> — *Macbeth*, ato I, cena VII

Em outras palavras, o SAS julgaria os criminosos da Operação Loyton; e quem havia sido indulgente com a tortura e o assassinato em massa colheria o que plantou.

Em certo sentido, o relatório de Barkworth era o grito final de desafio. Dizia em altos brados duas coisas importantes. Primeira: não se pode acabar facilmente com o Regimento do SAS. Segunda: não importa como, a justiça será feita. Especificava os argumentos para catorze casos de crimes de guerra a serem levados ao tribunal, cobrindo *trinta e nove* vítimas – os extras sendo os pilotos americano e canadense abatidos e outros militares aliados, homens e mulheres, mortos como os do SAS.

Três meses antes, a equipe legal do BAOR declarara que "só um milagre" solucionaria os casos dos desaparecidos da Operação Loyton. E agora o relatório de Barkworth revelaria a tenacidade e o brilho incomparáveis da equipe da Vila Degler, que realizara o aparentemente irrealizável num prazo que poucos achariam possível.

A troca de mensagens entre Barkworth e Franks refletia o ritmo frenético da atividade, com os dois homens correndo desabaladamente para a linha de chegada. Ou antes, conforme veio a suceder, correndo desabaladamente para um novo começo.

"Um. Relatório impresso completo sábado à noite. Dois. Restam algumas testemunhas das quais serão tomadas informações sob juramento. Três. Requisitar Oxford em Frankfurt ou Estrasburgo para me levar de volta domingo depois das 18h. Irão comigo exemplares impressos do relatório... Seis. Se o grupo de Black for encontrado e o tempo for curto, não escavar."

"Oxford" era uma referência ao avião leve de treinamento Airspeed AS.10 Oxford, de que Barkworth precisava a fim de voar para Londres com seu relatório "Paraquedistas Desaparecidos" em mãos. "Grupo de Black" aludia a oito homens do SAS assassinados por ordem do SS *Sturmbannführer* Hans Dietrich Ernst. O tempo era tão curto que Barkworth preferia não "escavar" os corpos desses homens, ainda que fossem encontrados.

Outra mensagem de rádio informou um pequeno atraso na agenda: "Trabalho continua, muita pressão. Talvez pronto domingo, se impressão varar a noite. Segunda, tudo mais fácil".

O destino do grupo de Black tinha sido revelado por um dos suspeitos do *Einsatzkommando* Tanzmann. Pouco antes da tomada dos Vosges pelas forças americanas, os homens desse comando foram deslocados para a Noruega, na tentativa de reforçar as defesas do Reich no norte. Com o tempo, boa parte da unidade caíra prisioneira, usando nomes falsos e fazendo-se passar pela tripulação de um submarino que se rendera.

Como Barkworth deixou claro, queria pôr as mãos no maior número de homens do *Einsatzkommando* que pudesse. "Aqueles que não são procurados por crimes de guerra contra britânicos devem ser detidos como procurados por franceses, uma vez que o Comando Tanzmann foi responsável por diversas atrocidades." Em suas fileiras estavam muitos dos opressores dos aldeões de Moussey.

Quando o veterano Walter Janzen, do *Einsatzkommando* Tanzmann foi entregue a Barkworth, seu interrogatório solucionou o caso de oito dos últimos "desaparecidos" da Operação Loyton. A 14 de setembro de 1944, oito agentes do SAS haviam sido capturados após o tiroteio na serraria do vale de Celles. Três se separaram do grupo do tenente "Karl" Marx enquanto eram caçados nas colinas pelos cães dos perseguidores. Os outros cinco eram um grupo de sabotadores comandados pelo tenente James Black.

Janzen, do *Einsatzkommando* Tanzmann, partiu com alguns camaradas para capturar Black e seus homens. A unidade do SAS, sem munição, teve de se render e os oito passaram às mãos de um batalhão local da Wehrmacht. Entretanto, quando Janzen voltou a seu quartel, o *Sturmbannführer* Hans Dietrich Ernst – o comandante-geral – não recebeu muito bem as notícias.

"Ernst ficou furioso e nos amaldiçoou a todos", contou Janzen a Barkworth. "Ele já dera ordens para que os oito prisioneiros fossem trazidos à nossa unidade. Explicou a mim e a Albrecht que, segundo uma instrução secreta do Reich, os paraquedistas deviam ser fuzilados. E disse que nós devíamos saber muito bem disso."

Janzen relatou ainda que os oito homens haviam sido levados para os bosques perto de St. Dié, onde, despidos, foram alvejados na cabeça – em cenas que lembravam muito aquelas em que os outros oito agentes do SAS tinham morrido. Janzen negou participação nos crimes, mas disse que se dirigiu até a vala comum no final, para "jogar terra dentro". As placas de identificação dos homens do SAS foram arrancadas e enterradas separadamente, para ocultar suas identidades o máximo possível.

Para Barkworth, o testemunho de Janzen era a bala de prata que ele procurava. Em duas ocasiões, o *Sturmbannführer* Ernst desobedecera às ordens de seu oficial superior para desnudar e fuzilar prisioneiros na floresta. Em suma, o *Sturmbannführer* Ernst era responsável pelo assassinato a sangue-frio de dezesseis membros da Operação Loyton, sem que houvesse recebido ordens para isso.

Isselhorst orquestrara o mal, mas Barkworth estava certo de uma coisa: ele sem dúvida alegaria que apenas cumprira instruções de Hitler – contidas em sua Ordem de Comando. Ao contrário, o *Sturmbannführer* Ernst ignorara as ordens de um superior para executar alguma vingança pessoal ou saciar sua sede de sangue.

Na noite de Ano-Novo de 1945, Galitzine divulgou outra lista de procurados a pedido de Barkworth. A ênfase recaía no "Caso La Grande Fosse – Assassinato de 8 prisioneiros de guerra britânicos; Dr. Hans Dietr (*sic*) Ernst. *Sturmbannführer* i/c SD Kommando... tomou parte na Operação Waldfest contra o 2 SAS no outono de 44".

"Descrição: cabelos castanho-escuros, olhos castanhos, risca do cabelo do lado direito. Cicatriz bem visível na face. Rosto pálido e impassível. Usa óculos para ler... Grande semelhança com o investigador major E. A. Barkworth... Acusado de assassinato em La Grande Fosse e de 8 prisioneiros de guerra britânicos em St. Dié em setembro de 1944."

Talvez sem que isso cause surpresa, Barkworth não gostou nada da sugestão de que o *Sturmbannführer* Ernst se parecia com ele, embora sempre conservasse seu rude senso de humor em meio a todos esses horrores. Em um comunicado de 12 de janeiro a Eaton Square, Barkworth comentou: "Anexo fotografias de Ganninger, o ajudante de Hardtjenstein, de Richard Schnurr, envolvido nos casos de Noailles e Pexonne, e do dr. Ernst, que não se parece em nada comigo..."

Restava agora para Barkworth solucionar o caso de apenas dois "desaparecidos" da Operação Loyton, cujo destino ele pressentia. Era tempo de se concentrar plenamente na caçada aos assassinos. Mas justamente quando se preparava para fazer isso é que os desafios de agir como unidade "clandestina" começaram realmente a pesar sobre a equipe da Vila Degler.

Agora Barkworth aperfeiçoara os meios de localizar os suspeitos de crimes de guerra que ainda não conseguira prender. Com o título de "O Rastreamento de Alemães", escreveu uma carta a Galitzine: "Mapeei tudo para ir atrás do maior número de alemães com um mínimo de quilometragem; e, com sorte, obterei bons resultados".

Em seguida, mencionou seus principais problemas: "Duas coisas, porém, nos atrapalham. A primeira é a falta de combustível... A segunda é a péssima condição dos quatro jipes... A meu ver, nenhum deles durará muito tempo, pois sua quilometragem está alta e dois já podem ser postos de lado. Sei que você não achará bom enviar um grupo numa longa viagem, com tempo ruim e num veículo que provavelmente precisará de uma equipe de resgate para ser trazido de volta".

Por trás do bom humor, o senso de frustração de Barkworth é palpável. Operando agora inteiramente à margem das regras, dispunha de liberdade ilimitada. Mas, ao mesmo tempo, não tinha nem veículos nem combustível que permitissem ao grupo da Vila Degler desenvolver todo o seu potencial. Na verdade, ao alvorecer do Ano-Novo, as operações de Barkworth estavam bastante limitadas.

E, previsivelmente, os problemas colocados pelo BAOR nem de longe haviam cessado. "Uma ou duas coisas, porém, não tolerarei, como você bem pode imaginar", prosseguia a carta de Barkworth a Galitzine. "Absorção em uma unidade existente do BAOR ou algo parecido."

Não bastasse isso, devido à pressão e ao ritmo incansável das operações, a saúde de Barkworth fraquejava. Permaneceu hospitalizado por vários dias.

"Isso foi extremamente infeliz e, ainda por cima, doloroso", escreveu Barkworth. "Tive um dente arrancado por um dentista alemão que, creio eu, era um lobisomem, pois minha cara ficou toda inchada – uma condição que os americanos chamam de celulite."

Mas ninguém podia parar Barkworth. A 2 de janeiro de 1946, estava de volta à ação, apesar da doença.

"Karl Haug, do Gruppe Kieffer, no campo de prisioneiros civis de Recklinghausen", comunicou ele por rádio a Galitzine. "Revelou fuzilamento de homens do SAS, do qual participou. Presente também Hstuf Schnurr (do caso Pexonne) e motorista de caminhão. Haug, testemunha bem informada e disponível..."

"Hstuf e Krim Komm Albrecht Arthur agora registrados na prisão civil de Roterdã. Esse homem pertencia ao *Kommando* Ernst. Interrogado... Mandarei detalhes. Confissão de Haugs. Fotos de Ernst... Patologista identificou Lodge e Davis..."

Barkworth concluiu que sua caçada ao *Sturmbannführer* Ernst o levaria para leste. Reunira provas de que o assassino de dezoito homens da Operação Loyton fugira para a zona russa. Pediu a Galitzine que facilitasse sua entrada na zona de ocupação stalinista, o que nunca fora coisa fácil de conseguir.

Galitzine escreveu a um de seus contatos em Berlim – que estava dividida entre os Aliados e os russos, mas encravada na zona russa.

"Bill Barkworth sugeriu que eu lhe escrevesse... Está tentando descobrir o destino de 33 homens do SAS assassinados nos Vosges durante o outono de 1944. Tem sido extraordinariamente bem-sucedido e já conta com 33 hunos em sua bagagem. Ele quer agora que você tente encontrar um alemão provavelmente escondido na zona russa..."

O senso dos números de Galitzine parece ter sido um tanto fluido. De carta para carta, a quantidade de "hunos" "na bagagem" varia. Mas seus esforços para fazer pressão eram incansáveis e altamente eficazes. E precisavam ser. Um número desconhecido de "procurados" estava, ao que parecia, custodiado pelo exército dos Estados Unidos, mas convencer os americanos a entregá-los se mostrara uma tarefa espinhosa. Barkworth pediu que Galitzine usasse de sua influência para tentar abrir as portas que precisavam ser abertas.

Em carta de 5 de janeiro de 1946 à Seção de Crimes de Guerra do Exército Americano (US Army's War Crimes Section), Galitzine escreveu: "Uma importante investigação britânica de crimes de guerra vem sendo feita relativamente ao assassinato de mais de cinquenta pilotos e paraquedistas britânicos... Parece que 136 alemães estão envolvidos..."

O número de homens assassinados aumentava à medida que Barkworth descobria novos casos. "Sabe-se que pedidos foram feitos em diversas ocasiões para a entrega dos alemães sob sua custódia", continuava Galitzine. "Os oficiais interessados estão prontos para tomar providências imediatas a fim de buscar esses prisioneiros de guerra."

Galitzine anexava uma lista dos procurados que provavelmente estariam em mãos dos americanos. Eram doze nomes, inclusive o de Wilhelm Schneider, braço direito de Isselhorst na Operação Waldfest, e o próprio *Standartenführer* Isselhorst. Galitzine pedia que os "doze sujos" fossem entregues.

Mas a questão era: sua solicitação seria atendida?

CAPÍTULO 25

———————— ✳ ————————

Um dos "doze sujos" mantidos pelos americanos era ninguém menos que o primeiro suspeito colocado na lista de Barkworth: Max Kessler. Já em agosto de 1945, cartas foram enviadas ao exército americano perguntando sobre o paradeiro do *Oberscharführer* Kessler.

Em janeiro de 1946, a suspeita era de que Kessler – e outro homem procurado – haviam sido soltos pelos americanos. "Segundo confirmação independente recebida pelo coronel Haley, esses homens não podem ser encontrados", registrou uma nota de 22 de janeiro. "Talvez esses prisioneiros de guerra tenham sido soltos logo depois de nosso pedido." Fosse como fosse, "é impossível rastreá-los".

Reza o ditado que a primeira impressão é a que fica. Barkworth, Sykes e Rhodes jamais esqueceram seu primeiro encontro com a terrível evidência do assassinato de seus camaradas do SAS. Quando desenterraram os três corpos queimados no celeiro de Le Harcholet e souberam do papel do *Oberscharführer* Kessler, pressentiram a tragédia que provavelmente caíra sobre o resto dos desaparecidos da Operação Loyton.

Kessler podia não ser o pior da lista dos procurados, mas era o primeiro. Barkworth e sua equipe da Vila Degler estavam determinados a apanhá-lo. Quando o possível endereço de alguns parentes do *Oberscharführer* foi descoberto, Rhodes partiu imediatamente para investigar num dos jipes em frangalhos e que mal se sustentavam na estrada.

Era um dia gelado e escuro de janeiro quando Rhodes bateu à porta, bem depois da meia-noite. Decorreu um bom tempo antes que atendessem. Talvez todos estivessem dormindo profundamente e demorasse para o pessoal da casa acordar. Ou talvez alguém tentasse se esconder. Rhodes aprendera a não descartar nenhuma possibilidade.

Dirigiu-se à cozinha – o coração de qualquer residência. Um homem e uma mulher estavam ali, com duas crianças "adormecidas em suas camas". Rhodes percebeu logo que o homem sentado à mesa não era Kessler. Tinha uma foto no bolso e decorara os traços do procurado. Havia comida na mesa e contaram-lhe que a família jantara tarde.

"Achamos que Max Kessler está aqui com vocês", anunciou Rhodes.

Todos lhe lançaram olhares inexpressivos. "Não, não está. Há tempos não vemos Max Kessler."

Rhodes e seus homens vasculharam cuidadosamente a casa e voltaram à cozinha. Duas circunstâncias intrigaram Rhodes. Em primeiro lugar, as crianças, que antes dormiam, agora apenas fingiam dormir; alguém devia tê-las acordado para lhes recomendar silêncio sobre alguma coisa.

Em segundo lugar, havia três pratos de sopa pela metade na mesa.

Duas pessoas jantando; três pratos de sopa.

Max Kessler estava escondido em algum lugar da casa.

Rhodes reiniciou a busca, agora ainda mais meticulosa. Na sala, encontrou o que buscava. Num dos cantos, havia uma porta pequena, quase imperceptível, com não mais de um metro quadrado e nivelada com a parede.

Rhodes abriu-a. À luz fraca vinda da sala, vislumbrou uma escada que se perdia num vazio escuro lá embaixo. Pegou sua lanterna, sacou da arma e preparou-se para descer. Receou que, tão logo acendesse a lanterna, "me quebrassem a cabeça"; mas sabia também, com certeza, que iria encontrar Kessler.

Começou a descer os degraus. Tudo estava no mais absoluto silêncio. A escada levava a uma adega. Rhodes passeou o facho da lanterna em volta, varrendo as sombras povoadas de teias de aranha. Não havia muito lixo ali. Uma caixa antiga. Uma pilha de velharias. Trapos e sacos num canto. Nada grande o suficiente para ocultar um homem adulto.

O facho da lanterna de Rhodes pousou numa forma avantajada. Era comprida e baixa, parecendo um velho cesto de roupas. Aproximou-se e chutou um dos lados. O objeto não se moveu um centímetro sequer. Para um cesto de roupas, era pesado demais. Rhodes recuou um passo, levantou um pé e chutou aquela coisa o mais forte que pôde, na lateral.

Uma figura apareceu. O *Oberscharführer* Max Kessler.

O homem que dissera sobre os cativos do SAS: "Foram fuzilados como espiões e sabotadores... Não existem mais" acabava de ser surpreendido como um cão assustado num cesto de roupa suja. Os Caçadores Secretos haviam encontrado seu primeiro suspeito de crimes de guerra. E os do alto da lista logo teriam o mesmo destino.

O *Sturmbannführer* Ernst era o que tinha mais sangue nas mãos; contudo, o *Standartenführer* dr. Erich Isselhorst havia sido o principal arquiteto tanto da Operação Waldfest quanto dos horrores perpetrados em toda a região dos Vosges. A certa altura, durante a primavera de 1946 – a data exata não se sabe –, Isselhorst foi entregue à custódia dos britânicos (de Barkworth). Sua prisão parece ter sido algo sem precedentes, confusa e tortuosa ao extremo.

No início de outubro de 1945, uma pergunta foi feita pelo escritório de Eaton Square para, aparentemente, esclarecer um fato muito estranho. "Indagou-se dos americanos se eles estavam mantendo em custódia o dr. Isselhorst da Gestapo." Como o 7º Exército dos Estados Unidos detinha Isselhorst desde junho daquele ano, e tendo-se em mente o importante suspeito que ele era, parece realmente estranho que, por cinco meses, ninguém houvesse sabido nada sobre esse prisioneiro.

Pela carta de 5 de janeiro de 1946, de Galitzine, os Caçadores Secretos tinham a forte suspeita de que os americanos escondiam Isselhorst. Ele tinha sido mencionado como um dos "doze sujos" sobre os quais a equipe da Vila Degler declarara estar "pronta para tomar providências imediatas a fim de buscar esses prisioneiros de guerra". Deram-se várias respostas sugerindo que a Seção Americana de Crimes de Guerra logo iria entregá-lo: "Ainda não liberado; sendo transferido para o Campo nº 78, liberação pendente".

Mas, embora as autoridades americanas estivessem sem dúvida alguma com Isselhorst, não há evidência de que ele tenha sido entregue.

Em 2007 a CIA foi obrigada, pelo Ato de Divulgação dos Crimes de Guerra americano, a liberar uma massa de arquivos referentes a antigos nazistas. Cerca de 50 mil páginas de registros foram postas à disposição, em grande parte alusivas às relações operacionais, no pós-guerra, entre a CIA e os nazistas. O material contém vários relatórios que tratam do *Standartenführer* dr. Erich Isselhorst.

Os registros da CIA incluem memorandos, telegramas, perfis de personagens, súmulas de interrogatórios etc., secretos e confidenciais. A partir deles se pode reconstruir o cenário do que aconteceu ao organizador da Waldfest imediatamente após a guerra e como os Caçadores Secretos de Barkworth conseguiram pôr as mãos nele.

O arquivo dos interrogatórios de Isselhorst feitos pelo exército dos Estados Unidos do final de 1945 ao começo de 1946 sugere que ele estava se tornando cada vez mais dócil às autoridades americanas. Um memorando confidencial do 307º Corpo de Contrainteligência (307th Counter Intelligence Corps, CIC) ocupa seis páginas datilografadas de alto a baixo que tratam do homem mais procurado por Barkworth.

Na seção intitulada "Comentários do Agente", diz o documento: "Este indivíduo é um nacional-socialista [nazista] declarado e convicto". O agente observou que Isselhorst havia sido um protegido do general SS Reinhard Heydrich, chefe da Gestapo, um dos principais arquitetos do Holocausto e comandante supremo dos *Einsatzgruppen*. Sob Heydrich, a "autoconfiança", a "ambição e capacidade" de Isselhorst levaram a rápidos progressos e promoções. Como aspecto marcadamente positivo, o agente do CIC descrevia Isselhorst como "de natureza impetuosa e dinâmica", e "inteligente demais para ser brutal, tendo várias vezes advertido contra severidades injustificáveis".

Discorrendo sobre suas experiências na Frente Oriental, Isselhorst se queixou de que o regime nazista conseguira, em grande medida, transformar aliados potenciais em inimigos. "O franco entusiasmo original dos estonianos, letonianos, lituanos e ucranianos [pelo regime nazista] se transformou em ódio... O Governo Militar tentou inutilmente conduzir os destinos de uma população cujos hábitos e costumes eram desconhecidos dos oficiais alemães... Estes eram considerados frouxos."

Em outro memorando confidencial sobre Isselhorst, suas experiências russas vinham de novo à tona: "Novembro de 1942 – agosto de 1943: adido ao estado-maior do B.d.S. Riga... encarregado de um comando especial para anular os *maquis* russos muito ativos. Mereceu duas condecorações, a Medalha Tapferkeit e a Eisernes Kreuz". A primeira parece ser uma medalha arcaica concedida por bravura; a segunda era a honraria mais próxima do coração de Hitler: a Cruz de Ferro.

O comando de Isselhorst na "luta contra os guerrilheiros russos" tinha claramente considerável interesse para o 307º Corpo de Contrainteligência. Mas o que era o 307º Corpo de Contrainteligência ou CIC? No final da guerra, o CIC se tornara a principal organização de inteligência nas zonas americanas de ocupação, com cerca de 5 mil homens em campo. Eles vestiam roupas comuns ou uniformes sem distintivos nem dragonas e se identificavam simplesmente como "agentes especiais".

Diante de um novo inimigo na próxima Guerra Fria, o CIC preparou "iscas" para atrair informantes ou trânsfugas das zonas russas. Com novas identidades e empregados como agentes do CIC, havia entre eles inúmeros criminosos de guerra nazistas. Por exemplo, o oficial SS Klaus Barbie – o infame assassino em massa conhecido como o "Carniceiro de Lyon" – trabalhou para o CIC de 1947 a 1951. Em 1988, o Departamento de Justiça americano investigou o passado duvidoso do CIC e concluiu que vários suspeitos de crimes de guerra nazistas foram mesmo admitidos como informantes.

No final do verão de 1945, o CIC pusera as mãos no ex-comandante da SS e chefe da Gestapo *Standartenführer* Isselhorst. Mas não ficariam com ele. De algum modo, em fins de abril de 1946, o CIC perdeu seu homem.

Uma nota confidencial do dia 26 desse mês, do CIC, anuncia a prisão de Isselhorst: "Nome (um deles): Isselhorst, Erich, dr. Pedido de apreensão. Solicita-se notificação da captura do indivíduo".

Em 21 de maio de 1946, a caça do CIC a Isselhorst parecia a pleno vapor. Um memorando secreto do quartel-general do CIC informa: "A esposa do procurado, que ainda reside em Walchen-See, declarou que a 23 de agosto de 1945 recebeu a visita de um soldado americano chamado Reid, que lhe trazia lembranças do marido, o qual, segundo ele, achava-se em Nuremberg... Uma averiguação completa dos arquivos dos campos de prisioneiros talvez revele seu paradeiro".

No entanto, em fevereiro de 1947, o CIC escrevia à Divisão de Inteligência do Exército Britânico (British Army's Intelligence Division) pedindo a devolução de Isselhorst. "O SS *Standartenführer* Erich Isselhorst está agora sob custódia do British War Crimes... Solicita-se sua imediata presença nesta Zona para testemunhar em julgamento de crimes não ligados à guerra... Seria bom que ele fosse enviado a este quartel-general tão logo esteja disponível."

Teria então Isselhorst sido recrutado pelo CIC no verão de 1945? E se foi, o que lhe aconteceu para ele desaparecer subitamente na primavera de 1946 e reaparecer nas mãos dos britânicos?

Outros asseclas de Isselhorst na Waldfest haviam sido recrutados pela Inteligência aliada – alguns mesmo antes do fim da guerra. Um relatório confidencial do Corpo de Contrainteligência revela que Alfonso Uhring – ex-chefe de inteligência estrangeira de Isselhorst e cérebro da Waldfest – se entregou aos americanos depois que estes tomaram Estrasburgo em outubro de 1944.

Logo após, Uhring recebeu "uma missão para os Serviços de Inteligência Aliados". Especialista em transmissões de rádio, Uhring foi "aliciado" e despachado, via Suíça, para a Alemanha. Ali, deveria trabalhar como agente duplo durante as etapas finais da guerra, enviando relatórios de espionagem sobre as atividades da Gestapo. É de crer que os arquivos da Gestapo apreendidos em Estrasburgo revelaram o papel de Uhring em crimes de guerra, o que ajudou a "convencê-lo a aceitar a missão aliada".

Teria também Isselhorst sido "aliciado" no final do verão de 1945? Enquanto Barkworth o procurava, trabalharia ele secretamente para o CIC? Tão logo se viu sob custódia americana, Isselhorst ofereceu seus préstimos aos americanos. Insistentemente tentou provar seu valor àqueles que o mantinham preso, os quais, sem dúvida, usaram-no para localizar alguns de seus camaradas da SS e da Gestapo.

Assim, por algum motivo, ninguém parecia disposto a entregar a Barkworth o homem que figurava no alto de sua lista de procurados.

Foi nesse contexto que o caçador de nazistas mais experiente do grupo de Barkworth – Dusty Rhodes – partiu para aquela que seria a mais estranha e misteriosa missão de toda a operação dos Caçadores Secretos. Entrevistado várias décadas após a guerra (a transcrição de sua entrevista está no Museu Imperial da Guerra), Rhodes só aceitou falar dessa operação em termos velados.

O homem que Rhodes procurava jamais é nomeado e a data exata de sua captura também não é mencionada. Mas fica claro que esse homem trabalhava para os americanos e era até um de seus "elementos-chave".

Partindo da Vila Degler, Rhodes se dirigiu à zona americana. Como era de seu feitio, procurou primeiro o endereço do misterioso indivíduo. "Fui falar com o homem", lembrou-se Rhodes, "em sua residência. A dona da casa disse que ele estaria lá em cinco minutos, pois agora trabalhava para as forças americanas em seu departamento jurídico. Então saí e me sentei no jipe."

Rhodes esperou. Tinha a fotografia do suspeito e era um sujeito paciente. Viu então uma figura caminhando pela rua que aparentemente não se preocupou com o jipe de fabricação americana estacionado diante de sua casa. E por que se preocuparia? Afinal, tinha um trunfo: trabalhava para o exército dos Estados Unidos. Rhodes lhe deu voz de prisão ali mesmo, colocou-o no jipe e voou para a comparativamente segura zona francesa. O homem estava preso.

O choque sofrido pelos americanos ante o desaparecimento daquele colaborador pode ser avaliado por suas (e de Rhodes) subsequentes reações. Rhodes foi obrigado a sumir por um mês. "As forças americanas procuravam por todos os lados aquele suboficial que prendera um de seus auxiliares", escreveu Rhodes. "Rapidamente, caí fora... por algum tempo."

O homem que Rhodes prendeu seria o *Standartenführer* dr. Erich Isselhorst? Este era advogado de profissão. "Trabalhar num departamento jurídico das forças americanas" proporcionava-lhe um disfarce perfeito, caso o CIC o houvesse mesmo recrutado. O fato de um dos Caçadores Secretos ser por seu turno caçado pelos americanos era sem precedentes. Nenhuma outra prisão feita pela Vila Degler provocou reação semelhante.

Se Isselhorst havia sido realmente cooptado pelo CIC, sem dúvida isso se "justificava" pela política realista do momento. No final do verão de 1945, as potências ocidentais começavam a se ver às voltas com uma nova ordem mundial e um novo inimigo. Mas não se pode desculpar semelhante atitude: Isselhorst tinha as mãos manchadas com o sangue de milhares de pessoas.

Era responsável pelo extermínio de um número incontável de judeus, guerrilheiros russos e outros "inimigos" do Reich na Frente Oriental. Havia assassinado dezenas de soldados britânicos e aliados das Forças Especiais. Era responsável por crimes de guerra contra milhares de mulheres e homens franceses nos Vosges.

Mas o pior, no tocante às ações do CIC – então o aparelho de inteligência americano mais importante nas zonas ocupadas –, era que Isselhorst supervisionara o assassinato de inúmeros cidadãos americanos capturados, como os pilotos Curtis E. Hodges e Michael Pipcock, fuzilados na floresta Erlich.

Menos de um ano antes que o CIC aparentemente recrutasse Isselhorst, ele fora responsável por prender e matar outros cidadãos americanos. Não importava quão "útil" o SS *Standartenführer* pudesse parecer no verão de 1945, aliciá-lo para a causa do Ocidente não era aceitável. E protegê-lo da justiça, menos ainda.

Previsivelmente, durante seu interrogatório, Isselhorst se mostrou escorregadio como uma enguia; mas, no major Bill Barkworth do SAS, o chefe da SS e da Gestapo encontrou um páreo duro. Por fim, Barkworth conseguiu encurralá-lo relativamente a um grupo de oito "paraquedistas britânicos" levados a seu quartel-general de Estrasburgo.

Barkworth: "Você deu a Schneider [subordinado de Isselhorst] alguma instrução particular com respeito a esses homens?"

Isselhorst: "Eu lhe pedi que averiguasse se eles haviam trabalhado com terroristas".

Barkworth: "E que resposta ele lhe trouxe?"

Isselhorst: "Relatou-me que aqueles soldados tinham descido de paraquedas para lutar com os *maquis*, a quem treinariam e liderariam. Decidiu, pois, que deviam ser tratados como terroristas. Insistiu muito nesse ponto… e secundou-o com trechos das súmulas dos interrogatórios. Não pude discordar dele e concluí que os prisioneiros se enquadravam realmente naquela classe, mencionada na ordem que eu recebera de Berlim".

Isselhorst aludia à Ordem de Comando de Hitler, é claro.

Barkworth: "Deu a Schneider alguma instrução específica relativa ao destino dos homens?"

Isselhorst: "Eu disse a Schneider que, como eles eram considerados terroristas, teriam de ser tratados de acordo com as ordens recebidas".

Barkworth: "Essas ordens a que se refere são as que diziam respeito à execução dos prisioneiros?"

Isselhorst: "Sim".

Barkworth: "Schneider lhe relatou o cumprimento delas?"

Isselhorst: "Comunicou-me que haviam sido executadas. Presumo que o método tenha sido fuzilamento, mas onde, não sei".

Isselhorst parecia um peixe gordo se debatendo no anzol, sem poder escapar.

Em conversas subsequentes, Barkworth pressionaria o *Standartenführer* Isselhorst sobre vários outros casos de assassinatos em massa. Mas já era claro que tipo de defesa Isselhorst – advogado de formação – tentaria elaborar: *Eu só obedeci ordens*. Barkworth, porém, sabia que esse argumento não se sustentaria diante dos tribunais britânicos de crimes de guerra que logo seriam instituídos.

Com Isselhorst em suas mãos, pronto para comparecer à barra da justiça, o grande caçador desejava agora capturar os principais executores da Gestapo – os assassinos brutais que Isselhorst comandara.

Dois nomes não saíam de sua cabeça: o *Sturmbannführer* Hans Dietrich Ernst e o *Oberwachtmeister* Heinrich "Stuka" Neuschwanger.

CAPÍTULO 26

———— ✳ ————

BARKWORTH INICIOU PRA VALER a caçada a Neuschwanger à sua própria maneira inimitável. Descreveu as primeiras etapas dessa aventura em uma carta a Galitzine.

"Na sexta-feira, 4 de janeiro [de 1946], Neuschwanger visitou seu primo, Ottmar Neuschwanger, em Göppingen. Vestia um casaco e um boné de empregado das ferrovias alemãs; por baixo, uma túnica cinzenta e calças azuis da Wehrmacht... Ouvi isso de uma vizinha bisbilhoteira de *frau* Neuschwanger, em Reutlingen... Dirigi-me a Göppingen e entrei em contato com a polícia local.

Um dos policiais me disse que, por volta de quatro e meia, vira um homem com roupas de ferroviário acompanhado de uma mulher. Descreveu os dois com tanta precisão que não me restaram dúvidas: eram Neuschwanger e a amante, Margarete Schneider. A casa estava sendo vigiada sem problemas (tivemos o cuidado, antes de entrar na cidade, de tirar as boinas vermelhas e as divisas de ombro)..."

"Gostaria que me tivesse visto", prosseguiu Barkworth na carta a Galitzine, "vagando pelas ruas de Göppingen em trajes civis, com calças tomadas de empréstimo a um chefe de polícia local e tão grandes que nelas caberiam dois de mim... após escurecer, o primo Ottmar e a esposa de Neuschwanger foram presos... e removidos pela porta dos fundos."

O primo e a esposa de Neuschwanger admitiram que estavam esperando o ex-*Oberwachtmeister* a qualquer momento. Mas o "Stuka" não apareceu. Alguma coisa deve tê-lo alertado para o fato de haver britânicos rondando o local. Seja como for, Barkworth perdera-o por um triz. O primo de Neuschwanger contou que o ex-*Oberwachtmeister* estivera "escondido" na zona britânica de ocupação e que viajara para o sul, para Göppingen, a fim de adquirir roupas civis novas.

Neuschwanger e a esposa estavam brigados e Barkworth achou que ele viera principalmente para buscar a amante. "Viaja com nome falso e tem um passe dos empregados das ferrovias alemãs", informou Barkworth a Galitzine. "Minha impressão é que veio da zona britânica em Berlim. Ainda espero que dentro de pouco tempo recebamos boas notícias sobre ele."

Barkworth concluiu: "O primo Ottmar sabe o nome falso que Neuschwanger usa para viajar, mas, como não quer dizê-lo, afirma que o esqueceu. Assim, devido aos nossos métodos democráticos, temo que fiquemos nisso. De qualquer forma ele está preso e tem a promessa de sair caso nos conte, pois, sob a atual lei alemã, pode ficar detido por seis meses."

Na mesma carta, Barkworth contou a Galitzine como conseguiu pôr as mãos em outro suspeito: Karl Dinkel, que como Neuschwanger era um dos assassinos da floresta Erlich. Havia pouco, e de forma bizarra, Dinkel se juntara a um grupo de teatro itinerante. Talvez achasse que essa fosse uma boa maneira de passar despercebido. Fora escalado para atuar num espetáculo oferecido às autoridades militares em Baden-Baden, na zona francesa.

"Acho que ele não se sairia bem no palco", comentou secamente Barkworth. "Tomei muito cuidado para prendê-lo '*bei Nacht und Nebel*' e para falar francês diante da dona da casa. Todas as peças reconhecíveis do uniforme inglês ficaram no carro, de modo que, havendo perguntas sobre o desaparecimento de Dinkel, eu o encontrei quando ele visitava sua esposa em Stuttgart."

De Dinkel – agora enfurnado no porão da Vila Degler – Barkworth saberia os últimos e infames detalhes sobre o comportamento do *Oberwachtmeister* Neuschwanger no dia do morticínio na floresta Erlich.

"Percebi que Neuschwanger andara bebendo", contou Dinkel a Barkworth. "Ouvira dizer que ele era brutal e que, quando bebia, as coisas pioravam. Também me disseram que fuzilara várias pessoas em Schirmek."

Depois da chacina na floresta Erlich, Neuschwanger – movido a álcool – voltara calçando umas botas orladas de pele que tomara de um dos mortos. "Eram ingleses", contara ele a Dinkel, exibindo as botas roubadas. "Não espalharão mais o terror atacando nossas cidades."

Quando o bom tempo e o sol de março de 1946 expulsaram o frio do inverno – portanto, os jipes sem capota podiam ser de novo empregados em longas viagens sem o risco, para os ocupantes, de morrerem congelados –, Barkworth se preparou para lançar sua rede ainda mais longe. O ritmo das operações pode ser avaliado pelas mensagens diárias que ele enviava a Eaton Square.

"O programa é o seguinte: 15 de março ao 3º Exército. 21 de março, concluídos interrogatórios em 70 e 90 campos. 28 de março, interrogatórios em Paris. 3 de abril, interrogatórios BAOR... Aluguel de um Dakota para transportar jipe nesse período. Pode ter sua base em Mannheim e tornaria a formidável tarefa contida em sua mensagem menos difícil. Deixo claro que transporte, falta de motoristas etc., podem forçar algumas alterações no programa."

"Aluguel de Dakota" se refere à esperança de Barkworth de ter um avião de transporte DC3 Dakota para levar seus jipes de um lugar a outro, a fim de fazer frente às exigências de sua agenda apertada. Durante a guerra, o SAS usara DC3s para conduzir seus veículos até a linha de frente, de onde poderiam penetrar em território inimigo. Não havia motivo para que a mesma tática deixasse de funcionar no caso de uma caçada humana.

Outras mensagens de rádio mostram que o ritmo frenético das operações estava dando resultados. "Suspeitos de envolvimento no caso das mulheres de Natzweiler. Herberg, Boscher, Lehman e talvez Hilker. Os três primeiros, localizados e acrescentados às testemunhas do caso Natzweiler."

O "caso das mulheres de Natzweiler" era o assassinato, com injeções letais e cremação, das quatro agentes da SOE enviadas por Vera Atkins. O julgamento por crimes de guerra referente a esse assunto era o primeiro de mais de dez que Barkworth, Galitzine e os demais queriam promover a partir do final da primavera daquele ano.

Fizeram-se preparativos apressados. Se Barkworth quisesse reunir provas para o tribunal – sem mencionar a prisão de todos os suspeitos –, teria de ir rápido. Agora havia também problemas jurídicos: por exemplo, o grau de conhecimento que os acusados tinham da Ordem de Comando de Hitler.

"Esse é o item mais importante", disse Galitzine a Barkworth. "Com efeito, se quisermos acusar todos os que tomaram parte na Operação Wald-fest de 'conspiração para assassinar prisioneiros de guerra britânicos', é imprescindível provar seu conhecimento da Ordem. Será a maneira mais eficiente de envolver igualmente os que não apertaram o gatilho."

Em resposta à promessa de Galitzine de enviar um motorista e uma datilógrafa para reforçar sua equipe, Barkworth escreveu sucintamente, como era seu estilo: "Muito obrigado. Pelo menos agora posso ir aos inter-rogatórios e ter alguém que os registre para mim... Espero obter evidências suficientes contra quem dava ordens para matar... pessoas em Natzweiler, se é que não estou indo depressa demais..."

No caso de alguns prisioneiros, a identificação era geralmente difícil, pois as vítimas que poderiam testemunhar contra eles estavam mortas. Às vezes, Barkworth levava os acusados em uma viagem rumo a lembranças indesejáveis: por exemplo, a Moussey, onde sempre havia aldeões que ti-nham presenciado seus horrores. Podia-se confiar nos aldeões para desco-brir alguém capaz de desmascarar algozes da SS e da Gestapo.

Mas a quilometragem acumulada dessa maneira exigia muito dos ca-lhambeques da Vila Degler. O ritmo da caçada e a carência de motoristas eram tais que Barkworth se viu forçado a colocar seus especialistas em comunicações atrás do volante: "Como não há motoristas, sou obrigado a usar os dois comunicadores nas viagens. Pretendo suspender as mensagens das 9h e 10h em dias alternados, por enquanto".

Mas nem essa inventividade toda podia fazer muita coisa pela frota em molambos dos Caçadores Secretos. Ser uma unidade inexistente tinha decerto seu lado ruim. "Fomos a Munique ontem, mas tivemos de voltar para substituir um eixo traseiro quebrado... Partirei para lá novamente, de manhã. Típico exemplo da impossibilidade de programar alguma coisa quando não se tem apoio adequado... No momento, outro [veículo] está recebendo um motor novo."

Em outra mensagem frenética de rádio em abril de 1946, Barkworth informa a Galitzine: "Estou indo para oeste. Volto terça-feira. Repito que o envio de dois motoristas ao BAOR paralisará todo movimento subsequente, de modo que não vou tomar nenhuma medida... Espero que isso não pareça arbitrário, mas você e Hunt continuam fazendo pressão, de modo que não posso interromper o trabalho aqui".

"Hunt" era o major Alastair Hunt, um juiz advogado-geral (*judge advocate general*, JAG), um advogado militar adido à equipe de Galitzine para ajudar a preparar os processos de crimes de guerra com vistas à acusação, agora trabalhando fora de Eaton Square. A planejada viagem para "oeste" parece ter tido a finalidade de procurar o esquivo *Sturmbannführer* Ernst.

No fim de abril de 1946, Barkworth enviou uma animada mensagem de rádio a Galitzine e ao major Hunt: "O seguinte acusado foi, com toda certeza, detido pelo 3º Exército americano: Hans Dieter [*sic*] Ernst preso em Voglau de 8/6/45 até ser transferido para um campo de oficiais..."

Em junho de 1945, o *Sturmbannführer* Ernst estava sob custódia americana em um campo provisório de prisioneiros de guerra em Voglau, vestido como civil e negando, é claro, que era um SS *Sturmbannführer* ou o comandante do *Einsatzkommando* Ernst. Mas, se pudesse ser rastreado até o "campo de oficiais" para onde ia, ou se houvesse pistas após sua libertação, Barkworth talvez tivesse uma trilha para seguir.

A mensagem de rádio de Galitzine à Seção Americana de Crimes de Guerra mostra como ele estava bem adiantado nessa trilha. "Por favor, obtenham uma lista completa dos nomes dos prisioneiros de guerra mantidos no campo de Voglau, na zona americana. Ficaram nesse campo mil prisioneiros por cinco/seis semanas, maio/junho de 45, depois ele foi fechado. Ernst, com toda a certeza, esteve lá nesse período. Caso a lista seja obtida, o SAS WCIT poderá descobrir o nome falso que Ernst está usando."

307

Seguia-se a descrição de Ernst. "Nascido a 3.18.08 [data no formato americano]... 1,75 m de altura; cabelos negros; olhos negros; magro; usa óculos para leitura; cicatrizes bem visíveis no lado esquerdo do rosto (testa e boca); casado, quatro filhos..."

A resposta dos americanos foi que, após sua transferência para o campo dos oficiais, Ernst desaparecera. Em 9 de abril de 1946, classificaram-no como "não localizado", o que para Barkworth equivalia a "perdido".

O chefe da Vila Degler possivelmente só tinha uma última pista capaz de conduzi-lo ao homem. Barkworth soubera que Ernst talvez houvesse ido para leste, cruzando a fronteira da zona russa. Sua família possuía uma cabana nas florestas do leste da Alemanha, onde passava as férias de verão. Havia boa chance de que Ernst tivesse ido se esconder lá.

"Estávamos bem perto de apanhar Ernst", lembrou-se Dusty Rhodes. "Sabíamos que ele se escondera naquela pequena cabana, situada cerca de 500 ou 600 metros para dentro da zona russa. Vigiamo-lo durante dois ou três dias e preparamo-nos então para arrancá-lo de lá."

Os Caçadores Secretos não tinham licença para entrar na zona russa, de modo que o rapto precisava ser planejado com perfeição. Se fizessem alguma bobagem e fossem capturados, criariam um enorme incidente diplomático, sem falar no desastre que aquilo significaria para a operação da Vila Degler. Uma unidade clandestina, composta por elementos de um regimento já desmobilizado, ficaria impiedosamente exposta aos holofotes da publicidade internacional. Mas o prêmio – o SS *Sturmbannführer* Ernst – justificava todos os riscos.

Barkworth, Rhodes e a equipe sondaram de perto o esconderijo de Ernst, registrando todos os seus movimentos para, depois, lançar um ataque fulminante. Anotaram "a hora que ele saía para caminhar, até onde ia, quanto tempo demorava para voltar e quanto tempo nós próprios demoraríamos para chegar até lá", explicou Rhodes. "Em seguida, decidimos: 'Bem, aí está – é exatamente o que faremos'. Mas então apareceu um carro, apanhou-o e levou-o embora, de modo que o perdemos outra vez. Um intruso o tirara dali e isso não devia ter acontecido".

Rhodes, cruzando a fronteira várias vezes, conversou outras tantas com a esposa e a sogra de Ernst, ambas igualmente dignas de censura. As duas mulheres de expressão seca não sentiam nenhum remorso pelos crimes que Ernst perpetrara durante a guerra. Rhodes "quase perdia a paciência às vezes, pois as duas sabiam onde ele se encontrava e nós estávamos bem perto de agarrá-lo, mas não falariam, pouco importando o que fizéssemos com elas".

Rhodes deixou bem claro que a família de Ernst nunca foi maltratada ou prejudicada durante a operação. "Não as agredimos de nenhuma maneira. Não era de nosso feitio. Jamais faríamos isso. Mas tentamos todas as espécies de truques – atiçando uma contra a outra ou ameaçando levar embora as crianças... Nem isso funcionou, elas não disseram onde o homem estava."

Barkworth e Rhodes decidiram dar tempo ao tempo na caçada ao *Sturmbannführer* Ernst. "Um belo dia apareceríamos e ele estaria em casa."

Mas, no desenrolar dos acontecimentos, o *Oberwachtmeister* "Stuka" Neuschwanger é que os Caçadores Secretos pegariam primeiro.

CAPÍTULO 27

———— ❋ ————

Num mês nevoento de maio de 1946, Barkworth, Rhodes e sua equipe conduziram uma figura pomposa e relutante à floresta Erlich, perto do antigo campo de trabalhos forçados de Rotenfels. Essa figura não demonstrava remorso algum por tudo o que fizera. Jamais perdera o ar de arrogância grosseira e pretensa superioridade – era, afinal, um dos chamados *Übermenschen*, a raça superior ariana – desde sua captura.

Agora os Caçadores Secretos levavam de volta um sádico, um assassino em massa – um homem que gostava de infligir aos outros sofrimentos e aflições inenarráveis – à cena de um de seus muitos crimes, para ver se isso o abalaria. Superficialmente, não havia nada que assinalasse o *Oberwachtmeister* Neuschwanger como um assassino brutal. Com seus cabelos lisos penteados para trás, traços finos e proeminentes, nariz um tanto pontudo, lembrava um típico suboficial nazista.

Somente quando se observavam os olhos gelados do homem é que se viam os abismos de crueldade que habitavam as profundezas de sua alma. Neuschwanger foi conduzido até a borda da cratera de bomba onde os corpos de homens das Forças Especiais assassinados – major Reynolds, capitão Whately-Smith, tenente David Dill, capitão Gough, entre outros – haviam sido enterrados.

Dusty Rhodes conhecera pessoalmente a maioria daqueles mortos. Mas, para ele, levar Neuschwanger ali tinha só um objetivo: incriminá-lo por seus crimes. "Não se cogitava vingança, no que nos dizia respeito... Tínhamos um trabalho a fazer e esse trabalho era levar determinados indivíduos à justiça. Feito isso, assunto encerrado. Mas vingança, não. Não pensávamos em vingança."

Barkworth obrigou o *Oberwachtmeister* Neuschwanger a olhar dentro do buraco onde os corpos tinham sido jogados, um atrás do outro – homens indefesos, abatidos com um tiro na cabeça.

"E agora, o que você sente com respeito aos assassinatos praticados aqui?", perguntou-lhe Barkworth. "Agora que a guerra acabou?"

Neuschwanger deu de ombros, deixando claro que não sentia nada – nem culpa nem remorso. Rhodes achou a arrogância daquele homem insuportável.

"Quando ele se virou e nossos olhares se cruzaram", lembrou-se Rhodes, "pensei nas pessoas mortas que eu havia conhecido pessoalmente... Aquilo me enfureceu."

Rhodes se adiantou e deu-lhe um soco que o fez vacilar. O *Oberwacht-meister* rolou pela borda da cratera e foi cair lá embaixo, numa poça de água suja com quase meio metro de profundidade.

"Teve sorte, pois ia sair", observou Rhodes. "Os que caíram ali antes não saíram mais. Permitimos que subisse e o levamos de volta à prisão..."

A perseguição de Barkworth a Neuschwanger – acompanhando cuidadosamente seus movimentos e desmascarando sua falsa identidade – finalmente compensara. Mas, no interrogatório, o homem deixou bem clara sua impressionante indiferença por tudo o que perpetrara. No tranquilo relato do *Oberwachtmeister* sobre os crimes da floresta Erlich, percebe-se que para ele aquilo não havia sido nem de longe odioso ou repreensível.

"Ostertag perguntou-me quantos prisioneiros deveríamos despachar por vez. Sugeri três e ele deu ordem para que os três primeiros saltassem... Lembro-me de que, quando os conduzíamos pela trilha abaixo, um deles tirou uma fotografia do bolso e olhou-a. Penetramos uns vinte ou trinta metros na floresta, até chegar à cratera de bomba... Cada um atirou no homem que estava à sua frente."

"Minha pistola falhou", prosseguiu Neuschwanger. "O prisioneiro à minha frente correu para o bosque... Foi detido por um disparo de Niebel ou Korb e morto, quando jazia ferido no chão, por outro tiro na cabeça. Tiramos quase toda a roupa deles... para tornar os corpos irreconhecíveis."

Neuschwanger e seus asseclas voltaram em seguida para o caminhão a fim de buscar mais três. "Cada um atirava na nuca do prisioneiro que tinha à sua frente. E cada um pegava para si algumas roupas ou calçados. Ostertag ficou com um anel e um relógio de ouro de bolso. Eu com um par de botas pretas e Dinkel com uma pasta preta, fechada a zíper, contendo artigos para viagem... Vi uma placa de identificação no chão e joguei-a no mato."

Essas últimas palavras eram uma confissão das mais importantes. Levando Neuschwanger a detalhar seus esforços para esconder a identidade dos mortos, Barkworth supôs que o apanhara de vez. O homem poderia se defender no tribunal alegando "ordens superiores", mas sabia exatamente que o que estava fazendo era errado, do contrário não procuraria ocultar a identidade das vítimas.

Durante o interrogatório, Neuschwanger admitiu também ter levado dois homens – provavelmente o soldado Gerald Davis do SAS e o oficial-aviador abatido Peabody da força aérea americana – para as celas subterrâneas de Schirmek. Uma das funções de Neuschwanger em Schirmek era levar os condenados dali para Natzweiler, onde seriam mortos. Davis foi assassinado posteriormente em Natzweiler e seu corpo deixado na igreja do abade Gassman, como advertência. O piloto americano Peabody também morreu, com certeza, em Natzweiler.

O testemunho de Neuschwanger foi assinado por ele acima das palavras: "Com juramento voluntário do dito depoente, Heinrich Neuschwanger, em Gaggenau, Alemanha... diante de mim, major E. A. Barkworth..."

Finalmente, o major do "SAS" tinha seu homem nas mãos.

No relatório definitivo de Barkworth, "Paraquedistas Desaparecidos" – onde citara Shakespeare, "Mas nesses casos ainda temos justiça aqui" –, ele mencionava dezenas de suspeitos de crimes de guerra. Somente em um caso – o da chacina da floresta Erlich – havia dezesseis "Acusados e Suspeitos", inclusive a galeria de facínoras de Erich Isselhorst: Wilhelm Schneider, Robert Uhring, Julius Gehrum, Karl Buck e Heinrich Neuschwanger.

No final da primavera de 1946, todos esses homens estavam presos, aguardando julgamento. Muitos haviam sido apanhados graças ao "efeito dominó" – um cativo levara a outro. Por exemplo, o esbirro de Isselhorst, Schneider, foi pego em resultado de evidências fornecidas por Isselhorst.

Em poder do 7º Exército, Isselhorst dera aos americanos todos os pormenores relativos a seu comando, permitindo-lhes traçar diagramas de fluxo de todo o aparato da Gestapo e da SS. Isselhorst denunciou também o paradeiro de seus principais auxiliares. Sobre Schneider, disse ao final da guerra: "Schneider foi para junto de sua família e está morando numa cidadezinha ao norte de Baden". Isso bastou para levar os Caçadores Secretos até ele.

"Fato surpreendente, os próprios prisioneiros é que mais sabem sobre o destino de seus camaradas, graças a uma espécie de telégrafo misterioso", escreveu Barkworth em seu relatório "Paraquedistas Desaparecidos". "Os alemães mais fáceis de encontrar foram os que permaneceram em casa..." Schneider era um deles, sempre a garantir que desempenhara um papel "inocente" durante a guerra. "Schneider, por exemplo, se descreveu às autoridades prisionais americanas como simples 'guarda de fronteira'."

Numa das operações de rapto mais famosas – pelo menos dentro da pequena comunidade que sabia sobre os Caçadores Secretos –, um suspeito (não se sabe quem, exatamente) foi atraído para os calabouços de Barkworth graças a uma trapaça de mercado negro. Na Alemanha do pós-guerra, faltava de tudo e o mercado negro prosperava. Para os acusados de crimes de guerra, que viviam vidas falsas com falsas identidades, esse era um recurso óbvio para lucrar sem chamar indevidamente a atenção.

O suspeito que se dedicara a esse negócio caiu vítima de sua própria cobiça. Barkworth soubera que ele estava escondido na zona russa, em Leipzig, na Alemanha oriental.

Valendo-se de sua suposta semelhança com Schneider, o esbirro de Isselhorst, Barkworth – seu sotaque alemão lembrava exatamente o do ex-chefe da Gestapo – telefonou para o endereço em Leipzig onde o homem se ocultava. Disse que ele, Schneider, continuava solto e entrara para o mercado negro, muito lucrativo nas zonas britânica e americana.

"Um negócio bom dos diabos", garantiu Barkworth. "Se você me encontrar sob o relógio da Estação Ferroviária de Colônia, à meia-noite, poderemos trabalhar juntos e dividir os lucros."

Barkworth sugeriu uma data para o encontro. O outro concordou. Colônia se localiza numa região bem longe de Leipzig, junto ao rio Reno. A proposta de Barkworth deve ter sido muito boa, pois o homem mordeu a isca. Barkworth e seus auxiliares ficaram esperando sob o relógio da estação, à meia-noite. Agarraram o suspeito, meteram-no no jipe e levaram-no para o porão da Vila Degler.

O relatório "Paraquedistas Desaparecidos" de Barkworth enumerava também dezenas de testemunhas desejosas de depor contra os carrascos nazistas. Destacavam-se entre elas, é claro, os aldeões de Moussey. Mas havia também uns poucos alemães bons que queriam denunciar seus compatriotas, aqueles que não se deixaram levar pelas mentiras dos nazistas. Um deles era um tal Werner Helfen.

O major Dennis Reynolds e o capitão Victor Gough tinham sido torturados horrivelmente após sua captura. Espancado a ponto de seus ossos quase furarem a pele, Reynolds tinha sido repetidamente golpeado no estômago pelo "Stuka" Neuschwanger. Mas, pouco depois de seu encarceramento no *Sicherungslager* de Schirmek, um prisioneiro alemão se juntara inesperadamente aos cativos britânicos na cela subterrânea – e seria de grande ajuda para eles.

O *Untersturmführer* (subtenente) Werner Helfen comandara uma companhia de guardas que protegiam vários edifícios estratégicos. Mandados para os Vosges em agosto de 1944, receberam fuzis de canos serrados em substituição ao armamento-padrão. Quando os americanos retomaram o avanço, o *Untersturmführer* Helfen ordenou que seus homens jogassem as armas no rio, pois, sob a Convenção de Haia, elas eram de um tipo não permitido na guerra. Se seus homens fossem capturados usando tais armas, perderiam o *status* de prisioneiros de guerra e a proteção dele decorrente.

Pouco depois Helfen foi preso e condenado à morte por um tribunal da SS, sob acusação de "destruição proposital de propriedade do governo". Mandado para Schirmek, aguardou o cumprimento de sua sentença. Na qualidade de alemão, recebeu o encargo de providenciar e servir comida para os outros prisioneiros, o que lhe dava certa liberdade de andar pelo campo.

Helfen aproveitou bem esse privilégio. Conseguiu que um médico francês cuidasse do piloto americano ferido, Pipcock, do qual ninguém ainda tratara, e contrabandeou comida extra para os prisioneiros aliados famintos. Durante suas andanças, Helfen descobriu um grande depósito de batatas feito de tábuas. Isso lhe deu a ideia da construção de uma escada para escalar a cerca externa do campo.

Comunicou a ideia a seus companheiros de prisão ingleses e americanos. A construção da escada começou imediatamente. A comissão de fuga era liderada por Helfen, habilmente assistido por Gough, David Dill e o piloto americano tenente Jacoby. Surrupiando pedaços de madeira à noite, quando havia poucas patrulhas, abafavam o barulho da construção cobrindo-se com cobertores enquanto trabalhavam. Pronta a escada, a comissão de fuga marcou para 12 de novembro a data de sua corrida para a liberdade.

Mas, nesse dia, os homens começaram a ouvir o estrondo das bombas aliadas e o estampido longínquo de armas de pequeno calibre. Ondas e mais ondas de bombardeiros aliados trovejavam no céu, acima deles. Calcularam que a linha de frente não estava a mais de 15 quilômetros de distância. A comissão de fuga ponderou os riscos de tentar escapar contra as chances de o campo ser liberado pelos Aliados. O tenente Helfen tentou convencer os homens de que seus guardas SS não se entregariam sem lutar e muitos dos prisioneiros poderiam ser mortos.

Essas angustiantes deliberações foram interrompidas pela marcha dos acontecimentos. O comandante do campo, Karl Buck, avisou que toda a população do *Sicherungslager* devia se preparar para partir. Iriam de caminhão para leste, para um campo novo: Rotenfels, em Gaggenau. Em sua última noite juntos em Schirmek, Gough deu a Helfen seu mapa pessoal de fuga, impresso em seda e produzido pela SOE, como lembrança.

Gough sempre procurava animar os companheiros fazendo desenhos da "vida no campo". Um deles mostrava um prisioneiro de uniforme sentado diante de uma mesa de refeições, coberta com toalha, e estas palavras no balão de texto: "Ué, não tem sopa de repolho?" Em outro, via-se um oficial britânico de grandes bigodes virando-se, surpreso, para uma figura que emergia de um buraco no chão de seu escritório, picareta na mão e informando: "Capitão Jones, relatório de Schirmek, *sir!*"

Considerando-se a selvageria com que Gough havia sido espancado, os cartuns dão testemunho de sua inacreditável flexibilidade de espírito. Após a ordem de partida de Buck, dez prisioneiros – Gough, Dill, Jacoby e Helfen inclusive – foram levados para um caminhão. Partiram bem cedo e, por volta das 6 horas, percorriam as ruas desertas de Estrasburgo. Os dois guardas alemães que dirigiam o veículo diminuíram a marcha, permitindo que Helfen saltasse e desaparecesse.

Werner Helfen voltou para sua cidade, onde permaneceu até os Aliados dominarem a área. No devido tempo, Barkworth o encontrou. Helfen se mostrou mais que disposto a atuar como testemunha de acusação contra vários dos suspeitos de Barkworth. Falando de um dos padres executados na floresta Erlich, contou:

"Aconteceu que o abade Claude, de quem conservo as melhores lembranças – era a pessoa mais quieta, mais sinceramente religiosa, mais desprendida do campo – foi caçado como um animal por aqueles monstros."

Barkworth ficou tão impressionado com os sólidos princípios morais de Werner Helfen que lhe deu uma carta de recomendação nos seguintes termos:

Durante o tempo que passou nas celas do Campo de Schirmek, fez o melhor que pôde para minorar as condições dos prisioneiros de guerra ingleses e americanos... embora, se descoberto, corresse o risco de ser severamente punido. Em pequenas coisas como conseguir alimento extra e proporcionar exercício aos detentos – o que não lhes era permitido –, e também na elaboração de um plano de fuga, revelou suas boas intenções.

Foi graças a outra testemunha – um médico, o dr. Thomassin – que o verdadeiro destino do tenente Silly do SAS seria conhecido. O dr. Thomassin fora chamado às ruínas de uma serraria na aldeia de Moyenmoutier que fora incendiada até os alicerces. Restos humanos haviam sido descobertos entre as cinzas, mas estavam calcinados demais para propiciar a identificação. O que o doutor descobriu foram uns óculos de aro de metal e um estojo de óculos também de metal cujo revestimento de couro desaparecera.

No meio das cinzas enegrecidas, viu também botões de latão do tipo usado nos uniformes dos *gardes forestiers* (guardas florestais). O tenente Silly ficara preso com dois deles. Barkworth concluiu, dessas evidências, que Silly encontrara ali seu fim, naquela serraria de Moyenmoutier, e que os restos previamente identificados como os dele poderiam ser os do soldado do SAS Donald Lewis, um dos poucos casos da Operação Loyton ainda não resolvidos.

Agora, os ingentes esforços dos Caçadores Secretos já eram reconhecidos por Londres: "Esta se tornou uma das mais importantes operações de Crimes de Guerra". A mão silenciosa do coronel Franks no leme pode ser percebida em uma carta manuscrita, em papel timbrado do Hotel Hyde Park, enviada a seus caçadores.

A Yurka Galitzine, ele passou uma carta do capitão Henry Parker, que investigava sem descanso crimes perpetrados contra o SAS na Itália. "O problema no momento é que o JAG [o juiz advogado-geral] daqui está tentando me mandar para a Áustria. Mas, como não se empenha muito, acho que posso ir adiando essa transferência", disse ele a Franks.

Parker queria mais tempo para completar suas investigações na Itália. Concluiu assim sua carta: "Por favor, transmita meus respeitos à sua boa esposa. O sargento Morgan (esperto, ativo e não pago) manda lembranças a você". *Esperto, ativo e não pago*: três coisas que resumem boa parte do trabalho dos Caçadores Secretos na primavera de 1946. O coronel Franks – chefe geral das operações da caçada aos nazistas – encaminhou a carta ao "faz-tudo" príncipe Yurka Galitzine, em seu escritório de Eaton Square.

"Prezado Galitzine, presumo que o pedido de Parker vem de você ou de Bill B.; por isso, passo-lhe o anexo. Ele vai bem e Bill o usa da maneira descrita. Prometi mandar-lhe algumas medalhas, mas não o fiz; vou mandá-las a Everitt, para que as distribua. Saudações, Brian Franks."

A conclusão do relatório "Paraquedistas Desaparecidos" de Barkworth resumia quão cansativa se tornara a busca dos desaparecidos da Operação Loyton, da verdade e dos assassinos, e quão longe ele e seus homens haviam sido forçados a estender sua rede.

"Quando esta unidade começou a investigar, em junho de 1945, ignorávamos que o trabalho seria tão demorado e complexo." Caracterizou a Operação Waldfest como "uma política de brutalidade medieval", descrevendo aqueles que a conceberam e implementaram como "alemães cuja coragem e exibição de crueldade eram inversamente proporcionais aos riscos que corriam".

Em outras palavras, eles gostavam de alardear crueldade e pretensa bravura desde que, assim agindo, não corressem perigo nenhum.

Mas com o elemento mais esquivo de todos – o ajuste de contas – quase ao alcance de suas mãos, Barkworth parecia estar cada vez mais pressionado. A menos que aplicassem eles próprios a lei, os Caçadores Secretos – como também as vítimas da Operação Loyton, os aldeões de Moussey e as famílias dos assassinados – só poderiam contar com uma forma de justiça: os julgamentos que viriam. E seria terrível se parassem justamente diante do último obstáculo.

Uma mensagem de rádio ao final da primavera de 1946 para Eaton Square mostra que até Barkworth estava à beira de um colapso, enquanto preparava freneticamente a documentação para os tribunais. Sem dúvida, o uísque e a Benzedrina já não conseguiam manter em forma os agentes da Vila Degler.

"Se o julgamento for adiado por dez dias, não suportarei e terei de parar. Sua última orientação beira a impossibilidade ao considerar viável o trabalho dia e noite. O adiamento torna a situação toda absurda e ridícula. Se eu trabalhasse da mesma maneira que o Departamento de Guerra, este assunto levaria mais três meses."

E, dias depois: "Tentei juntar as provas o mais completamente possível, pois sei que você não apreciará receber trabalho malfeito e apressado..."

O primeiro julgamento de crimes de guerra cometidos contra a Operação Loyton estava marcado para dali a poucas semanas. Mas, o que era frustrante, com a demora dos processos havia muito aguardados, os Caçadores Secretos se viam coagidos a aceitar que um homem – talvez seu alvo preferencial – escapasse.

Como a carta de um jurista a Barkworth deixa claro, era da máxima importância capturar os indivíduos que haviam ocupado posições no alto comando. "Absolutamente essencial. Esse homem, no quartel-general, foi quem deu a ordem de execução. Em sua ausência, os peixes miúdos atribuirão toda a culpa a ele e não serão condenados."

Mas o *Sturmbannführer* Hans Dietrich Ernst continuava classificado como "solto e sem pistas de onde esteja". Infelizmente, o indivíduo mais procurado por Barkworth iria, segundo todas as aparências, escapar à justiça.

CAPÍTULO 28

———————— ✳ ————————

A 6 DE MAIO DE 1946 – menos de um ano depois que o coronel Franks mandara Barkworth a Gaggenau para investigar os corpos encontrados na floresta Erlich – começou o Primeiro Julgamento dos Crimes de Guerra Cometidos contra o SAS. Instalou-se, sob a autoridade de um tribunal militar britânico, no Jardim Zoológico de Wuppertal, uma cidade ao norte de Colônia, na zona britânica de ocupação. Por uma deliciosa ironia, a "sala do tribunal" era o antigo salão de banquete do zoológico.

Galitzine escrevera ao major Alastair Hunt, o promotor, pouco antes do início do julgamento. "Aqui estão os atestados que Barkworth me passou até agora... Mandarei todos os acusados para as imediações de Wuppertal, de modo que Bill B. talvez precise vir e se acomodar aqui. De qualquer modo, acho melhor estabelecer nossa base no local o mais rápido possível, após sua chegada."

Com a primeira audiência prestes a começar, a atenção se deslocava dos caçadores para os juristas que iriam examinar os casos. Mas Barkworth, Rhodes e vários de seus homens tinham um papel crucial a desempenhar. Ficaram instalados no edifício da administração adjacente à sala de banquete-tribunal, enquanto os acusados permaneciam na prisão da cidade.

Mesmo então – *principalmente então* – o drama estava longe do fim. Barkworth deixou claro que queria seus suspeitos sob constante vigilância, sobretudo quando iam e vinham do tribunal. Sempre que possível, não deveriam "conversar com outros prisioneiros", para evitar que combinassem seus depoimentos, exigiu Barkworth.

Todos deviam ter escolta de "guardas armados" e nenhum ficaria "sem algemas ou em camburões inapropriados". "Não queremos ir atrás deles de novo", acrescentou Barkworth secamente.

Um prisioneiro conseguiu "escapar" ao julgamento iminente. Heinrich Ganninger, oficial da SS suspeito de crimes de guerra, suicidou-se pouco depois de o major Barkworth interrogá-lo.

Uma "censura" foi imposta: a mídia não poderia cobrir as audiências. E por duas razões: primeiro, para que os parentes dos assassinados não sofressem ainda mais vendo as dores e a morte de seus entes queridos alardeadas nos periódicos; segundo, para que os suspeitos ainda livres – principalmente o *Sturmbannführer* Ernst – não soubessem que a busca por justiça prosseguia.

O primeiro julgamento tratou da chacina na floresta Erlich. Os onze acusados – inclusive o ex-comandante de Schirmek, Karl Buck, o "Stuka" Neuschwanger e Karl Dinkel, o homem raptado por Barkworth *"bei Nacht und Nebel"* de seu grupo de teatro itinerante – tinham advogados alemães, para garantir "justiça". Foram responsabilizados pela morte de catorze prisioneiros, perpetrada a 25 de novembro de 1944: seis soldados do SAS, quatro aviadores americanos e quatro cidadãos franceses.

Um francês – capitão Bellet, da força aérea – foi incluído na lista dos seis promotores, já que compatriotas seus haviam perecido na chacina. O major Hunt – o advogado militar adido à operação de Galitzine em Eaton Square – encabeçava a acusação e o próprio príncipe Galitzine viera de Londres para integrar a unidade de Barkworth durante toda a duração dos procedimentos.

A tese sustentada para inculpar os acusados era das mais simples: os prisioneiros de guerra são protegidos pela Convenção de Genebra de 1929 e não podem ser assassinados intempestivamente. Se a promotoria pudesse estabelecer que os suspeitos eram culpados por esses crimes, "o tribunal estaria em condições de condená-los por violação das regras do direito internacional", explicou o juiz, o oficial militar que presidia as audiências.

Previsivelmente, os advogados alemães alegaram que seus clientes agiram "por ordens superiores" – ou seja, fizeram o que eram obrigados a fazer. Citaram a Ordem de Comando de Hitler como "justificativa" para seus atos. Caso o argumento das ordens superiores prevalecesse, Hitler seria o único culpado – e Hitler, como ninguém ignorava, cometera suicídio em seu *bunker* de Berlim no mês de abril de 1945. Nesse caso, os julgamentos de Wuppertal não passariam de uma farsa.

O *Standartenführer* Isselhorst foi chamado como testemunha de defesa. O ex-comandante da Gestapo e da SS, ele próprio advogado experiente, sustentou que a Ordem de Comando obrigava todos os soldados do Reich, inclusive os da SS e da Gestapo, a fuzilar "membros dos chamados comandos, que desciam de paraquedas... atrás das linhas alemãs para praticar atos de sabotagem ou interferência".

Isselhorst afirmou que "reinterpretara" a Ordem de Comando para aplicá-la unicamente aos "paraquedistas" que comprovadamente trabalhavam com os "terroristas" *maquis*. Tentou em seguida responsabilizar o *Sturmbannführer* Ernst – o único suspeito importante ainda livre – pelo massacre da floresta Erlich. Tinha sido ele, disse Isselhorst, quem o convencera de que os catorze homens eram sabotadores e espiões, operando em estreita colaboração com os *maquis*, e de que, portanto, sua execução nos termos da Ordem de Comando de Hitler era justificável.

Em suma, pelo argumento das "ordens superiores", somente Hitler e o *Sturmbannführer* Ernst tinham culpa, o que inocentava os onze acusados.

O major Barkworth foi chamado como testemunha de acusação na tentativa de derrubar os argumentos de Isselhorst. Ele esclareceu que não era tarefa da Operação Loyton organizar e apoiar os *maquis*; isso cabia a "outras unidades" – um eufemismo para os Jedburghs. Os membros do SAS não podiam deixar de ter contato com os *maquis* porque "a operação na área dos Vosges ocorreu num momento em que eles se levantaram contra os invasores alemães".

Em outras palavras, não houve nenhuma "colaboração" deliberada com os *maquis*, de sorte que a Ordem de Comando de Hitler não se aplicava aos homens do SAS.

Durante a acareação, os onze acusados começaram a voltar-se uns contra os outros. Karl Buck tentou lançar toda a responsabilidade sobre "as ordens de Isselhorst". Os que haviam conduzido as vítimas à floresta Erlich disseram que o "Stuka" Neuschwanger fora o instigador e insistira em que as mortes ocorressem de qualquer maneira. Alguns disseram que não sabiam que os prisioneiros haviam sido executados e que sempre se recusaram a tomar parte em fuzilamentos.

Em meio a essas recriminações mútuas, Neuschwanger procurou dar o troco a seus acusadores. Seu advogado alegou — corretamente — que o sargento britânico Fred Rhodes o maltratara quando ele fora levado ao local da chacina da floresta Erlich. Rhodes lhe batera e o jogara no fundo da cratera, queixou-se o advogado alemão. Portanto, os soldados britânicos não eram melhores que os acusados.

O juiz lançou a Rhodes um olhar incisivo. Aquilo era verdade?, perguntou. Dusty Rhodes enfiou a mão no bolso e sacou um passe de licença, "provando" que estava na Inglaterra quando da alegada agressão, gozando um raro período de descanso. Mentia, é claro. O documento era falso, e não o primeiro usado pelos Caçadores Secretos. Mas era também uma quebra necessária e justificável das regras.

Superado esse desagradável impasse, o juiz se fixou na letra da lei. O fato de um soldado receber ordem para fazer alguma coisa não queria dizer que o ato deixava, por isso, de ser um crime de guerra; assim, agir em obediência a ordens não significava que o soldado não respondia por suas ações. O juiz salientou ainda que os acusados deviam saber que seu comportamento era criminoso, do contrário não fariam coisas como despir as vítimas, queimar suas roupas e enterrar suas placas de identificação para esconder suas identidades. Execuções legais não acontecem no meio do mato, com sepultamentos coletivos em crateras de bombas e com todos os elementos de identificação removidos dos corpos. Resumindo: os réus condenaram a si próprios.

O juiz passou ao debate final: a ignorância da lei é uma desculpa? "O tribunal deve perguntar a si mesmo: 'O que sabiam estes acusados sobre direitos de prisioneiros de guerra?' O tribunal ignora por acaso que eles não são juristas? Talvez nunca tenham ouvido falar na Convenção de Haia ou na Convenção de Genebra. Talvez nunca tenham lido um manual de direito militar..."

O juiz fez uma pausa para que suas palavras fossem traduzidas em alemão. "Mas o tribunal tem de considerar se homens que servem como soldados ou junto de soldados sabem... como assunto próprio da vida militar, que um prisioneiro de guerra tem certos direitos, um dos quais é a segurança de sua pessoa."

Todos os réus, menos um – Josef Muth – foram considerados culpados. Cinco receberam sentenças de prisão de até dez anos; cinco, sentenças de morte – inclusive Karl Buck e o "Stuka" Neuschwanger. Mas o caso estava longe de terminar. Buck e Neuschwanger logo passariam às mãos dos franceses, para que estes os julgassem por crimes de guerra perpetrados contra seus compatriotas civis.

O resultado do julgamento foi em grande parte satisfatório, mas as sentenças de prisão pareciam leves demais. Dois dos acusados receberam dois e três anos de detenção respectivamente e, por bom comportamento, poderiam estar livres na virada da década. Barkworth sempre esperara que os júris fossem vistos como "um exemplo de justiça estrita e imparcial, não de vingança". Mas a punição deveria ser proporcional ao crime.

No caso seguinte – relativo à retaguarda do tenente Dill, capturada quando defendia a base final do SAS em Moussey –, catorze réus foram condenados pelo assassinato de oito homens do SAS na floresta acima de La Grande Fosse. O último soldado britânico dissera a seus algozes esta verdade contundente: "Fomos bons homens". Bons homens que não mereciam morrer tão sordidamente assassinados – conforme, esperava-se, o tribunal iria provar.

Todos os acusados – entre eles Georg Zahringer, o homem que dera a Barkworth seu testemunho decisivo – eram ex-membros do *Einsatzkommando* Ernst. Como sempre, seus advogados alegaram que eles apenas obedeciam às ordens dos comandantes e, portanto, não eram responsáveis por nenhum crime. Sem Ernst para testemunhar ou ser acareado, a promotoria tinha um grande problema pela frente.

Entre crimes sem conta, esses homens eram responsáveis por desnudar oito cativos do SAS e levá-los para uma cova na floresta – onde podiam ver seus camaradas já executados – antes de alvejá-los na cabeça. Mas infelizmente as sentenças finais dadas para o caso de La Grande Fosse beiraram o ridículo. Seis dos catorze acusados foram considerados inocentes. Dos oito restantes, só um recebeu uma sentença de dez anos de prisão e dois, apenas dois e três anos, respectivamente.

Para aqueles que haviam passado tanto tempo caçando-os, isso era uma tremenda injustiça. Tinham prometido aos assassinados da Operação Loyton e às suas famílias um acerto de contas – mas, nesse caso, eles, ou os tribunais, falharam.

Face à irremediável brandura das sentenças, Barkworth mudou de tática. Começou a oferecer vantagens às testemunhas-chave que apresentassem provas contra seus ex-colegas. Os que temiam uma sentença de morte poderiam esperar que ela fosse comutada para prisão perpétua, caso revelassem os podres dos demais. Os Caçadores Secretos estavam aprendendo a "jogar o jogo jurídico" – e bem a tempo, pois o julgamento de Natzweiler seria o próximo.

Sem dúvida, houve revolta do público diante da natureza patética das sentenças de La Grande Fosse. Pelo menos essa parte da história – que os assassinos tinham escapado da verdadeira justiça – chegou até a imprensa. Os mesmos fracassos não poderiam ocorrer nas audiências seguintes. O julgamento de Natzweiler trataria do caso das quatro agentes da SOE envenenadas e incineradas nos fornos do campo, mas sua abrangência seria bem maior.

Cerca de 24 mil pessoas haviam sido mortas em Natzweiler e os acusados eram cúmplices em todos esses crimes. Quando as tropas britânicas e americanas descobriram os campos de concentração, recuaram instintivamente diante de tamanhos horrores. Aqueles crimes de guerra – um genocídio mecanizado, um extermínio sistemático de milhões de homens, mulheres e crianças – transgrediam todas as normas do comportamento humano.

Se o julgamento de Natzweiler terminasse em fiasco, o clamor público arrefeceria aos poucos. Era preciso ver que a justiça havia sido feita.

*   *   *

Antes das audiências de Natzweiler, Londres proibiu que a imprensa divulgasse os nomes das vítimas. A 24 de maio de 1946, o Departamento de Guerra escreveu aos parentes de Vera Leigh, uma das agentes da SOE assassinadas, advertindo que, "se alguma publicidade relativa aos julgamentos mencionar seu nome... Considerando-se as tristes circunstâncias em que Vera foi morta, queremos por força poupar sua família de novos sofrimentos... que a divulgação certamente provocaria".

Contudo, em sua resposta de 27 de maio, os familiares da falecida Vera Leigh deixaram bem claros seus sentimentos. "Já relatei a todos os membros da família as circunstâncias de sua morte e acho que nada se ganhará suprimindo o nome da srta. Leigh das reportagens que possam vir a público... seria preferível que a história toda fosse conhecida e não uma versão deturpada, oriunda de fonte indireta."

A 28 de maio, começou o julgamento de Natzweiler em Wuppertal. E, a despeito da vontade dos parentes, uma censura velada foi imposta a todos os meios que relatassem o caso. No banco dos réus, nove acusados, entre os quais Werner Rohde, o médico do campo que administrara a dose supostamente letal de ácido carbólico. Num julgamento por crimes de guerra como aquele, um médico da laia de Rohde era despojado do respeitável título de "doutor". Ao lado de Rohde estavam Peter Straub, o algoz cuja face havia sido arranhada pelas unhas de uma de suas vítimas, e Fritz Hartjenstein, o comandante do campo.

Entre as testemunhas de acusação, compareceram a chefe de inteligência da SOE, Vera Atkins, e Brian Stonehouse, o agente da SOE cuja presença em Natzweiler tinha sido detectada pelo capitão Galitzine durante o outono de 1944, quando ele descobrira aquele campo. No entanto, desde o início, os advogados de defesa alemães sustentaram persuasivamente que os agentes da SOE detidos sem uniforme não gozavam de nenhuma das proteções legais concedidas aos soldados em tempo de guerra.

"O direito internacional permite a execução de combatentes irregulares", declarou o dr. Groebel, o principal advogado de defesa. Recomendou que o tribunal "considerasse este caso como o de uma simples e normal execução de espiões". Isso foi dito em favor de um homem como Straub, que admitira orgulhosamente ter "feito quatro milhões de pessoas sair pela chaminé". Talvez não fosse exagero: antes de Natzweiler, ele trabalhara em Auschwitz.

O major Hunt, o promotor, retrucou dizendo que, pelo direito internacional, mesmo espiões deviam ser julgados antes da execução. "Matar daquele jeito, naquela ocasião e naquelas circunstâncias leva a presumir que ninguém foi julgado... Se tivesse sido uma execução legal, para que tanto segredo?"

Groebel, na réplica, explicou que, "para nós, alemães, o governo criou nos últimos anos um grande número de tribunais especiais que, em toda parte, decidiam o destino de seres humanos e normalmente condenavam à morte... Nós, alemães, fomos totalmente isolados do resto do mundo e eu não sei como são os processos fora daqui".

Ou seja, os próprios réus eram vítimas lamentáveis de um sistema de governo totalitário no qual não tinham voz nem participação. Era o mesmo argumento das "ordens superiores" sob outro nome e, inacreditavelmente, naquela sala de júri de Wuppertal, em maio de 1946, parecia estar funcionando.

Na tentativa de pôr abaixo esses argumentos, Hunt apelou para as provas de Barkworth. O major do SAS colhera uma declaração de Georg Kaenemund, prisioneiro político em Natzweiler. Kaenemund presenciara o interrogatório de uma das quatro mulheres, que se dissera com a maior clareza "tenente do exército britânico" e exigira "ser levada a uma corte marcial legítima", pois, "como membro das forças armadas, não deveria estar presa".

Mas havia um problema: várias testemunhas de defesa (Brian Stonehouse inclusive) tinham afirmado que as quatro agentes entraram em Natzweiler com trajes civis. Seria difícil, para não dizer impossível, invocar a proteção legal devida aos soldados para aquelas quatro prisioneiras disfarçadas de civis.

Em sua súmula, o juiz pontificou que as quatro mulheres foram executadas sem julgamento porque, no outono de 1944, os alemães estavam "consideravelmente apreensivos com o desfecho da guerra". Sabiam que a derrota era inevitável e desejavam ocultar as evidências de seus crimes de guerra. A levar-se em conta a ausência de julgamento, os réus deveriam ser considerados culpados.

Essa era a esperança quando o "júri" – na realidade, tratava-se de uma corte militar, composta por oficiais – se retirou para discutir o veredito. Quarenta minutos depois, os jurados voltaram. O "doutor" de Natzweiler, Werner Rohde, recebeu a sentença de morte; mas o SS *Obersturmbannführer* (tenente-coronel) Fritz Hartjenstein, o comandante do campo que presidira à chacina de milhares de internos, foi condenado apenas à prisão perpétua.

Pior ainda para Barkworth, Rhodes e sua equipe, Peter Straub – o homem que atirara uma mulher britânica viva no forno – ficaria na prisão por apenas *treze anos*. Dos outros seis acusados, todos tiveram penas leves ou saíram livres.

O tribunal de Natzweiler também foi uma farsa.

A equipe da Vila Degler percorrera a Europa procurando incansavelmente os culpados. Cumprira uma agenda frenética, quebrara todas as regras imagináveis no esforço de apanhá-los; e, quando o próprio SAS foi desmobilizado, assumiu o risco da "clandestinidade" para prosseguir na boa luta, a qualquer preço. Contra todas as expectativas, tornara possível o aparentemente impossível: prender os assassinos.

E agora, isto: os tribunais, onde a equipe não exercia nenhuma influência ou controle, decepcionava a todos, obrigando os Caçadores Secretos a empreender algumas de suas ações mais ousadas até o momento.

Barkworth, Galitzine, Rhodes e os outros se reuniram num conselho de guerra. Em Natzweiler, quatro mulheres indefesas haviam recebido injeções de ácido carbólico letal e pelo menos uma tinha sido queimada viva. No entanto, o júri usara uma linguagem depurada, civilizada e quase banal ao tratar do caso. Nada ali dera uma ideia dos horrores sofridos pelas vítimas.

Ninguém chegara ao âmago da questão, ninguém revelara as profundezas da crueldade e do pavor infligidos a seres humanos. E, por causa da censura à mídia, o grande público britânico não tinha sequer noção do que transpirara ou de que os responsáveis haviam saído quase ilesos.

Para Galitzine, Natzweiler era o "Belsen da França", mas pela segunda vez sua existência havia sido encoberta e sepultada. Assim ele, que já fora jornalista, resolveu quebrar o silêncio. Escreveu um artigo para o *Sunday Express*. Publicado a 2 de junho de 1946 — um dia depois do final do julgamento —, o título bradava: "Quatro garotas britânicas queimadas vivas e um alemão condenado à morte. Uma delas resistiu na porta do forno".

O artigo de Galitzine deu a público a história toda. Começava com uma descrição da sala do tribunal. "Os alemães, pálidos e trêmulos, levantam-se para ouvir o veredito. O homem a ser enforcado, Werner Rohde, médico do campo, faz uma piada com um de seus colegas, enquanto ouve a sentença. Os três inocentados se deixam cair nos assentos, soluçando de alívio. Assim terminou o julgamento de um grupo... responsável por 'inaudita brutalidade, sem paralelo na história do homem' no campo de concentração de Struthof–Natzweiler, nas montanhas dos Vosges..."

O artigo citava vívidos testemunhos oculares de como as agentes da SOE haviam sido mortas e prosseguia narrando a sombria história de Natzweiler desde o começo: "Prisioneiros de cabeça raspada e uniformes listrados chegam para tirar granito da montanha. O hotel se transforma em câmara de gás. Um crematório é construído. Nasce um campo de concentração".

Nas circunstâncias, Galitzine muito prudentemente não assinou o artigo. Só se soube que era ele o autor por seus documentos particulares, hoje guardados discretamente no Museu Imperial da Guerra. No seu exemplar do artigo, o capitão príncipe Galitzine escreveu de próprio punho: "Escrito por Yurka". Apenso a ele está o original manuscrito — bem mais longo — da reportagem. Ali se conclui que, em Natzweiler, os alemães conceberam "um processo de extermínio tão desumano que mesmo selvagens hesitariam em adotar semelhantes métodos".

Sem dúvida, Galitzine guardou seus papéis no Museu Imperial da Guerra – inclusive o relatório original e importantíssimo sobre Natzweiler, aquele que tinha sido obrigado a "engavetar" — a fim de que essa peça vital da história, bem como sua participação nela, fossem preservadas para a posteridade. E, conforme era a intenção dos Caçadores Secretos, o artigo do *Sunday Express* provocou uma verdadeira tempestade.

Os poderes estabelecidos ficaram apopléticos. Londres chegou ao ponto de sugerir uma investigação para descobrir de que maneira "assuntos não levados ao tribunal nem comprovados apareceram na imprensa como fatos incontestes". Houve mesmo o temor de que tudo se originara na Alemanha e de que "possam surgir demandas alegando pressões da imprensa sobre os juízes... Nem é preciso dizer, isso teria um efeito lamentável nos membros de futuros júris".

CAPÍTULO 29

———— ✳ ————

O JULGAMENTO DE ISSELHORST e cinco outros – inclusive seus subordinados Wilhelm Schneider e Julius Gehrum – iniciou-se a 17 de junho de 1946. Demoraria vinte e dois dias, em grande parte devido às capciosas prevaricações de Isselhorst e aos complicados meandros legais por onde ele enveredou.

Os seis foram acusados de: "cometer um crime de guerra na França, mais especificamente nos Vosges, violando as leis e os costumes de guerra para assassinar grande número de soldados aerotransportados e pessoal das tripulações dos aviões". A acusação incidia sobretudo no fato de "adotarem um sistema de extermínio de 32 membros do Regimento do SAS que tomaram parte em operações de interrupção das comunicações inimigas nas montanhas dos Vosges..."

Logo de início Isselhorst citou a Ordem de Comando de Hitler, como se ela fosse sua senha para escapar das grades. Segundo o réu, a ordem prescrevia: "Todos os membros dos chamados 'comandos', em uniforme ou não, com ou sem armas, desembarcados por água ou ar, bem como os paraquedistas, devem ser fuzilados caso caiam prisioneiros". A ordem também previa punição para quem não a cumprisse ou divulgasse.

Inacreditavelmente, Isselhorst alegou que não tinha conhecimento algum das torturas e dos maus-tratos infligidos aos prisioneiros sob seu comando. "Jamais ouvi falar disso e... se ouvisse, teria tomado medidas severas contra semelhante prática." Também negou toda responsabilidade – e quase todo conhecimento – de Natzweiler. "Nunca vi esse campo e nunca entrei nele. Não tinha nada a ver com Natzweiler nem razões para ir lá."

De seus subordinados agora também no banco dos réus, falou com carinho, descrevendo-os como figuras "paternais". "Schneider era um camarada bem mais velho, que eu respeitava por sua idade. Sempre o vi como um colega trabalhador, embora, devido à velhice e à doença, tivesse a cabeça um tanto fraca. Todos gostavam dele, pois era muito amigável."

Mas a opinião de Isselhorst sobre Schneider não era nada perto do que ele pensava do *Sturmbannführer* Ernst. "O dr. Ernst, homem esforçado, inteligente e consciencioso, sempre se interessou pessoalmente por tudo o que dizia respeito ao grupo. Descreviam-no para mim como um dos melhores oficiais na França."

Mesmo na acareação exigida pelo promotor, major Hunt, a armadura cuidadosamente confeccionada por Isselhorst deu poucos sinais de trincar.

"Você sabe que, pelo direito internacional, os captores devem preservar a vida dos prisioneiros de guerra?", perguntou Hunt.

"De um modo geral, sim", respondeu o réu.

"E apesar disso você reconhece que transmitiu ordens das quais resultou a morte de considerável número de prisioneiros de guerra?"

"Não nessa forma, pois, em nossa visão, eles não eram prisioneiros de guerra..."

"Sabe que, em consequência dessas ordens, muitos homens indefesos foram conduzidos para junto de crateras de bombas, despidos, fuzilados e sepultados?"

"Respondi a meus próprios advogados quando eles me fizeram essa pergunta: não."

"Como acha que suas ordens foram cumpridas?"

"Como um fuzilamento discreto, normal, segundo minhas instruções..."

Hunt parecia cada vez mais exasperado com as respostas de Isselhorst. "Quero que explique como tudo aconteceu, se aqueles homens foram fuzilados de maneira irregular, que você desconhece."

"A essa pergunta não posso responder."

"Por que não? É uma pergunta simples."

"Porque não sei."

De modo ainda mais frustrante, à medida que o julgamento se arrastava, Isselhorst tentou jogar a responsabilidade pelos assassinatos sobre o suspeito usual: o *Sturmbannführer* Ernst.

"Ouvimos, da testemunha Buck, que 125 *maquisards* foram mandados para Natzweiler. Sabe quem ordenou isso?", perguntou Hunt.

"Acho que foi o comandante Ernst."

"E o que sabe sobre os 125 homens?"

"Só o que me foi relatado depois."

Quer dizer, Isselhorst não estava envolvido no massacre dos *maquis*. Apenas o *Sturmbannführer* Ernst tinha culpa. Isselhorst parecia feliz por se encontrar no banco dos réus de Wuppertal explicando que preto é branco, com ar impudente e despreocupado.

Isselhorst só admitiu que mandara usar os *maquis* como trabalhadores forçados. "Os *maquis* deviam ir para locais de trabalho na Alemanha... Todos eles saíram do campo de Schirmek para as fábricas da Mercedes-Benz em Gaggenau."

Deve ter sido uma agonia para Barkworth, Galitzine e Rhodes ouvir aquilo. Isselhorst, o advogado experiente, aparava todos os golpes desferidos pela acusação. Fazia quase dois anos que os homens da Operação Loyton tinham sido mortos e mil aldeões deportados dos vales dos Vosges para campos de concentração nazistas. O arquiteto de tudo aquilo sairia livre?

Galitzine achou que os tribunais estavam sendo "demasiado tolerantes". Poucas sentenças de morte e prisão perpétua haviam sido pronunciadas. Os réus haviam cometido "os crimes mais terríveis e não podemos entender por que receberam um ano, quatro anos, seis anos de detenção".

Hunt voltou à Ordem de Comando de Hitler. "Conhecedor das provisões do direito internacional, como você pôde considerar aceitável uma ordem impressa para matar?"

"Conforme eu já disse, no regime Nacional Socialista a vontade do chefe supremo tinha força de lei e, portanto, essa ordem era legítima."

Indagado sobre o motivo de os homens da Operação Loyton não terem comparecido a nenhum tipo de tribunal, Isselhorst respondeu astutamente: "A ordem do Führer excluía toda espécie de julgamento".

A tese primária e insistente de Isselhorst, "não tenho responsabilidade alguma face à Ordem de Comando de Hitler", chocou bastante o júri, tanto mais que o interrogatório original de Barkworth pressionara Isselhorst justamente nesse ponto – que agora ele tentava negar, alegando esquecimento no caso de alguma inconsistência.

"Então está dizendo que sua declaração prévia não é acurada, certo?", atacou Hunt.

"Não muito...", respondeu Isselhorst. "E não porque quisesse mentir na ocasião, mas porque só depois me lembrei da sequência exata dos acontecimentos."

Por fim, até o juiz se enfureceu. "Não acredito que você seja tão idiota quanto quer parecer", desabafou. "Estamos cansados de ouvi-lo repisar o que afirmou sob juramento em sua confissão e que procura sempre isentar alguém do banco dos réus." E mais adiante: "Não acredito que Isselhorst seja tolo a ponto de misturar assim as coisas".

Felizmente, pelo menos duas testemunhas haviam sido persuadidas pelos "incentivos" de Barkworth a depor contra Isselhorst. Uma delas era Karl Buck, ex-comandante de Schirmek, que responsabilizou Isselhorst pelo envio de centenas de *maquisards* para a morte em Natzweiler – algo que Isselhorst, é claro, negou. A outra testemunha era seu ex-representante na Waldfest, Julius Gehrum.

O júri se apegou à declaração de Gehrum. "Você se considera uma pessoa muito humana, não?", perguntou o juiz a Isselhorst.

"Sim."

"Gehrum acha que você, aparentemente, é um homem de ideias cruéis."

"Duas testemunhas disseram absurdos e mentiras."

"Cabe ao júri decidir quem está mentindo aqui. Mas você ouviu Gehrum dizer isso em sua confissão, certo?"

"Sim."

O juiz mencionou a "carreira" de Isselhorst na Frente Oriental como típica de sua brutalidade: ele comandara um dos esquadrões da morte de Hitler que exterminavam guerrilheiros russos. O testemunho de Gehrum – segundo o qual Isselhorst era um homem "de ideias muito cruéis" – mal podia ser negado à luz desses fatos.

"Coisas horríveis foram praticadas na Rússia, não?", perguntou o juiz. "Excetuando-se os judeus, os russos eram as pessoas menos importantes deste mundo aos olhos de um alemão?"

"Não... Não tive nenhuma oportunidade de cometer atos de crueldade ali... Meus deveres no *Einsatzkommando* eram de natureza puramente militar. Não havia guerrilheiros ou coisa semelhante na área, pois esta se situava na linha de frente."

Apesar das negativas de Isselhorst – que não passavam, obviamente, de mentiras deslavadas –, o juiz assinalara um tento: pintara Isselhorst como um homem havia muito envolvido nas atrocidades nazistas.

Mencionou então que os agentes da Operação Loyton haviam sido todos presos de uniforme. Isselhorst tentou argumentar que ignorava esse fato, aliás irrelevante para a decisão de executar os homens. De novo, a cólera do juiz foi às alturas.

"Mas o que há com os militares alemães?", explodiu ele. "Você percebe que seria loucura mandar soldados britânicos à Alemanha vestidos de civis?"

"Minha opinião era que aqueles britânicos só usavam uniformes para camuflar suas ações ilegais, contrárias ao direito internacional... A ordem do Führer mencionava claramente esses homens, uniformizados ou não."

O juiz mostrou uma cópia da Ordem de Comando. "Ela traz, embaixo, as palavras 'assinatura ilegível'. Mas devemos presumir que foi Hitler quem emitiu essa ordem?", perguntou ele.

"Sim."

"E ele concluiu com uma ameaça sanguinária: 'Levarei ao tribunal de guerra todos os líderes e oficiais que não cumprirem estas instruções – por não informarem seus homens ou por desobediência voluntária'?"

"Sim."

O juiz estava tecendo o argumento segundo o qual Isselhorst praticara atos ilegais – assassinatos – devido ao medo da retaliação do Führer caso ele desobedecesse. Em outras palavras, ele cometera conscientemente crimes de guerra para salvar a própria pele. Outro ponto marcado.

Após vinte e dois dias em sessão, o juiz relacionou os crimes dos quais Isselhorst e seus homens estavam sendo acusados. Nenhum deles tomara parte direta nos assassinatos. Mas haviam dado as ordens quando comandavam a Operação Waldfest. Os fuzilamentos foram executados por "brutamontes" que levaram as vítimas para os bosques, atiraram na cabeça delas, jogaram-nas em crateras de bombas, enterraram-nas e removeram todos os indícios da chacina.

A 11 de julho, o tribunal pronunciou seu veredito: dois foram condenados à prisão, mas Isselhorst e Schneider seriam mortos por enforcamento. Outro, Oberg – oficial de alta patente da SS e da Gestapo que servia na França à época da campanha dos Vosges –, também seria enforcado.

O júri inocentou Julius Gehrum. No final do julgamento, o advogado dele, dr. Kohrs, pintara um quadro sombrio da vida nos últimos dias do Reich.

"Nesta sala vocês todos ouviram falar da Ordem do Führer... entregue em todos os escritórios de companhia, em todos os quartéis de estado-maior, em todos os refeitórios de oficiais. De acordo com ela, nenhum soldado ou mesmo oficial deveria saber coisas que não lhe dissessem respeito, por motivos superiores.

A obrigação de manter em segredo até assuntos insignificantes foi uma das razões pelas quais o Nacional-Socialismo obteve tamanho sucesso em calar a maioria do povo por tanto tempo. Era perigoso saber demais; mais perigoso ainda querer saber muito; e perigosíssimo dizer o que se sabia."

Na Alemanha de Hitler, saber, perguntar ou falar em excesso podia ser uma questão de vida ou morte. Mas, no verão de 1946, os conhecimentos de Isselhorst é que adiariam sua execução por muito tempo. Findo o julgamento, ele foi devolvido à custódia de seu vingador: Barkworth. Deveria testemunhar em mais três casos envolvendo britânicos. E os franceses também queriam processá-lo por inúmeros crimes que cometera contra a humanidade nos Vosges.

Do mesmo modo, a sentença favorável de Gehrum não passou de um desafogo momentâneo. A 4 de agosto de 1946, Barkworth entregou-o aos franceses, para que o julgassem por crimes de guerra. No devido tempo, ele se veria condenado por suas próprias palavras durante o interrogatório feito por Barkworth: admitiu ter "liquidado alguns prisioneiros" quando comandava um grupo especial de execução.

Foi sentenciado à morte pelos franceses em maio de 1947.

Cerca de um mês após o julgamento de Isselhorst e seus asseclas, Bill Barkworth e Dusty Rhodes viajaram para Hamelin, uma pequena cidade da Alemanha central famosa pela história infantil do flautista cuja música expulsou uma praga de ratos que a assolava. Era o final de 1946 e os dois Caçadores Secretos iriam presenciar um enforcamento na prisão local.

Barkworth e Rhodes foram conduzidos, por corredores nus e povoados de ecos, até a sala de execução. Tomaram seus lugares entre os vários oficiais presentes. Uma figura apareceu, trazida pelo carrasco, e postou-se no lugar onde passaria seus últimos momentos na terra.

O *Oberwachtmeister* Heinrich "Stuka" Neuschwanger manteve a cabeça ereta enquanto o carrasco ajeitava o nó em seu pescoço. Mesmo agora, no instante da morte, não dava nenhuma mostra de arrependimento pelo que fizera. "Nada o abalou até ser pendurado", disse Rhodes. "Não creio que sentisse o mínimo remorso. Era um homem cruel."

Neuschwanger teve pelo menos o privilégio de uma morte rápida e limpa. A queda bastou para lhe quebrar o pescoço. Isso era bem mais do que ele permitira às suas vítimas de Natzweiler.

Depois de assistir à execução do *Oberwachtmeister* Neuschwanger, Barkworth e Rhodes voltaram para o jipe estranhamente abatidos e calados. Não sentiram nenhuma alegria real – nenhuma catarse – assistindo ao enforcamento do homem que, entretanto, tinha sido um dos criminosos de guerra nazistas mais exaustivamente procurado por eles. Nenhum dos dois voltaria a presenciar uma execução.

"É uma das coisas que não se quer fazer mais de uma vez", lembrou-se Rhodes. "Quando saímos daquela prisão, foi um alívio. Nós dois achamos que não é nada bom ver alguém morrer."

Para os Caçadores Secretos, sua missão nunca tinha sido de vingança brutal. Eles só desejavam fazer justiça. E no outono de 1946 concluíram que pelo menos um pouco dessa justiça tão almejada havia sido feita. Neuschwanger estava morto. Isselhorst e Schneider aguardavam sua execução, como também Werner Rohde. E Karl Buck enfrentaria a "morte por fuzilamento".

Gehrum logo acabaria morrendo, destino que também esperava Peter Straub, o carrasco de Natzweiler, depois que ele também fosse julgado. Os arquitetos da Waldfest haviam sido perseguidos, levados à justiça e condenados à pena capital.

Todos, menos um: o *Sturmbannführer* Ernst continuava desaparecido.

CAPÍTULO 30

—— ✳ ——

DEPOIS DOS JULGAMENTOS, Barkworth e sua equipe poderiam ser perdoados por relaxar um pouco, mas não foi esse o caso: sua operação da Vila Degler continuava a todo vapor.

Em dezembro de 1946, Barkworth ampliara suas investigações: Kolbshein – crimes contra militares americanos; Natzweiler IV – execução de oficiais da RAF em Stalag Luft; capitão Gunston e sete homens de outras patentes – o SAS na Itália; Bennett e Claridge – de novo, o SAS na Itália; e mais uns dez casos.

O enfoque já não era a Operação Loyton. A determinação do coronel Franks de encontrar os trinta e dois agentes do SAS desaparecidos nos Vosges gerara um fenômeno investigativo com vida própria. Em carta de 26 de dezembro ao Departamento de Guerra, resumindo os êxitos da equipe da Vila Degler e as próximas prioridades, Barkworth ressaltou a necessidade de ampliar seu grupo e fazer recrutamentos independentes.

"Isso tem uma vantagem: os homens são escolhidos a dedo, o que é essencial numa unidade tão pequena que não pode aceitar indivíduos temporários." Ele enfatizou os esforços gigantescos que levaram aos resultados até então obtidos nos tribunais: "Desde 1º de janeiro de 1946, os veículos desta equipe cobriram 245.238 milhas [cerca de 395.000 quilômetros]...

No ano passado, 105 suspeitos ou testemunhas foram localizados nos campos e 44 pessoas foram presas por nossos agentes."

Barkworth escreveu também sobre os desafios permanentes da perseguição aos suspeitos, especialmente ao homem que ele mais desejava capturar. "As dificuldades para encontrar os procurados não diminuíram. Sabe-se, por exemplo, que Ernst, dos casos St. Dié e Saales, foi solto pelos americanos... Visitou então sua esposa em dezembro de 1945 e agora parece que está na zona britânica, pois apareceu ali duas vezes... Esperamos concluir com sucesso essa busca num futuro próximo."

No início de 1947, Londres reconheceu francamente a habilidade e a experiência sem paralelo de Barkworth em assuntos de crimes de guerra. Apesar da "natureza especial das investigações do SAS" – para não aludir ao *status* pouco claro da equipe –, o "conhecimento do major Barkworth sobre o quadro mais amplo dos crimes é tão extenso, e sua apreciação dos caracteres dos vários suspeitos tão detalhado", que nele se devia confiar quase sempre, dizia uma carta do escritório do juiz advogado-geral.

Rastrear os criminosos de guerra nazistas continuava sendo crucial para muitas famílias que aguardavam uma solução, aquelas cujos filhos e filhas ainda eram considerados desaparecidos. Pelo menos algumas das pessoas enlutadas desejavam ardentemente ver com seus próprios olhos a justiça sendo feita.

Na primavera de 1947, o pai de Donald Lewis, agente do SAS e da Operação Loyton executado em Le Harcholet, escreveu sobre a morte do filho e o julgamento pendente: "Eu agradeceria muito se você, de qualquer modo, apoiasse meu pedido de permissão para assistir ao julgamento daqueles que foram responsáveis pela morte dele e de seus camaradas".

Para Barkworth e sua equipe da Vila Degler, o fardo da responsabilidade continuava pesado. Isso ocorria especialmente à luz dos novos casos que eles começavam a investigar.

Em junho de 1944, um esquadrão do 1 SAS descera no oeste da França, perto da cidade de Poitiers, estabelecendo sua base de operações numa floresta a sudoeste dessa localidade. Sua missão era conturbar e deter forças alemãs que corriam para o norte a fim de fazer frente aos desembarques do Dia D. Com o codinome de Operação Bulbasket, acabou em desastre, pois trinta e um homens caíram prisioneiros. No final da guerra, eles – como os da Operação Loyton – foram inscritos nas listas simplesmente como "desaparecidos".

Solucionados em grande parte os casos da Operação Loyton, o coronel Franks, Galitzine e Barkworth resolveram fazer o mesmo trabalho pelos desaparecidos da Operação Bulbasket. Barkworth escreveu a Franks sobre os assassinatos: "Unidade responsável pelas execuções identificada como Recce. Esquadrão da 158ª Divisão, 80º Corpo, Exército Alemão".

Seguia-se uma lista de oito nomes – os principais comandantes suspeitos de eliminar os 31 agentes da Bulbasket. Em fevereiro de 1947, Barkworth tinha três deles em custódia e os interrogatórios prosseguiam. Em abril do mesmo ano, os maiores culpados foram descobertos e levados a júri em Wuppertal. Dois homens – inclusive o general comandante do 80º Corpo – receberam sentença de morte por enforcamento.

Barkworth continuou investigando inúmeros casos que envolviam a Ordem de Comando: por exemplo, o assassinato do capitão Bill Blyth, agente do Special Boat Service (SBS) que servira com o lendário Anders Lassen. Em ataques com barcos contra forças alemãs, Blyth tinha sido capturado na ilha Alimnia, no Mediterrâneo oriental, juntamente com vários elementos de seu grupo. Todos desapareceram na *Nacht und Nebel*.

Barkworth voltou também sua atenção para os chamados Cockleshell Heroes, mais formalmente conhecidos como Operação Frankton – uma missão em 1942 empreendida por um grupo de comandos que usavam canoas para atacar o porto de Bordéus, ocupado pelos alemães. Iria investigar ainda o destino da Operação Source, a incursão de 1943 em que comandos britânicos a bordo de minissubmarinos X-Craft atacaram o encouraçado *Tirpitz*, escondido em um fiorde da Noruega.

Mas, se os suspeitos da Operação Loyton – e também da Bulbasket – foram levados à justiça, muitas das caçadas posteriores de Barkworth terminariam prematuramente. Razões políticas e hipocrisia poriam fim a essas investigações.

A 29 de abril de 1948, os franceses enviaram às autoridades britânicas encarregadas dos crimes de guerra uma cópia do certificado de execução de Isselhorst. Após ser julgado pelos britânicos, Isselhorst fora-o também pelos franceses, que o condenaram duas vezes à morte. O certificado atestava que um pelotão se reuniu em Estrasburgo para fuzilá-lo, em vez de enforcá-lo. Mas execução era execução.

Isselhorst foi dado como morto pelo "coronel-médico Bouchard"; seu crime era "*complicité d'assassinats*" – cumplicidade em assassinatos. Os britânicos registraram o veredito em forma mais prosaica: "Erich Isselhorst foi executado em Estrasburgo a 23 de fevereiro de 1948, após a Corte de Cassação confirmar sua sentença de morte exarada por um tribunal militar francês".

Infelizmente, Isselhorst seria um dos últimos a enfrentar a justiça em Wuppertal. No outono de 1948, o governo britânico ordenou a interrupção de todos os julgamentos por crimes de guerra contra seus concidadãos. Fato inacreditável, isso ocorreu quando iam em meio os julgamentos referentes ao assassinato de setenta fugitivos do campo de prisioneiros de Stalag Luft, na primavera de 1944.

O primeiro julgamento de Stalag Luft acontecera em julho de 1947, com dezoito réus enfrentando a acusação de assassinato. O segundo, em outubro de 1948; mas, antes que este terminasse, o então secretário das Relações Exteriores, Ernest Bevin, anunciou a decisão do governo britânico de não mais processar criminosos de guerra nazistas.

Embora se permitisse que o segundo julgamento de Stalag Luft chegasse ao veredito, a busca de justiça dos britânicos terminara oficialmente. Durara pouco mais de três anos. Era uma decisão política, numa época em que o Ocidente se preparava para a Guerra Fria. A Alemanha Ocidental passara a ser considerada um aliado, o principal baluarte contra a ameaça russa e o comunismo. Aos olhos de muitas autoridades, caçar criminosos de guerra nazistas se tornara contraproducente, algo que a Grã-Bretanha não podia se permitir.

Os julgamentos de crimes de guerra contra o SAS haviam terminado; e percebe-se até que ponto essa decisão era delicada pelo fato de o governo britânico determinar o sigilo de todos os papéis oficiais existentes sobre o assunto durante setenta e cinco anos. Com efeito, se esse prazo tivesse sido cumprido, os arquivos ainda estariam indisponíveis hoje. Para Barkworth, é claro, isso não apenas marcava o fim de uma era – a operação secreta da Vila Degler terminara – como pressupunha o mais cruel dos desfechos. Ele dedicara uns bons três anos de sua vida àquela busca – e Hans Dietrich Ernst ainda não tinha sido apanhado.

Todos queriam um pedaço do famigerado *Sturmbannführer* – americanos e franceses também o procuravam por crimes de guerra –, mas ninguém parecia capaz de pôr as mãos no homem.

Contudo, para o coronel Brian Franks, o capitão príncipe Yurka Galitzine e o major Barkworth, os Caçadores Secretos haviam atingido um de seus mais caros objetivos. Graças à sua própria existência e ao uso da boina com o símbolo da adaga alada nas operações, eles haviam mantido o espírito do SAS vivo o bastante para que renascesse, como uma Fênix, das próprias cinzas.

Em julho de 1947, o prestigiado regimento Artists Rifles – uma unidade de infantaria ligeira de voluntários criada em 1859 – fundiu-se com o "defunto" SAS para formar o 21º Regimento de Serviço Aéreo Especial (Artistas) (Reservas). Era uma unidade de reserva do Exército Territorial, mas representava a tão esperada – embora parcial – ressurreição do SAS. Muito adequadamente, o primeiro comandante do novo regimento era o tenente-coronel Brian Franks, DSO, MC – o homem que tanto fizera para manter o SAS vivo desde sua desmobilização oficial em 1945.

Todavia, mesmo no fim, a atitude de franco antagonismo que Barkworth e seus homens haviam granjeado subsistiu. Em agosto de 1948, a carta de um brigadeiro do gabinete londrino do juiz advogado-geral é típica: "Penso que, quando esse oficial terminar sua tarefa e tiver a oportunidade de concluir todos os casos do SAS será conveniente pedir-lhe todos os documentos em seu poder. Se necessário, ordenar-lhe que os entregue. Não são propriedade privada dele e sim das autoridades militares".

Se tudo tivesse ficado por conta da oficialidade, os mortos da Operação Loyton, os agentes da SOE executados em Natzweiler, os aldeões de Moussey, os habitantes do vale de Rabodeau e as vítimas de inúmeros crimes de guerra relacionados continuariam sem dúvida classificados como "desaparecidos em ação". Os carrascos nazistas importantes teriam sido processados, mas não os responsáveis pelos crimes que a equipe da Vila Degler perseguia encarniçadamente.

Caso o SAS não houvesse procedido às suas investigações cada vez mais secretas, os assassinos em massa – inclusive Isselhorst – com quase certeza escapariam. Cada Caçador Secreto foi intensamente afetado por seu trabalho, ficando com cicatrizes que levariam muito tempo para desaparecer. Mergulhar a fundo nesses casos de indescritível degradação humana era psicologicamente danoso. Mesmo os resultados – julgamentos e veredictos, do modo como ocorreram – provocaram muita insatisfação e desejo de ir além.

As atrocidades nazistas foram um crime indelével contra a humanidade, sustentou Galitzine, que ficou chocado com a brandura das sentenças. Atribuiu o fracasso dos julgamentos à "reação natural contra as mortes e os horrores da guerra". A visão dos tribunais parecia ser que aqueles homens tinham sido caçados, julgados e estigmatizados como criminosos de guerra – e esse era um castigo suficiente. Galitzine pensava de outra forma. A seu ver, o destino dos criminosos devia se tornar um exemplo para impedir que, no futuro, outros de sua espécie ousassem fazer o mesmo.

No entanto, não permitiu que sua cólera no tribunal toldasse a consciência que tinha de tudo quanto os Caçadores Secretos haviam realizado. Resumindo essa obra no crepúsculo dos dias da unidade, escreveu: "Bill logo soube que seus camaradas desaparecidos haviam sido mortos depois de tomados como prisioneiros de guerra. Encontrou quase todos os corpos e foi atrás dos assassinos. O grupo localizou ou prendeu na Alemanha, França, Itália e Áustria mais de cem alemães envolvidos e por fim levou os culpados à justiça".

Graças sobretudo aos esforços do próprio Galitzine, a equipe da Vila Degler implantara outro marco crucial nas investigações dos crimes de guerra:

foi rompido o silêncio sobre Natzweiler e sobre o espectro mais amplo dos responsáveis por semelhantes assassinatos. Isso, por si só, representou uma grande conquista, que não poderia ter sido levada a cabo a não ser por homens como os Caçadores Secretos.

A energia, a motivação pessoal e o profundo instinto do grupo de Barkworth deram à sua tarefa uma motivação inigualável. Como estavam sempre dispostos a quebrar regras, esses homens raramente fracassaram na busca dos procurados. Nenhuma outra unidade agiria assim. E o fato de terem obtido êxito trabalhando no maior sigilo, à míngua de recursos e o mais das vezes enfrentando uma burocracia militar "antiquada" atesta bem como foi incomparável seu papel.

Para todos os fins e propósitos, a tarefa dos Caçadores Secretos se encerrou no início de 1949. Barkworth e seus homens haviam cumprido a missão que se impuseram no início: trouxeram à luz tudo o que foi possível sobre a Operação Loyton. Na verdade, fizeram muito mais. E enquanto um grupo de caçadores desaparecia, outro entrava em cena — os Caçadores Secretos ajudaram a criar o moderno SAS.

Bem pesadas as coisas, o coronel Franks, Galitzine, Barkworth e Rhodes teriam todo direito de se sentir contentes, exceto por um detalhe: não haviam conseguido apanhar o *Sturmbannführer* Hans Dietrich Ernst. Mas, conforme se viu depois, a história da caçada a Ernst ainda não terminara: o drama apenas seria encenado em outro palco.

Quem servira na Vila Degler teria pouco reconhecimento pelo que fez. Tão secreta era a existência da unidade que mesmo o diário de guerra oficial do SAS para os anos 1941-1945 contém apenas uma notícia breve, de quatro linhas, sobre seu trabalho crucial — reproduzida numa edição limitada de 2011, não acessível ao público.

Diz ela: "Em outubro de 1945, o SAS foi extinto. Franks entrou num acordo extraoficial com uma pessoa do Departamento de Guerra e a unidade [de crimes de guerra] continuou atuando — às claras, como se fosse oficial. Ela encerrou suas buscas em 1948, três anos depois da desmobilização do SAS".

As palavras finais devem se referir ao capitão príncipe Yurka Galitzine, sem o qual os Caçadores Secretos jamais teriam obtido seus sucessos. Ele, por sua vez, nunca se esqueceria do que vira dos Vosges, em Natzweiler e outros lugares. Acreditava que o prosseguimento da caça aos criminosos de guerra nazistas e sua condução à barra dos tribunais eram de vital importância, para que o mundo também não esquecesse. "Os jovens desta geração e da próxima devem saber o que aconteceu. Pois pode acontecer de novo."

Não há, seguramente, epitáfio melhor para os Caçadores Secretos.

POSFÁCIO

———— ✳ ————

BOA DOSE DE CONTROVÉRSIAS e mal-entendidos cerca o destino dos acusados que Barkworth e seus homens gastaram tanto tempo e energia procurando após a guerra. O primeiro, obviamente, é o *Sturmbannführer* Hans Dietrich Ernst. O segundo, um pouco menos obviamente talvez, o *Standartenführer* Erich Isselhorst.

A 13 de junho de 1962, o chefe da CIA em Frankfurt enviou um memorando secreto aos colegas sobre "Hans Dieter Ernst". Como o homem em questão era, conforme o próprio documento admitia, "procurado pelo assassinato de seis americanos, trinta e três soldados britânicos e quatro mulheres britânicas", parece inconcebível que não se tratasse do *Sturmbannführer* Hans Dietrich Ernst. Com efeito, em documentos posteriores da CIA, ele é chamado de Hans *Dietrich* Ernst e dado como nascido em 1908, o ano correto para o homem mais procurado por Barkworth.

O memorando de 13 de junho de 1962, que parece uma revisão das informações disponíveis sobre Ernst, diz: "Descobrimos que Caretina enumerou Hans Dieter Ernst como seu colega de prisão no campo de Vorkuta, URSS, e que em 1957 Caretina relatou que Ernst se encontrava no Leer/ Frísia Oriental..."

A Frísia Oriental é uma área costeira a noroeste da Alemanha, fronteiriça à Holanda. Isso significa que Ernst esteve encarcerado num campo

349

de prisioneiros russo – o Vorkuta Gulag foi um grande campo de trabalhos forçados da era soviética – antes de, não se sabe como, ir parar no Leer, uma região da Frísia, na Alemanha Ocidental, por volta de 1957 – oito anos depois de Barkworth e sua equipe serem forçados a interromper sua procura. "Caretina" é o criptônimo para um agente da CIA não identificado.

O memorando prossegue: "Caretina classificou seus colegas internos dos campos da URSS em a) suspeitos de cooperação com os soviéticos; b) possivelmente suspeitos; c) 'positivos', isto é, acima de qualquer suspeita. Ernst ficou na categoria 'positivos', o que se compreende, pois ele era membro da SS e da SD, tendo portanto formação semelhante à de Caretina, ex-oficial Amt IV, RSHA".

"Amt IV" era a Gestapo; "RSHA", o Gabinete Central de Segurança do Reich – os serviços de inteligência e a polícia secreta nazistas, conhecidos mais comumente como *Sicherheitsdienst* (SD). Sem dúvida, o *Standartenführer* Isselhorst se enquadra na descrição de "Caretina", pois fora oficial tanto da Amt IV quanto do RSHA e sabemos, por seu julgamento, a opinião altamente favorável que ele tinha de seu ex-comandado Ernst: "Um homem trabalhador, inteligente e consciencioso, um dos melhores oficiais na França".

Mas como Caretina podia ser Isselhorst se Isselhorst havia sido executado pelos franceses em 1947? Não importa quem tenha sido Caretina, sua opinião "positiva" sobre Ernst repousa única e exclusivamente na oposição deste ao regime soviético. Com base na premissa de que o inimigo de meu inimigo é meu amigo, qualquer inimigo dos soviéticos era presumivelmente amigo da CIA e do Ocidente, sobretudo em 1962, quando a Guerra Fria chegava ao auge. Sem que isso cause surpresa, os crimes de guerra de Ernst mal foram mencionados no memorando.

Além do mais, Hans Dietrich Ernst consta do "Arquivo 201" da CIA, mais comumente conhecido como "Arquivo de Nomes". O memorando de 1962 foi redigido nos termos do Ato de Divulgação dos Crimes de Guerra Nazistas. A CIA liberou poucos documentos do Arquivo 201 de Ernst: três ou quatro páginas, no máximo. O memorando de 13 de junho contém o grosso do material liberado. Entretanto, há uma nota manuscrita na capa do memorando que diz respeito a Ernst: "Por favor, reclassificar para o 201 do supramencionado".

A própria CIA considera a abertura de um Arquivo 201 como um meio de "proporcionar um método para identificar pessoas de interesse específico para o Diretório de Operações e para controlar todas as informações pertinentes sobre elas. Somente algumas apresentam interesse suficiente para justificar a abertura de um dossiê 201. São, em geral, alvos de vários relatórios e investigações da CIA, agentes ou fontes em perspectiva, membros de grupos e organizações de interesse perene."

Em outras palavras, um Arquivo de Nomes 201 só é criado para quem a Agência considera relevante aos serviços de inteligência: informante, agente ou outra pessoa de real interesse.

Assim, no verão de 1962, parece que Hans Dietrich Ernst estava vivo e com saúde, morando na Alemanha Ocidental e recebendo toda a atenção da CIA. Mas não esqueçamos: esse homem havia sido condenado à morte *in absentia* quatro vezes, por tribunais franceses, em virtude de seus crimes de guerra cometidos nos Vosges e outros lugares.

E é aqui que as coisas começam a ficar ainda mais bizarras.

A 22 de novembro de 1957, a CIA fez uma "Solicitação de Arquivo de Personalidade 201" – um Arquivo de Nomes – para Erich George Heinrich Isselhorst. O Arquivo 201 dava como seu "país de residência" a França. Mas *em 1957*? Como podia a CIA elaborar um Arquivo 201 para um homem supostamente morto dez anos antes e dá-lo como vivo na França, o país que devia tê-lo executado havia uma década por crimes de guerra?

A 28 de março de 1974 – cerca de vinte e cinco anos após a suposta execução de Isselhorst – o Arquivo de Nomes da CIA recebeu um volumoso dossiê com novas informações da Central Records Facility (Agência Central de Registros) do US Army Intelligence Centre (Centro de Inteligência do Exército Americano). O documento principal ali contido é um relatório de 3 de julho de 1957 intitulado "Consolidação de Isselhorst, Erich (Dr.)".

Engraçado isso de "consolidar" alguém que supostamente fora executado dez anos antes! Os relatórios começam assim: "Descrição: nascido a 5 de fevereiro de 1906, altura 1,65 m, forte, cabelos louro-escuros, olhos cinza-azulados, pele lisa, rosto redondo, nariz grande". Estranha descrição para quem estava morto havia uma década. O que se deveria ler era: "Fuzilado pelos franceses. Enterrado a sete palmos em Estrasburgo". Pelo menos, é o que todos pensavam.

Com o subtítulo "Carreira", o documento enumera as façanhas de Isselhorst na guerra – sem mencionar seus crimes – e o que lhe aconteceu depois.

"Supostamente sentenciado à morte por autoridades aliadas, mas solto pelo movimento conhecido como grupo VECHTA. Pertence a uma organização comandada por Martin Bormann e cujo objetivo, segundo se diz, é combater os russos, mas conexões soviéticas foram observadas."

(Esqueçamos por enquanto a referência a "Martin Bormann". Ele foi uma figura de destaque no regime nazista e teria ludibriado todos os esforços para prendê-lo após a guerra. Pesquisar quaisquer vínculos entre Isselhorst e Bormann certamente está fora do escopo deste livro.)

Examinando esse parágrafo, vemos que de acordo com o Centro de Inteligência do Exército Americano, Isselhorst não foi executado pelos franceses. O que quer que seja esse grupo VECHTA – não encontrei nenhum vestígio dele –, parece ter tido o poder de "libertar" Isselhorst da custódia aliada, salvando-o tanto da "morte por fuzilamento" quanto da "morte por enforcamento" – respectivamente, as sentenças francesa e britânica para ele.

O Centro de Inteligência do Exército Americano estava tão certo disso que repetiu a afirmativa de 1957: "Supostamente sentenciado à morte por autoridades aliadas, mas solto pelo movimento". No Arquivo 201 de Isselhorst, da CIA, nada sugere que esses dados do Centro de Inteligência do Exército Americano sejam falsos.

O que pensar, então?

A crermos na CIA e no Centro de Inteligência do Exército Americano, Isselhorst nunca foi executado – nem pelos franceses nem por ninguém. Ao contrário, foi resgatado por algum grupo tenebroso (o VECHTA), depois do que a CIA elaborou para ele um Arquivo de Nomes 201. Isso sugere, por seu turno, que Isselhorst – morando em 1957 na

352

França, segundo a CIA – era um elemento de inteligência valioso para a Agência, muito depois de supostamente ter sido executado por seus crimes.

Nesse caso, então talvez Isselhorst *fosse* Caretina, o agente mencionado no memorando de 1962 sobre o ex-*Sturmbannführer* Ernst. Mas vejamos as coisas por outro ângulo. Há alguma evidência de que isso seja verdade, de que Isselhorst, ou mesmo Ernst, tenham sido recrutados pela CIA?

Bem, há.

No dia 10 de maio de 1945, o estado-maior conjunto americano expediu uma diretiva ao general Dwight Eisenhower, comandante das forças dos Estados Unidos na Europa, para que ele prendesse e mantivesse sob custódia todos os criminosos de guerra nazistas. Mas a diretiva era temperada com a seguinte orientação: "A seu critério, poderá abrir as exceções que considere recomendáveis por motivos de inteligência e outras injunções militares".

Em junho de 1945, o brigadeiro-general Reinhard von Gehlen, ex-chefe dos Fremde Heere Ost, FHO (Exércitos Estrangeiros do Oeste), de Hitler – a organização de inteligência da Wehrmacht para a Frente Oriental –, fez aos militares americanos uma oferta atraente. Ele lhes entregaria, intactos, todos os arquivos reunidos por sua organização, inclusive sobre os atuais agentes secretos que operavam na Rússia de Stalin, caso os americanos o aceitassem como colaborador.

O nome de Gehlen foi rapidamente banido de todas as listas de prisioneiros de guerra e ele se tornou o principal espião americano na Alemanha pelas duas décadas seguintes. Para a operação de codinome Rusty, mais conhecida como Organização Gehlen, ele reuniu sua equipe e arquivos, pondo-se a trabalhar. Fizeram largo uso, é claro, de ex-oficiais da Gestapo e da SS com experiência na Frente Oriental. Gehlen reativou sua antiga rede de agentes na Rússia para, agora, servir a outro amo.

Naturalmente, a recém-formada Organização Gehlen atuou ombro a ombro com seu parceiro óbvio dentro dos círculos da inteligência americana: o Corpo de Contrainteligência (CIC). Em 1947, pelo Ato de Segurança Nacional, surgiu a CIA. Reinhard von Gehlen e Allen Dulles, o diretor da nova organização, logo se tornaram bons amigos.

Em julho de 1949, a CIA assumiu o controle total da Organização Gehlen e um de seus agentes, o coronel James H. Critchfield, dirigiu-a oficialmente pelos seis anos seguintes, embora o próprio Gehlen continuasse sendo o verdadeiro chefe. Após a guerra, o CROWCASS – o Registro Central de Crimes de Guerra e Suspeitos de Segurança – era o respositório de arquivos sobre os nazistas procurados. Quando a CIA passou a controlar a Organização Gehlen, os arquivos do CROWCASS foram entregues a Reinhard Gehlen e sua unidade de inteligência clandestina.

Os loucos agora administravam o manicômio.

Em março de 1950, os Estados Unidos decidiram nomear formalmente Reinhard von Gehlen como diretor do Serviço de Inteligência da Alemanha Ocidental. Os soviéticos protestaram veementemente, pois procuravam Gehlen por crimes de guerra. Em 1955, quando a Alemanha Ocidental recuperou sua soberania, a Organização Gehlen tornou-se o serviço de inteligência alemão estrangeiro, o BND.

Pelo Ato de Divulgação dos Crimes de Guerra, a CIA foi forçada a liberar um documento sobre seus vínculos com ex-nazistas, marcado como "secreto" e intitulado "Cão-guia da América em Trela Comprida". O primeiro parágrafo declarava: "Em 1949, a CIA assumiu a responsabilidade pelo nascente Serviço de Inteligência da Alemanha Ocidental. Mais que qualquer outro projeto individual, esse ato vinculou a CIA a veteranos dos serviços de inteligência da Alemanha nazista, alguns dos quais eram notórios criminosos de guerra".

O relatório da CIA prossegue: "A Organização Gehlen tem sido acusada de atuar como refúgio de nazistas e criminosos do Terceiro Reich. Como patrocinadores do serviço de inteligência alemão, o exército dos Estados Unidos e a CIA estão implicados nessa acusação. Desde os primeiros dias a CIA viu isso como um problema e, na verdade, advertiu o exército sobre o apoio dado a Gehlen. Depois de 1949, a CIA herdou essas preocupações e, embora mudasse o ponto de vista do programa americano de crimes de guerra sobre Gehler, nunca conseguiu que os alemães 'varressem a casa'".

Em 1972, Reinhard von Gehlen publicou suas memórias, revelando o grau de "respeitabilidade" e *status* que conquistara na sociedade civilizada. Intitulado *O Serviço*, o livro proclama: "*O Serviço* são as memórias do general Reinhard Gehlen, lendário espião-chefe, diretor da espionagem militar de Hitler na Rússia que, após a guerra, transferiu todos os seus arquivos e rede de espionagem para os Estados Unidos, acabando por comandar o serviço de inteligência não oficial da Alemanha Ocidental".

Em 2006, alguns arquivos da Organização Gehlen foram liberados em virtude do Ato de Divulgação de Crimes de Guerra. Estudando-os, a altamente respeitável Federação dos Cientistas Americanos (Federation of American Scientists, FAS) enumerou no Projeto sobre Segredo Governamental os nomes dos principais criminosos de guerra nazistas empregados pela Organização Gehlen e, consequentemente, pela CIA.

Incluíam: o ex-SS *Oberführer* Willi Krichbaum, responsável pela deportação de judeus húngaros dos quais 300 mil morreram; o SS *Standartenführer* Walter Rauff, que pessoalmente concebeu e supervisionou as câmaras de gás móveis usadas para exterminar judeus; o SS *Oberführer* dr. Franz Six, que em 1941 comandou um *Einsatzgruppe* para liquidar os judeus da cidade russa de Smolensk; e o SS *Sturmbannführer* Alois Brunner, oficial da Gestapo que trabalhou diretamente sob as ordens de Adolf Eichmann e "purgou" Paris de seus judeus.

E, antes que se presuma ser esse um fenômeno puramente americano, os britânicos também recrutaram nazistas suspeitos de crimes de guerra ou para espionar os russos ou porque ambicionavam os segredos tecnológicos e militares da Alemanha de Hitler. Caso houvesse uma medida britânica equivalente ao Ato de Crimes de Guerra Nazistas americano – que, infelizmente, ainda não há –, apareceriam sem dúvida arquivos igualmente desconcertantes.

A lista da FAS contendo os nomes dos principais criminosos de guerra nazistas empregados pela Organização Gehlen e a CIA é extensa. Inclui comandantes SS que serviram em Auschwitz, Treblinka, Buchenwald, Dachau e outros campos de concentração alemães.

E contém o seguinte lançamento:

SS *Obersturmbannführer* dr. Erich Isselhorst, SS nº 267313. Nascido em 5 de fevereiro de 1906. Foi comandante da Polícia e da SD em Estrasburgo, e inspetor da SD em Stuttgart. Foi também oficial-comandante do *Einsatzkommando* 8 do *Einsatzgruppe* A.

Isselhorst se tornou *Standartenführer* no final da guerra.

Convém, pois, perguntar: Isselhorst foi mesmo executado, como anunciaram os franceses? Ou, como parecem sugerir papéis da CIA e outros, sua "execução" não passou de uma farsa e o *Standartenführer* Erich Isselhorst sobreviveu a fim de trabalhar para a Organização Gehlen e a CIA?

Uma cópia do registro da execução de Isselhorst pelos franceses está nos Arquivos Nacionais, juntamente com os vários itens de correspondência das autoridades britânicas, à guisa de prova de que a sentença de morte exarada por franceses e britânicos foi mesmo cumprida. Entretanto, os vários documentos da CIA guardados nos Arquivos Nacionais dos Estados Unidos insinuam que Isselhorst teve uma longa e profícua carreira na Organização Gehler e na Agência.

Em quem acreditar?

Certamente, o Projeto sobre Segredo Governamental da Federação Americana de Cientistas quase não tem dúvidas: Isselhorst é mencionado como um dos muitos criminosos de guerra nazistas importantes que trabalharam para a Organização Gehler e para a CIA.

De qualquer modo, talvez tenha sido bom que a possibilidade de Isselhorst escapar à justiça e trabalhar para a inteligência ocidental não chegasse ao conhecimento dos Caçadores Secretos. Seria um dos golpes mais cruéis saber que esse homem driblou a justiça que, no entender deles, fora feita.

Finalmente, precisamos voltar ao *Sturmbannführer* Hans Dietrich Ernst. A 9 de março de 1977, um jornal alemão publicou este artigo curto:

Um ex-oficial da SS acusado de participar da deportação e assassinato de numerosos judeus franceses foi privado, pelo tribunal de Oldenburgo, norte da Alemanha, do direito de advogar. A ação contra Hans Dietrich Ernst, comandante regional, durante a guerra, do Serviço de Segurança Alemão e da Polícia de Segurança na França, ocorreu em virtude de representações do advogado antinazista francês Serge Klarsfeld.

Ernst foi sentenciado à morte quatro vezes por tribunais da França, *in absentia*. As sentenças não foram reconhecidas pela Alemanha Ocidental, embora o promotor público de Colônia esteja no momento investigando as atividades de Ernst durante a guerra.

Inacreditavelmente, por três décadas após os Caçadores Secretos serem obrigados a suspender a busca desse suspeito, Hans Dietrich Ernst viveu uma existência tranquila em sua Alemanha natal, trabalhando como advogado e, muito provavelmente, como espião da Gehlen/CIA/BND. No início dos anos 1980, as autoridades alemãs, ao que parece, finalmente se decidiram a indiciar Ernst por crimes de guerra.

Ele morreu de velhice, antes de comparecer ao tribunal.

Nas décadas de 1940, 1950 e 1960, com o Ocidente envolvido na Guerra Fria, houve aparentemente um triunfo do pragmatismo amoral sobre o que era correto e justo. Isso era – e é – justificável ou sensato? Pondo de parte a questão moral, a verdade é que recrutar ex-nazistas criminosos de guerra para liderar nossos serviços de inteligência foi uma política falha se levarmos em conta os resultados obtidos.

Esses "ex" nazistas adotavam um código moral abjeto, viviam perseguidos pelos crimes de guerra e horrores inomináveis que perpetraram, e não eram leais a ninguém – muito menos às potências ocidentais, que acabaram com o sonho nazista e, pela segunda vez, infligiram à Alemanha uma derrota esmagadora. Eram fiéis apenas a si mesmos e à sua laia. Revelaram-se, no mínimo, aliados duvidosos, prestando serviços de inteligência de valor questionável.

Mas ainda que fossem espiões de alto nível, contratar "ex" nazistas era moralmente justificável? Pura e simplesmente, não. Se tivesse havido um referendo perguntando aos povos das nações aliadas se eles aprovavam semelhante política, a resposta seria amplamente negativa. Certos limites nunca podem ser ultrapassados. Acolher antigos assassinos em massa, estupradores, infanticidas e racistas em nossos serviços de inteligência foi errado e negou às vítimas de tanto sofrimento a coisa mais preciosa para elas: justiça.

Quando falamos dos crimes de guerra, enfatizamos muito corretamente que essas atrocidades não podem ocorrer de novo (embora tenham ocorrido nos Bálcãs, Ruanda e Darfur). Mas permitir que responsáveis por crimes terríveis contra a humanidade escapem ilesos apenas porque dão alguma vantagem à nossa causa é igualmente inaceitável. Proteger Gehlen, Barbie, Rauff, talvez Isselhorst e Ernst da justiça foi repreensível ao extremo.

Nossas instituições democráticas – inclusive o aparato militar e de inteligência – jamais poderiam se colocar acima da lei.

EPÍLOGO

———— ✳ ————

Durante a guerra, o tenente-coronel Brian Morton Foster Franks recebeu a Cruz Militar (1943) e a Ordem por Serviços Relevantes (1944), logo depois da Operação Loyton. Finda a guerra, foi condecorado com a Légion d'Honneur e a Croix de Guerre francesas. Chegou a coronel honorário no comando do 21 SAS, o regimento territorial que chefiou até 1950 e que formaria a base para a reformulação do Regimento do SAS propriamente dito, no início da década.

De 1959 a 1972, foi diretor administrativo do Hotel Hyde Park em Londres e trabalhou também para o grupo Trust Houses Forte. Coronel honorário do 21 SAS, tornou-se depois coronel-comandante do Regimento do SAS reformulado. Casou-se e teve dois filhos, falecendo em Suffolk em 1982.

O major Bill Barkworth emigrou para a Austrália, onde construiu uma vida nova bem longe das sombrias realidades dos crimes de guerra nazistas. Casou-se e entrou para o mundo dos negócios. Faleceu de ataque cardíaco em janeiro de 1986.

Após seu período em Eaton Square, o capitão príncipe Yurka Galitzine montou uma empresa de relações públicas em Mayfair, Londres. Precisou de muito tempo para perdoar o povo alemão como um todo pelos crimes de Natzweiler e os outros muitos horrores que testemunhou. "Eu não via diferença alguma entre os alemães", confessou ele. "Para mim, todos os alemães eram cruéis e, em consequência, eu tinha sede de vingança... O tempo cura tudo."

Galitzine casou-se quatro vezes, teve dois filhos e três filhas, e tornou-se um empresário internacional de sucesso. Retirou-se para Rutland, East Midlands – o menor condado da Inglaterra –, onde foi diretor e em seguida presidente da Rutland Society. Sempre teve orgulho de sua herança russa e voltou feliz para a terra de seus ancestrais depois do colapso da União Soviética. Alguns de seus documentos particulares estão na sala "Prince Yuri Galitzine" do Museu do Condado de Rutland. Morreu em novembro de 2002, após uma curta doença.

O capitão e depois major Henry Carey Druce recebeu a Ordem por Serviços Relevantes (Distinguished Service Order, DSO) e a Croix de Guerre com Palma por seu trabalho durante a Operação Loyton. Na citação de sua DSO, ele é elogiado pela habilidade, coragem e desdém total pela própria segurança. Nos Vosges, Druce conquistou "a admiração não apenas de todos os soldados britânicos com quem teve contato, mas também do povo francês local, onde seu nome se tornou lendário".

Cruzando as linhas para se juntar à Operação Loyton do coronel Franks e não conseguindo encontrá-lo, ele voltou atravessando as linhas pela terceria vez e chegou em segurança junto às forças americanas, embora estas – temporariamente – o detivessem como suspeito de ser um "espião alemão". Em seguida, prestou serviços distintos ao SAS em Arnhem, onde comandou uma frota de dez jipes que atuaram por trás das linhas inimigas, emboscando colunas alemãs e tomando um aeródromo.

Depois da guerra, entrou para o M16 – o Serviço Secreto de Inteligência Britânico – e serviu na Holanda e na Indonésia. Foi novamente homenageado pelos franceses em 1951, quando o convidaram para reacender a chama do Arco do Triunfo. Nesse ano mudou-se para o Canadá com a esposa e três filhos, montando um negócio de barcos. Morreu em 2007 com 85 anos de idade.

Durante toda a sua vida ativa após a guerra, Druce visitou regularmente Moussey. Em uma ocasião, entrou no bar de onde precisara fugir às pressas dos alemães roubando a bicicleta de uma criança. O dono lembrou-se dele e até recordou-lhe o episódio. Druce lhe enviou mais tarde um modelo de bicicleta infantil, que até hoje está exposto orgulhosamente no bar.

O capitão do SAS e depois major Peter Lancelot John Le Poer Power sobreviveu à guerra, ganhando uma Menção de Honra e a Cruz Militar. Tornou-se plantador de chá na vida civil e morreu em fevereiro de 1998 com 86 anos.

O capitão John Hislop – excelente jóquei amador e Fantasma da Operação Loyton – também sobreviveu à guerra e trabalhou como jornalista esportivo bem-sucedido, escritor e criador de cavalos: venceu 102 corridas e foi campeão de jóquei amador em treze temporadas. Escreveu sobre turfe para o *Observer* durante dezesseis anos e vários livros sobre esse tema, inclusive um em que mistura corridas com lembranças da guerra, *Apenas um Soldado*. Casou-se e teve dois filhos; morreu em fevereiro de 1994 em Suffolk.

O capitão Chris Sykes, oficial de inteligência da Operação Loyton, recebeu a Menção Honrosa e a Croix de Guerre. Após o conflito, tornou-se romancista e biógrafo na vida civil, entrando para a Sociedade Real de Literatura. Escreveu mais de uma dúzia de livros, inclusive *Quatro Estudos sobre Lealdade*, cuja parte final trata – um tanto tangencialmente – das experiências da Operação Loyton.

Foi amigo íntimo do escritor Evelyn Waugh e, antes da guerra, de Robert Byron. Fez muitas reportagens para a rádio BBC e colaborou com revistas britânicas e americanas, inclusive *New Republic* e *Spectator*, entre outras. Casou-se e teve um filho. Faleceu em dezembro de 1986.

Ralph "Karl" Marx – que se juntou à Operação Loyton em caráter extraordinário – recebeu Menção Honrosa por sua participação nessa aventura. Os efeitos das missões dos Vosges em sua saúde foram tais que, ao fim da guerra, ele passou para a reserva com soldo de 100% por invalidez. Em seguida, estudou engenharia em Cambridge e ganhou uma medalha no boxe. Sempre devolvia seu soldo por invalidez e acabou construindo uma bela carreira como engenheiro. Casou-se, teve um filho e duas filhas, e morreu em dezembro de 2000 aos 78 anos.

Lou Fiddick, o piloto canadense e membro honorário da Operação Loyton, sobreviveu à guerra e voltou para o Canadá, de onde manteve contato regular com seus antigos camaradas do SAS, o capitão Druce principalmente, que também fora viver naquele país.

O guia francês e membro honorário do SAS, Roger Souchal, tornou-se um advogado de sucesso na cidade francesa de Nancy.

O sargento Fred "Dusty" Rhodes regressou à sua Barnsley nativa, após se desligar dos Caçadores Secretos, e reassumiu o emprego no departamento de parques local. Em 1985, visitou Moussey e depositou flores no cemitério em homenagem a seus camaradas e outros ali sepultados. Voltou a La Grande Fosse, onde ergueu uma cruz negra com a inscrição: "Aqui, oito membros do Regimento 2 SAS foram assassinados a 15 de outubro de 1944".

Rhodes foi um dos que não quiseram permanecer em silêncio sobre o trabalho dos Caçadores Secretos. Após a guerra, deu várias entrevistas, algumas das quais guardadas no Museu Imperial da Guerra. Em uma, declarou o seguinte a respeito da decisão de manter indisponíveis por setenta e cinco anos os arquivos oficiais dos crimes de guerra cometidos contra o SAS:

"Quanto aos registros da Loyton... por que proibir sua divulgação por setenta e cinco anos, não sei. Será que esse prazo se aplica também a outros arquivos?"

Rhodes deu essas entrevistas na tentativa de ajudar a romper o silêncio.

Hoje, Moussey, a Operação Loyton e o que aconteceu depois fazem parte da lenda do Regimento do SAS. Para quem a conhece, a Operação Loyton é muitas vezes citada como "a Arnhem do SAS". As operações de busca dos Caçadores Secretos são ainda hoje estudadas no Regimento, como modelo para missões semelhantes (por exemplo, as empreendidas pelo SAS após o conflito nos Bálcãs).

Membros do Regimento voltam sempre àquela aldeia dos Vosges para homenagear tanto seus camaradas do SAS quanto as centenas de civis

franceses que pereceram com eles. No último domingo de setembro, todos os anos, a aldeia de Moussey rememora o que aconteceu ali. Após uma
missa na igreja – onde está pendurado um estandarte oficial do SAS –,
flores são depositadas nos túmulos dos agentes sepultados no adro e no
memorial aos aldeões que, deportados, jamais voltaram.

Um dos membros do grupo cada vez menor de sobreviventes lê em
voz alta uma longa lista dos desaparecidos e, após cada nome, outro veterano pronuncia as palavras: "*Mort pour la patrie*".

NOTA FINAL

———— ✳ ————

VÁRIAS DÉCADAS APÓS O FIM DA GUERRA, um homem chamado Peter Mason publicou um livro intitulado *Official Assassin*. Nele, alega ser um ex-soldado do SAS que trabalhou para um ramo ultrassecreto do Regimento especializado em matar os criminosos de guerra não levados à justiça por um motivo qualquer. As supostas façanhas de Mason receberam alguma cobertura da mídia na época. "Esquadrão da Morte Britânico 'Executou' Nazistas", propalava uma manchete do *Sunday Times* em dezembro de 1977.

Mason contou que trabalhara num estábulo convertido, perto de Stuttgart, e que suas atividades eram secretamente apoiadas pelo Departamento de Guerra. Afirmou ter executado dezesseis nazistas que, de outro modo, teriam escapado à "justiça". Mason relatou que localizavam o procurado em um campo de prisioneiros, matavam-no às escondidas e depois alegavam que ele havia cometido suicídio ou fora fuzilado por tentativa de fuga.

Não existe nenhum documento, em arquivo nenhum, que corrobore diretamente essas alegações. Não quer dizer que elas sejam falsas. Houve mesmo um paraquedista chamado P. Mason na lista dos homens do SAS que participaram da Operação Loyton. Ele foi um dos catorze que saltaram nos Vosges na noite de 21-22 de setembro de 1944. P. Mason foi também o "mecânico" do jipe do coronel Franks que percorreu os Vosges atacando alvos alemães.

Isso não significa, é claro, que o P. Mason da Operação Loyton e o Peter Mason autor de *Official Assassin* sejam a mesma pessoa. Entretanto, um dos homens que ele diz ter matado foi Fritz Opelt. Este serviu sob o *Sturmbannführer* Hans Dietrich Ernst nos Vosges e pertenceu ao grupo de assassinos que fuzilou os oito homens da Operação Loyton nas florestas perto de La Grande Fosse.

Em 1946, Opelt constava da lista dos procurados pelos britânicos, acusado de "matar dezesseis paraquedistas britânicos" – dezesseis dos desaparecidos da Operação Loyton. Não há indício de que o Fritz Opelt procurado por crimes de guerra tenha ido alguma vez à barra da justiça.

BIBLIOGRAFIA

———— ❈ ————

Asher, Michael, *The Regiment,* Viking, 2007.

Bloxham, Donald, *Genocide on Trial,* Oxford University Press, 2001.

Bonn, Keith E., *When the Odds Were Even,* Presidio Press, 1994.

Breitman, Richard, Norman J. W. Goda, Timothy Naftali e Robert Wolfe, *US Intelligence and the Nazis,* Cambridge University Press, 2005.

Brun Lie, Arne, com Robby Robinson, *Night and Fog,* W. W. Norton, 1990.

Burbidge, Colin, *Preserving the Flame,* YouWriteOn.com, 2008.

Clutton-Brock, Oliver, e Raymond Crompton, *The Long Road,* Grub Street, 2013.

Cookridge, E. H., *Gehlen, Spy of the Century,* Corgi Books, 1972.

Cowburn, Benjamin, *No Cloak, No Dagger,* Pen & Sword, 2009.

Farran, Roy, *Winged Dagger,* Cassell, 1948.

Fiennes, Ranulph, *The Secret Hunters,* Little, Brown, 2001.

Ford, Roger, *Fire from the Forest,* Cassell, 2003.

Ford, Roger, *Steel from the Sky,* Cassell, 2004.

Gehlen, Reinhard (David Irving – trad. ingl.), *The Service,* World Publishing, 1972.

Grehan, John, e Martin Mace, *Unearthing Churchill's Secret Army,* Pen & Sword, 2012.

Hislop, John, *Anything but a Soldier,* Michael Joseph, 1965.

Hunt, Linda, *Secret Agenda,* St Martin's Press, 1991.

Jones, Benjamin F., *Freeing France: The Allies, the Résistance and the JEDBURGHS,* Universidade de Lincoln-Nebraska, 1999.

Jones, Tim, *SAS: The First Secret Wars,* I. B. Tauris, 2005.

Kemp, Anthony, *The SAS at War 1941-1945,* Penguin Books, 1991.

Kemp, Anthony, *The Secret Hunters,* Michael O'Mara Books, 1986.

McCue, Paul, *SAS Operation Bulbasket,* Leo Cooper, 1996.

Millar, George, *Maquis,* Cassell, 1945.

Mortimer, Gavin, *Stirling's Men,* Cassell, 2004.

O'Connell, Brian, *John Hunt,* O'Brien Press, 2013.

Russell, Lord, of Liverpool, *The Scourge of the Swastika,* Cassell, 1954.

Scholey, Pete, *Who Dares Wins,* Osprey Publishing, 2008.

Seel, Pierre, *I, Pierre Seel, Deported Homosexual,* Perseus Books, 2011.

Stevenson, William, *Spymistress,* Arcade Publishing, 2007.

Sykes, Christopher, *Four Studies in Loyalty,* William Collins, 1946.

Walker, Jonathan, *Operation Unthinkable,* History Press, 2013.

West, Nigel, *Secret War,* Coronet Books, 1992.

ÍNDICE REMISSIVO

Impresso por :

Graphium
gráfica e editora

Tel.:11 2769-9056